古代歷史文化研究輯刊

十六編

王明蓀 主編

第14冊

從《劍南詩稿》論陸游的飲食生活

汪育正 著

元代刑罰制度研究
——以五刑體系爲中心

王信杰 著

國家圖書館出版品預行編目資料

從《劍南詩稿》論陸游的飲食生活 汪育正 著／元代刑罰制度研究——以五刑體系為中心 王信杰 著—初版—新北市：花木蘭文化出版社，2016〔民 105〕
目 2+84 面／目 2+104 面；19×26 公分
（古代歷史文化研究輯刊 十六編：第 14 冊）
ISBN 978-986-404-758-1／978-986-404-759-8（精裝）
1. 生活史 2. 南宋／1. 刑律論 2. 元代
618 105014266／105014267

ISBN-978-986-404-758-1

ISBN-978-986-404-759-8

古代歷史文化研究輯刊
十六編 第十四冊 ISBN：978-986-404-758-1／978-986-404-759-8

從《劍南詩稿》論陸游的飲食生活
元代刑罰制度研究——以五刑體系爲中心

作　　者	汪育正／王信杰
主　　編	王明蓀
總 編 輯	杜潔祥
副總編輯	楊嘉樂
編　　輯	許郁翎、王筑　美術編輯　陳逸婷
出　　版	花木蘭文化出版社
社　　長	高小娟
聯絡地址	235 新北市中和區中安街七二號十三樓
	電話：02-2923-1455／傳眞：02-2923-1452
網　　址	http://www.huamulan.tw 信箱 hml 810518@gmail.com
印　　刷	普羅文化出版廣告事業
初　　版	2016 年 9 月
全書字數	62666 字／89404 字
定　　價	十六編 35 冊（精裝）台幣 68,000 元

作者簡介

汪育正，東吳大學歷史學碩士。

提　　要

　　歷史上的陸游流傳後世的形象，大多是以他傑出的文學造詣與高尚的民族情操為主，「愛國詩人」、「南宋四大家」之一等稱號可以清楚的瞭解他在文壇上的地位和貢獻。但較少為人所提及的是，陸游其實是個可與北宋知名的美食家蘇軾齊名的老饕。礙於南宋時期史料較為缺乏，北宋時幾位知名文人的飲食生活多有前輩學者加以探討；如蘇軾、歐陽修、黃庭堅、蔡襄等人，可南宋時的文人飲食就較少受到關注。而本文之所以選擇陸游為研究對象，主要的原因是在後人為他收錄成冊的傳世之作《劍南詩稿》中，有著數量很多與飲食生活有關連的詩歌，是最為直接的史料來源，所以針對其《劍南詩稿》為切入點，希望除了過去前人在其中所鑽研出的各種文學價值外，使其在南宋文人飲食的研究範疇中，能夠呈現出另一種的面貌。

　　除了利用《劍南詩稿》為主要研究對象以外，文中還利用各種輔助的史料加以相互映證，如筆記小說、食經、譜錄和醫書等，藉由這些史料裡的隻字片語，嘗試還原陸游筆下的南宋文人飲食生活。

　　本文共分為五章：第一章主要在討論研究的動機、方法和材料，以及陸游的家世背景介紹。第二、三、四張分別討論《劍南詩稿》裡的詩歌對美食、養生和飲品的描寫，並利用輔助史料來探討陸游的思考原因與背景。第五章則是結論與可再延伸討論的研究範疇。

目次

第一章　緒　論

第一節　研究動機與陸游家世背景

　　陸游（1125～1210）在中國歷史上的地位，長期以來緣之於他在文學上卓越的造詣與貢獻，尤其是其詩文中時常透露出高昂的愛國情操，而讓後世讀者爲之動容，甚至於擠身南宋「中興四大家」之列。其《劍南詩稿》共有八十五卷，在此近萬首的詩歌中，除了表達他生平許多豐富的意境之外，也記錄下了他所親身經歷的南宋社會文化。而屬於社會文化一部份的飲食文化，與陸游的關聯性，卻甚少有專家學者論及。其實談到宋代文人的飲食生活，並不是一個太陌生的領域，如歐陽修、蘇軾、黃庭堅、蔡襄等文人，都曾有專家學者對他們的飲食生活進行過研究討論。但是總的來說絕大部分的討論對象，都還是集中在北宋時期；這個現象固然有其必然之因素，如上述這些文人對於飲食的題材有留下專著、宋代的筆記小說資料中，對於他們的著墨較爲豐富，或是其他方面（如飲食專著）遺留下來的史料，以北宋的記載相對完整，這些都是促使北宋文人的飲食生活受到注意的原因。而關於南宋時期文人飲食生活的史料，則是少了許多。

　　故本文研究動機的大方向，就是想對南宋文人飲食生活的相關議題，增添一些個人的切入角度與研究心得。但正因爲如前所述在史料蒐集上的困難，不得不將大方向逐漸修改，嘗試將研究視野集中在單一個人身上。而之所以會選擇陸游來作爲研究之對象，實因其《劍南詩稿》不論在文學或是歷

史上，都屬於普羅大眾較爲耳熟能詳的詩歌集錄，其中與飲食有相關的詩文作品也非常豐富。陸游因仕途上不順遂的際遇，導致他有很多的時間都在地方上任官或是擔任幕職官員，但四處漂泊的生活卻使他增加了許多的見聞，對各地的人文風俗、生活習慣有了更多的瞭解，這種經歷當然也直接影響了他的飲食生活。人類學家 Sidney W. Mintz 就曾提出一個觀念，他認爲社會的飲食習性常因各種權力、影響力的介入而改變，而這些力量的來源、運用的方式、目的，以及人們採取的應對方式等，也都會促成食物偏好的轉變。〔註1〕所以筆者在研究陸游的飲食生活這個題目時，就開始注意他從被外放任官開始到閒居故鄉這段時間裡，駐足時間較長或是與飲食相關的詩歌資料較爲豐富的地方，希望從這些地理環境中找出與他飲食生活的關聯性。

另外，當筆者針對陸游飲食生活研究這個題目進行蒐集資料時，才發現原來不論在臺灣或是中國大陸，對於陸游飲食生活研究的專論文章實在是很有限。若非僅單就陸游的飲茶、飲酒、養生或是食事的內容加以討論，就是發表在一些醫藥雜誌裡，內容也相當零散，可說並不適合使用在學術研究上的通俗文章。因此促使筆者盡可能蒐集各方面資料，對陸游的飲食生活作一個較有系統的整合，以及較爲學術的研究。

唐宋變革是近年來研究九至十四世紀中國史學者熱衷的議題，從中世到近世改變的層面是幅員遼闊的，飲食史自然也是其中的一環。但是飲食習慣的轉變，大多是承襲傳統的基礎，並且在基礎上加以改變、創新或精緻化。所以本文雖然主要在討論南宋前後時期的飲食文化，但仍企圖利用一些宋代以前的資料來做引證，目的是爲了強調飲食習慣的造成絕非一朝一夕，南宋時期擁有的觀念背景也有一部份是從漢唐以來即行之已久，而非偶然發生的。

本文主要是擷取陸游《劍南詩稿》裡與飲食相關的詩歌，從中分析之所以會促成當時飲食文化的時空背景，故在最基本的資料上使用世界書局整理出版的《陸放翁全集》，〔註2〕其中收錄了陸游絕大部分的作品，如《渭南文集》、《劍南詩稿》、《放翁逸稿》、《老學菴筆記》、《家世舊文》、《齋居紀事》等，在資料使用上較爲完整且方便。另外孔祥賢所著《陸游飲食詩選注》，

〔註1〕 Sidney W. Mintz 著、林爲正翻譯，《吃，漫遊飲食行爲、文化與歷史的金三角地帶》（台北：藍鯨出版有限公司，2001年），頁35。
〔註2〕 楊家駱主編，《陸放翁全集》（台北：世界書局，1961年），共上下兩冊。

〔註3〕將陸游與飲食有關的詩歌做了一個有系統的整理且加以點校注釋，使筆者在撰寫此論文時，能夠節省很多時間在篩選詩歌的工作上。而錢仲聯校注的《劍南詩稿校注》，〔註4〕使筆者可搭配著《陸放翁全集》一起使用，避免對於詩歌的解釋不夠精確，從而錯解原本的涵義。

　　在飲食文化背景的相關資料上，筆記小說是筆者大量取材的對象，如中華書局主編《唐宋史料筆記》、〔註5〕上海古籍出版社主編《宋元筆記小說大觀》、〔註6〕上海師範大學古籍整理研究所主編《全宋筆記》〔註7〕等筆記小說輯錄都多有引用。除此之外，中華書局出版的《夷堅志》〔註8〕也是在資料蒐集上不可缺少的重要資料。而除了筆記小說之外，食經、茶酒類著作和譜錄也是筆者多方使用的材料，食經如林洪《山家清供》、〔註9〕陳達叟《本心齋蔬食譜》，〔註10〕茶酒類著作如蔡襄《茶錄》、〔註11〕趙汝礪《北苑別錄》、〔註12〕宋子安《東溪試茶錄》、〔註13〕朱翼中《北山酒經》、〔註14〕竇苹《酒譜》〔註15〕等。譜錄類如蔡襄《荔枝譜》、〔註16〕不著撰人名氏《筍譜》、〔註17〕陳仁玉

〔註3〕　孔祥賢，《陸游飲食詩選注》（北京：中國商業出版社，1989年）。

〔註4〕　錢仲聯校注，《劍南詩稿校注》（上海：上海古籍出版社，2005年），共八冊。

〔註5〕　中華書局編《唐宋史料筆記》，因此版叢書各本出版時間不一，故不列與此註，於後文中使用時再分別註明。

〔註6〕　上海古籍出版社編，《宋元筆記小說大觀》（上海：上海古籍出版社，2001年），共六冊。

〔註7〕　朱易安等編，《全宋筆記》（鄭州：大象出版社）本書共有三編，第一編出版於2003年，第二編出版於2006年，第三編出版於2008年。

〔註8〕　〔宋〕洪邁，《夷堅志》（北京：中華書局，1981年），共四冊。

〔註9〕　〔宋〕林洪，《山家清供》（叢書集成新編）第四十七冊，（台北：新文豐出版公司，1985年）。

〔註10〕　〔宋〕陳達叟，《本心齋蔬食譜》（台北：臺灣商務印書館，1965年）。

〔註11〕　〔宋〕蔡襄，《茶錄》，收錄於《荔枝譜‧外十四種》（福州：福建人民出版社，2004年）。

〔註12〕　〔宋〕趙汝礪，《北苑別錄》，收錄於《荔枝譜‧外十四種》（福州：福建人民出版社，2004年）。

〔註13〕　〔宋〕宋子安，《東溪試茶錄》，收錄於《荔枝譜‧外十四種》（福州：福建人民出版社，2004年）。

〔註14〕　〔宋〕朱翼中，《北山酒經》，收錄於《宋代經濟譜錄》（蘭州：甘肅人民出版社，2008年）。

〔註15〕　〔宋〕竇苹，《酒譜》，收錄於《宋代經濟譜錄》（蘭州：甘肅人民出版社，2008年）。

〔註16〕　〔宋〕蔡襄，《荔枝譜》，收錄於《宋代經濟譜錄》（蘭州：甘肅人民出版社，2008年）。

《菌譜》、〔註18〕傅肱《蟹譜》、〔註19〕高似孫《蟹略》〔註20〕等，都是宋代對於飲品或是食物材料有留下專門記錄並且經過整理的書籍，可以與陸游在詩歌裡提及的飲食背景或飲食觀念詳加對照，建構出陸游飲食生活完整的樣貌。

另外還有醫藥方面的資料，如陳直《養老奉親書》、〔註21〕周守中《養生月覽》、〔註22〕張杲《醫說》、〔註23〕劉完素《素問病機氣宜保命集》、〔註24〕唐慎微《重修政和經史證類備用本草》〔註25〕等，都是筆者在撰寫陸游飲食與醫療養生部分時會參考使用的材料。前文論述陸游因家學傳統，所以他具有醫藥保健的部分背景知識，在撰寫他飲食與養生的關係時，醫學、藥學、養生學方面的資料都必須涉獵，才能瞭解陸游在飲食養生上的看法。

本文擬將陸游《劍南詩稿》中有關飲食的詩歌列舉出，並透過分類，歸納出陸游在蜀地任官和山陰閒居兩個時期。另外在飲食與養生和茶酒飲品的章節多列出他在福建任提舉常平茶鹽事時所留下的詩歌，配合筆記小說所提到的軼事資料和當時的食經、譜錄、醫書相互佐證，讓讀者能更清楚瞭解陸游所處的時代，與他有關的飲食生活原貌。並且期望藉此三個時間階段性的討論，能夠大範圍的將陸游飲食生活的零散片斷，組織成一個在時間和空間上都有系統、有組織的原貌。〔註26〕

〔註17〕 〔宋〕不著撰人，《筍譜》，收錄於《宋代經濟譜錄》（蘭州：甘肅人民出版社，2008年）。

〔註18〕 〔宋〕陳仁玉，《菌譜》，收錄於《宋代經濟譜錄》（蘭州：甘肅人民出版社，2008年）。

〔註19〕 〔宋〕傅肱，《蟹譜》，收錄於《宋代經濟譜錄》（蘭州：甘肅人民出版社，2008年）。

〔註20〕 〔宋〕高似孫，《蟹略》，收錄於《宋代經濟譜錄》（蘭州：甘肅人民出版社，2008年）。

〔註21〕 〔宋〕陳直，《養老奉親書》，收錄於〔元〕鄒鉉編《壽親養老新書》（台北：臺灣商務印書館，1983年）。

〔註22〕 〔宋〕周守中，《養生月覽》，收錄於《四庫全書叢目存書》（台南：莊嚴出版社，1997年）。

〔註23〕 〔宋〕張杲，《醫說》（台北：新文豐出版公司，1981年）。

〔註24〕 〔金〕劉完素，《素問病機氣宜保命集》，收錄於《金元四大醫學家名著集成》（北京：中國中醫藥出版社，1995年）。

〔註25〕 〔宋〕唐慎微，《重修政和經史證類備用本草》（北京：華夏出版社，1993年）。

〔註26〕 此分類法參考徐佩霞，《陸遊茶詩研究》（臺北市立教育大學碩士論文，2009年），頁57。

　　筆者在前文中曾討論 Sindey W. Mintz 提出飲食習性與權力、影響力之間的關係，除此之外他還提出了「內在」與「外在」的意義，與外在意義有關的變遷開始進行之後，內在意義便隨之產生。〔註27〕放在本文的研究來談，外在的變遷就是針對陸游在外任官四處遊歷的環境，必須去面對與熟悉的故鄉全然不同的風土民情與飲食習慣，進而產生的內在意義就是他必須調整自己去接受這不熟悉的一切。長久下來，在他的飲食生活裡，這些原本會帶給他濃厚鄉愁的異鄉風味卻不再陌生，取而代之的是在他心中多了一份對異地的認同感，甚至於是日後他在故鄉閒居還不時會寫詩歌詠的一個題材。所以這項研究在預期成果上，是希望藉由上述的研究方法能夠描繪出陸游飲食生活的歷史地圖，透過這幅圖能夠將宋代飲食研究的焦點不再大多集中於北宋，也希望能夠對南宋文人飲食研究作一拋磚引玉之舉。

　　在本文研究陸游的飲食生活中，有一部份將會討論陸游飲食與養生的關係。陸游一生享壽八十五歲，這個年齡放到今日的標準來審視也可算是極為不易。而在這裡特別先將其家世背景提出來，是因為陸游自己在〈跋續集驗方〉一文中說：「予家自唐丞相宣公在忠州時，著陸氏集驗方，故家世喜方書。」〔註28〕宣公即是陸游的遠祖，唐德宗時的宰相陸贄，「宣」是他死後的諡號。陸贄，蘇州嘉興人，年十八登進士第，以博學鴻詞登科。德宗在東宮時素知陸贄之名，乃召為翰林學士，轉祠部員外郎。唐德宗貞元八年（792），以陸贄為中書侍郎、門下同平章事。後因朝臣僭言遭貶為忠州別駕，順宗即位時詔徵還，詔未至而陸贄卒，時年五十二，贈兵部尚書，諡曰宣。〔註29〕《舊唐書》也提到陸贄「在忠州十年，常閉關靜處，人不識其面，復避謗不著書。家居瘴鄉，人多癘疫，乃抄撮方書，為陸氏集驗方五十卷行於代。」〔註30〕從陸游的描述，以及《舊唐書》對陸贄的記載，可以看出陸氏從陸贄開始就有了收集和整理藥方書籍的興趣，到後來逐漸引為陸氏一門的傳統。到了陸游這一代，他說：「予宦遊四方，所獲亦以百計，

〔註27〕 Sidney W. Mintz 著、林為正翻譯，《吃——漫遊飲食行為、文化與歷史的金三角地帶》，頁38。

〔註28〕 〔宋〕陸游，〈跋續集驗方〉，收錄於《陸放翁全集》《渭南文集》，卷二十七，頁161。

〔註29〕 〔後晉〕劉昫，《舊唐書》，卷一百三十九・列傳第八十九（北京：中華書局，1975年），頁3791。

〔註30〕 同上註。

擇其尤可傳者，號陸氏續集驗方，刻之江西倉司民為心齋。淳熙庚子十一月望日，吳郡陸某謹書。」〔註31〕如果不是家學淵源，陸游在四處任官時，也不會特別留心的去收集這些散落在民間各地的醫藥方子或是方書。而他自己或許曾嘗試過其中部分的醫方或藥方，以求達到強身健體、延年益壽的功效。

除此之外，三浦國雄在其〈文人と養生——陸游の場合〉一文中，談到陸游的養生觀念和方法頗受道家的影響。〔註32〕例如陸游本人在〈歲晚幽興〉說：

> 短鬢元知不久青，況開九帙數餘齡；
> 全家共保一忍字，累世相傳三住銘。
> 時泛孤舟過梅市，卻穿雙屩上蘭亭；
> 擁爐莫恨無僧在，滿院松風要細聽。
> 先太傅親受三住銘于施肩吾先生，授游曰：『汝其累世相傳，毋忽。』因即以傳聿、虞諸子。〔註33〕

詩歌註中提到的先太傅，即是陸游的高祖陸軫。陸游在〈跋修心鑑〉中說：

> 右高祖太傅公修心鑑一篇，初公生七年，家貧未就學，忽自作詩，有神仙語，觀者驚焉。晚自號朝隱子，嘗退朝，見異人行空中，足去地三尺許，邀與俱歸，則古仙人嵩山栖眞施先生肩吾也。因受煉丹辟穀之術，尸解而去。〔註34〕

雖說施肩吾授道術給陸軫以傳說性質居高，因為兩個人存在的時空背景相去甚遠。但可以確定的是，陸軫對於煉丹辟穀之術必然有所涉獵，甚至於鑽研頗深。施肩吾是唐代著名的道士，憲宗元和十五年（820）登進士第，文宗太和中自嚴陵入西山訪道。在修養方法上主張「神由形住，形以神留，神苟外遷，形亦難保」，〔註35〕這對於日後陸游在養生法中的「養氣」有不小的影

〔註31〕 同註28。
〔註32〕 三浦國雄，〈文人と養生——陸游の場合〉，《中國古代養生思想の總合的研究》（東京：平河出版社，1988年），頁386。
〔註33〕 〔宋〕陸游，〈歲晚幽興〉，收錄於《陸放翁全集》《劍南詩稿》，卷五十六，頁801。
〔註34〕 〔宋〕陸游，〈跋修心鑑〉，收錄於《陸放翁全集》《渭南文集》，卷二十六，頁155。
〔註35〕 中國道教協會、蘇州道教協會，《道教大辭典》（北京：華夏出版社，1994年），頁741。

響。至於《三住銘》是施肩吾討論有關氣形神的著作，〔註36〕與他的《養生辯疑訣》討論的主旨相同。所以從這裡可以發現，陸軫傳承到陸游這一代的養生法與道家的關係非常密切。

第二節　研究文獻回顧

近現代專家學者們對於陸游全面性飲食生活的研究，可謂鳳毛麟角。而專門針對陸游部分飲食生活為研究對象的學位論文，有臺灣徐佩霞的《陸游茶詩探究》（臺北市立教育大學中國語文學系碩士論文，2009 年），討論的內容主要是陸游的茶詩，透過社會、文學等背景，並且加上他茶詩取材的多元性，來討論陸游茶詩的藝術風格與思想內涵。但是因該文為中國文學系的研究論文，故偏重於研究文學本體，而對於陸游飲茶生活的討論，並沒有太多的著墨。

中國大陸方面，有顧雲艷的《論陸游的茶詩與茶事》（江南大學食品貿易與文化學科碩士論文，2008 年），文中討論的重心主要是在陸游茶詩裡菊花茶、茱萸茶、橄欖茶等花果茶以及宋代的貢茶如建安茶和顧渚茶，並且提及在詩裡出現製造貢茶的貢茶院，如從唐代延續到宋代的顧渚貢茶院、宋代在福建建安設置採摘貢茶的貢茶院。最後談到陸游在詩裡所描述，宋代茶文化中很流行的「分茶」、「鬥茶」、「點茶」等茶藝。

付玲玲的《陸游茶詩研究》（山東：曲阜師範大學中國古代文學專業碩士論文，2006 年），則是從審美、心理以及文化涵義的觀點切入討論陸游的茶詩，其內容偏向用文學架構和方法來解釋他的茶詩，對於促成茶詩生成的茶事、茶文化背景的研究仍然有限。

李繼紅的《陸游巴蜀酒詩研究》（四川：重慶師範大學中國古代文學學科碩士論文，2009 年），該文前半部主要是討論陸游在巴蜀所作酒詩裡的文學意境以及藝術特徵，例如陸游身處前方戰線時，他所作的酒詩就會充斥著豪邁的魄力；但當他被調離前線，在巴蜀擔任較不重要的幕職或閒散官員時，他則會借酒詩澆愁來緩解胸中的鬱悶情感。後半部討論陸游巴蜀酒詩的成因，

〔註36〕錢仲聯校注，《劍南詩稿校注》第六冊（上海：上海古籍出版社，2005 年），頁 3264。本論文在經過第一次初稿發表後，經評論人陶晉生老師建議，認為錢氏校注的版本說明相當詳細，因此在撰寫過程中將錢氏校注版與楊家駱先生主編版一起使用，相互對照。

尤以受環境影響爲討論的重點，如入蜀時苦悶的心情、在南鄭前線戰場短暫的軍旅生活和之後在蜀中宦游的生活與掙扎，顯示出環境造成他不同的心境，所寫作出風格迥異的詩歌。最後提到宋代的酒文化和造酒業，還舉出了陸游的故鄉與巴蜀之間酒文化的各項異同。

而在飲食與養生醫藥方面，僅有中國大陸王靜的《蘇軾與陸游養生思想比較研究》（河南：河南大學專門史學科碩士論文，2009 年），文中大量的比較了蘇軾與陸游在飲食養生、起居調攝養生與精神養生思想上的比較。其中在飲食養生與陸游相關的部分則列舉了許多項目，如食粥與蔬食，並且搭配較爲清淡的口味。在食材的選擇上，陸游也選擇許多較爲自然的食材，例如他自己種植的蔬菜。而在討論利用食物進補的問題裡，從陸游在〈冬夜作短歌〉詩中自稱「食必按本草，下箸未嘗輒；體安疾自去，藥石無此捷」〔註37〕來解釋他注重食補的程度，並且舉出了陸游在《齋居紀事》裡記載的〈烏豆粥〉、〈地黃粥〉和〈枸杞粥〉來證明他對於食補知識的瞭解。

在期刊方面討論陸游部分飲食生活的文章，在臺灣有李貴榮、潘江東的〈簡論陸游茶詩、茶趣與茶文化〉（《高餐通識教育學刊》第六期，2010 年），內容是利用陸游詠茶詩裡所描寫的茶事來探討當時文人的品茶逸趣，以及整個飲茶背景的形成。

魏雅惠的〈陸游茶詩研究〉（《古今藝文》第三十一卷第三期，2005 年，頁 29～41），文中先對宋代茶事的背景進行討論，從政治、社會、文學層面切入。之後再將陸游與茶的接觸以入川、入福建及江西擔任常平茶鹽公事和晚年在山陰閒居三個階段來討論，最後再由名茶、名水等物質層面和閒適、反思等精神層面研究其茶詩。

在中國大陸上，有劉揚忠的〈平生得酒狂無敵，百幅淋漓風雨疾——陸游飲酒行爲及其詠酒詩述論〉（《中國韻文學刊》第二十二卷第三期，2008 年，頁 12～18），文中先討論陸游與家鄉紹興的酒事接觸，特別介紹了紹興酒的背景，再論述陸游飲酒詩裡的文學意涵和風格。

胡迎建的〈論陸游的詩酒〉（《廈門大學教育學院學報》第十二卷第一期，2010 年，頁 66～72），該文的討論主要從陸游飲酒的習性切入，如豪飲是爲了佯狂、解憂，或是在醉酒中聽曲、吹笛或作書法，嘗試透過詩歌顯現出陸

〔註37〕〔宋〕陸游，〈冬夜作短歌〉，收錄於《陸放翁全集》《劍南詩稿》，卷三十八，頁 581。

游飲酒時的樣貌。

　　在飲食與養生醫藥方面的期刊文章，臺灣有張忠智、莊桂英的〈陸游詩歌中的醫藥養生訊息〉（遠東學報第二十卷第三期，2003 年，頁 681～690），文中討論陸游重視正常且規律的生活起居，精神層面藉由朗誦詩歌能治病的觀念，以及自己種植包含藥材在內的農作物。另外，該文也談到陸游很樂於利用詩歌跟別人分享用藥以及食療的經驗，例如食粥的益處和使用菊花枕治療頭風病的成效，他在詩歌中也會記錄下自己生病時的狀況，這對於當時醫學的研究留下了一些臨床上的案例。最後提到陸游詩裡所表現出來存神止慮及養氣的觀念，養氣還分爲節制精神與身體上的活動，使氣不妄洩、不過度消耗的層面，以及運用形體鍛鍊（如氣功）和飲食藥物調養的補充。

　　在中國大陸，有駱曉倩、楊理論的〈陸游養氣說的詩學闡釋〉（《西南大學學報第三十四卷第三期》，2008 年，頁 170～173），文中利用陸游的詩歌來印證陸游力行養氣之法，強調他除了儒家思想之外，也受到道家觀念的影響，其所養之氣有哲學與文藝兩個不同層面的內容。列舉了如荷戈之氣、豪橫壯氣、縱橫之氣、如虹之氣甚至於悲鬱之氣，都是陸游在詩歌理所表現過的方式。

　　蔣凡的〈藥・養生・濟世——讀陸游《劍南詩稿》札記〉（《中國韻文學刊》第二十二卷第三期，2008 年，頁 1～11），內容一開始討論陸游因自幼體弱所以久病成良醫，對於養生保健之法有不少心得。再者陸游自己種植的農作物裡，就包含了不少藥材，除此之外他在詩歌中還常描述上山採藥的狀況。陸游也透過平時的鍛鍊，配合日常的飲食保健落實養生的法則，在這篇文章裡整理出六大項的方式。第一是防治疾病要從治心開始；第二是提倡讀書防老之法，特別提出讀《易》清心、調和陰陽，以護體內元氣的主張，元氣健旺則血脈通暢，生病的機會也就會降低；第三要戒貪慾、息邪念，力求萬事隨順自然，保持心平氣和；第四，治病用藥該用則用、該止則止，千萬不要盲目迷信醫生藥石，而放棄養生預防之方；第五，在閱讀醫藥等相關書籍的同時，強調對於醫學哲學的學習與瞭解；第六，提倡適當的勞動，加強鍛鍊的健身法。最後提到陸游透過賣藥、施藥與濟世，不但間接的傳佈他的養生之法與觀念，也因此不斷累積自己的經驗，更能夠掌握該如何適當的服藥進而達成最適合的療效。

第三節　章節安排

本研究論文章節安排如下所列：

第一章　緒　論
　　第一節　研究動機與陸游家世背景
　　第二節　研究文獻回顧
　　第三節　使用材料、研究方法與預期成果
　　第四節　章節安排

　　討論筆者之所以欲研究陸游飲食生活的動機，並且介紹陸游的遠祖陸贄和高祖陸軫，說明陸游飲食與醫療養生的觀念，從編輯方書《陸氏集驗方》的陸贄即可以看出來自家學淵源的傳承。另外藉由從前輩學者的研究作回顧，瞭解研究陸游飲食生活的專業論文或是期刊論文數量仍然有限。在使用材料上從《劍南詩稿》裡篩選與飲食相關的詩歌，配合食經、譜錄、醫書等輔助材料，建構出陸游的美食、養生與飲品生活，期望能夠透過以蜀地、山陰和福建的地理分類方式，更完整的將陸游飲食生活呈現在研究之中。接著利用外在環境的變遷會連帶影響內在飲食習慣的研究方法來討論陸游對於蜀地和福建的飲食情感，並且列舉他歌詠這些地方飲食的詩歌加以佐證。

第二章　從《劍南詩稿》論陸游的美食生活
　　第一節　陸游與江南美食的接觸
　　　一、難忘家鄉美食
　　　二、困頓中的田園美食

　　本節主要討論陸游在詩歌中對於故鄉山陰美食的描寫，在家鄉美食的部分還區分為他懷念的故鄉味和閒居時田園生活裡自己耕種的作物，以及生活困頓時所仰賴度日的食物。

　　第二節　陸游與蜀地美食的接觸
　　　一、陸游在蜀地任職時對當地美食的描述
　　　二、陸游對蜀地美食的眷戀

　　在與蜀地美食的接觸中，一部分談的是他在詩裡歌詠的蜀地美食，另一部分則包含了他在離開蜀地後所作的詩歌裡對蜀地美食的懷念。

第三章　從《劍南詩稿》論陸游的飲食與養生
　第一節　陸游的飲食養生觀念
　　一、節制飲食
　　二、食粥
　　三、素食

　　本節主要是從陸游飲食中的養生觀念進行討論，要探討的是他透過節制飲食，過分的暴飲暴食和大魚大肉會對身體造成過度的負擔。食粥與素食是透過食用比較容易消化的粥類，能夠使腸胃吸收食物裡更完全的養份，尤其是對年長者更是如此。素食的觀念主要是一般人肉類蛋白質的攝取量總是過多，但維生素與礦物質的攝取往往不足，所以多食用蔬菜能達到體內環保的功效。

　第二節　陸游的飲食保健與養生
　　一、早起和活動
　　二、洗腳
　　三、睡眠

　　飲食保健與養生的部分則是要討論陸游的保健運動，與他的飲食習性有密切的關係，如每天飯後的活動是為了促進氣血循環，幫助食物的消化和吸收；睡前藉由洗腳按摩穴道，可以紓解淤積在體內的食氣。這些都是他在利用飲食保健的方法上，達到延年益壽的效果。

第四章　從《劍南詩稿》論陸游的飲品生活
　第一節　陸游的飲茶生活
　　一、山陰
　　二、蜀地
　　三、福建

　　此節主要討論陸游在其詩歌裡所談到的茶事，藉由蜀地、山陰、福建這三個他留下作品比較豐富的空間裡，討論他在家鄉時所喝過的名茶，而在蜀地時則品嚐了與江南風格截然不同，有著濃厚川陝風味的好茶。最後則是緊鄰家鄉的福建因長期出產貢茶，故陸游也在這裡領略到了另一個層次的茶事。

第二節　陸游的飲酒生活
　　一、山陰
　　二、蜀地
　　三、福建

　　透過與上一節相同的分類法來分析陸游與酒的密切關係，從閒情逸致時的點綴到失意時的情緒宣洩，酒都是他很重要的媒介。所以本節擬討論他在蜀地、山陰、福建三地所品嚐過風味各異的美酒，以及這些美酒與環境的關係。

第三節　小　結
第五章　結　論

　　綜合陸游美食、養生與飲品的討論內容，整理出一個陸游飲食生活的原貌，並且論述本研究之後還可以延伸擴展的研究範圍。

第二章　從《劍南詩稿》論陸游的
　　　　美食生活

　　歷史上的陸游，給予後世的印象，總是有著滿腔抱負與愛國情操的文人。但是除此之外，他也是位非常著名的美食家。他早年活動的地區都在江南，南宋時期的江南正是個物產豐富的魚米之鄉，所以對於南方飲食，陸游是非常熟悉的。再者，一生仕途並不順遂的陸游，在人生中有極長的時間，並非任職於中央，而是在地方閒散職務上四處遊歷，尤其是乾道六年十月（1170）以左議郎差通判夔州（今四川奉節）軍州事赴夔州，到乾道八年（1172）十月改任成都府安撫司參議官，再至淳熙五年（1178）奉孝宗詔東歸，〔註1〕整整有將近九年的時間，是待在蜀地任官。而蜀地的飲食文化，與陸游的故鄉山陰（今浙江紹興）〔註2〕自然有著極大的差別。所以陸游在夔州任內的許多詩文作品中，都對於蜀地的飲食生活以及飲食文化，有著豐富的描述。故本章第一節先討論陸游與江南美食的接觸；第二節則特別討論其在蜀地與美食的接觸。

第一節　陸游與江南美食的接觸

一、難忘家鄉美食

（一）鱸魚
　　出身山陰的陸游，其早年與他本身飲食生活有相關的文學作品，自然是

〔註1〕　于北山，《陸游年譜》（上海：上海古籍出版社，2006 年），頁 144～155。
〔註2〕　于北山，《陸游年譜》，頁 1。

帶著十分濃厚的江南風味。在其〈買魚〉一詩，說：

> 臥沙細肋何由得，出水纖鱗卻易求。
>
> 一夏與僧同粥飯，朝來破戒醉新秋。

又

> 兩京春薺論斤賣，江上鱸魚不直錢。
>
> 斫膾搗虀香滿屋，雨窗喚起醉中眠。〔註3〕

從這兩首詩可以清楚的看到，在陸游筆下的江南確實是個豐饒的魚米之鄉。
從用來烹煮粥飯的稻米來說，兩浙路是宋代農業生產最爲發達的地區。〔註4〕
尤其到了南宋時期，「蘇湖熟，天下足」、「天上天堂，地下蘇杭」這兩句幾乎
廣爲世人所週知的諺語，更是道盡了南宋時，稻作農業在江南興盛的情形。
而鱸魚，則是分佈於各海口和河口一帶淡水中的淺海魚類，以肉味鮮美著稱
於世。盛產於吳地松江。〔註5〕因此生長於江南的陸游，自然對於此一美味有
著十分深刻的印象，以及很深的眷戀。這從他之後身處蜀地之際，所作的一
首〈南烹〉詩可見端倪：

> 十年流落憶南烹，初見鱸魚眼自明。
>
> 堪笑吾宗輕許可，坐令羊酪僭蒓羹。〔註6〕

這首詩是陸游在淳熙五年（1178）五月底所作，地點在黃州到蘄州間的長江途
中。〔註7〕如同前述，陸游從乾道八年（1172）赴蜀，至淳熙五年奉孝宗詔東
歸，共歷九年。故在「初見鱸魚」的那一刻，自然勾起了他濃厚的思鄉情感，
以及對家鄉美味的懷念。另外，陸游在淳熙四年，尚覺東歸之日遙遙無期時，
也於〈記夢〉中提到：

> 烏巾白紵憶當年，抵死尋春不自憐。
>
> 憔悴劍南雙鬢改，夢中猶上暗門船。

又

> 團臍霜蟹四腮鱸，樽俎芳鮮十載無。

〔註3〕　〔宋〕陸游，〈買魚〉，《劍南詩稿》收錄於《陸放翁全集》（台北：世界書局，
　　　　1961 年 1 月），卷一，頁 11。

〔註4〕　徐海榮主編，《中國飲食史》（北京：華夏出版社，1999 年），第四冊第一章〈宋
　　　　代的食物原料生產〉，頁 7。

〔註5〕　徐海榮主編，《中國飲食史》，第四冊第一章〈宋代的食物原料生產〉，頁 24。

〔註6〕　〔宋〕陸游，〈南烹〉，《劍南詩稿》收錄於《陸放翁全集》，卷十，頁 167。

〔註7〕　孔祥賢，《陸游飲食詩選注》（北京：中國商業出版社，1989 年），頁 77。

　　塞月征塵身萬里，夢魂也復醉西湖。〔註8〕
傳說天下的鱸魚都只有兩片腮，但只有松江（今屬上海市）產的鱸魚是四片
腮，品質和風味絕佳。〔註9〕所以不論是「團臍霜蟹」或是「四腮鱸」，江南
這些馳名天下的水產美食，都在陸游因思鄉而作的這些詩文作品中一一呈現
出來。

（二）薺菜

　　陸游對於「兩京春薺」中的薺菜，有十分生動的描繪。薺菜在宋代是十
分普遍的蔬食，《本心齋蔬食譜》中記載：「甘薺薺菜也。東坡有食薺法，且曰：天
生此物，爲幽人山居之福。誰謂荼苦，其甘如薺。天生此物，爲山居賜。」〔註10〕
　　但是陸游對於薺菜則多所著墨，例如在〈食薺十韵〉說：

　　　　舍東種早韭，生計似庾郎。
　　　　舍西種小菜，戲學蠶叢鄉。
　　　　惟薺天所賜，青青被陵岡。
　　　　珍美屏鹽酪，耿介凌雪霜。
　　　　采擷無閒日，烹飪有秘方。
　　　　候火地爐暖，加糝沙鉢香。
　　　　尚嫌雜筍蕨，而况污膏梁。
　　　　炊粳及鬻餅，得此生輝光。
　　　　吾饞實易足，捫腹喜欲狂。
　　　　一掃萬錢食，終老稽山旁。〔註11〕

另外在〈醃虀十韵〉，說：

　　　　九月十月屋瓦霜，家人共畏畦蔬黃。
　　　　小罌大甕盛滌濯，青菘綠韭謹蓄藏。
　　　　天氣初寒手訣妙，吳鹽正白山泉香。
　　　　挾書旁觀稺子喜，洗刀礪作廚人忙。
　　　　園丁無事臥曝日，棄葉狼籍堆空廊。
　　　　泥爲緘封糠作火，守護不敢非時嘗。

〔註8〕　〔宋〕陸游，〈記夢〉，收錄於《劍南詩稿》《陸放翁全集》，卷九，頁148。
〔註9〕　孔祥賢，《陸游飲食詩選注》，頁75。
〔註10〕　〔宋〕陳達叟，《本心齋蔬食譜》（叢書集成新編）第四十七冊，（台北：新文
　　　　　豐出版公司，1985年），頁580。
〔註11〕　〔宋〕陸游，〈食薺十韵〉，《劍南詩稿》收錄於《陸放翁全集》，卷十三，頁229。

人生各自有貴賤，百花開時促高宴。

劉伶病醒相如渴，長魚大肉何由薦。

凍虀此際價千金，不數狐泉槐葉麵。

摩挲便腹一欣然，作歌聊續冰壺傳。〔註12〕

陸游在這兩首詩中就寫出了對於薺菜的烹調方式，例如〈食薺十韵〉中所提到的「候火地爐」；由於江南一帶燒柴灶，如用木柴，停火後火灰仍旺，扒一灰坑，放入銅罐或瓦缽，內裝水或米，壓緊火灰，待火灰全熄時，水已熱，粥已熟，每燒一次都可利用，這就是「候火地爐」。聯句來看，陸游是利用餘燼焐薺菜粥。〔註13〕在〈鹹虀十韵〉中，「鹹虀」就是用鹽進行醃漬的動作，做成類似鹹乾菜的食品，目的是為了利於保存。〔註14〕陸游雖然身為地方官員，但因為大多擔任職務較為清閑的官員，俸祿自然也較微薄。因此其在艱困的環境下，除了常常食用從野地採摘回來的野菜之外，更將這些野菜加以醃漬，將其製成可長期儲存的食品，以備日後不時之需。當時社會基層民眾，對於這類野菜的需求量應該是十分龐大的，也是他們日常生活裡，盤中常見的菜色之一。〈食薺〉詩中，有頗為生動的描述：

日日思歸飽蕨薇，春來薺美忽忘歸。

傳誇真欲嫌茶苦，自笑何時得豝肥。

又

采采珍蔬不待畦，中原正味壓蓴絲。

挑根擇葉無虛日，直到開花如雪時。

又

小著鹽醯助滋味，微加薑桂發精神。

風爐歙缽窮家活，妙訣何曾肯授人。〔註15〕

陸游除了在詩中，以「薺美」和「中原正味」，對薺菜大大的讚頌一番之外，其也不忘進而提出他認為的怎麼吃，才能真正吃出薺菜美味。例如使用鹽醯，它是一種較為稀薄的醬，〔註16〕陸游覺得吃薺菜搭配此醬，更能提升薺菜本

〔註12〕〔宋〕陸游，〈鹹虀十韵〉，《劍南詩稿》收錄於《陸放翁全集》，卷十七，頁303。

〔註13〕孔祥賢，《陸游飲食詩選注》，頁92。

〔註14〕孔祥賢，《陸游飲食詩選注》，頁114。

〔註15〕〔宋〕陸游，〈食薺〉，《劍南詩稿》收錄於《陸放翁全集》，卷七，頁113。

〔註16〕孔祥賢，《陸游飲食詩選注》，頁64。

身的美味；而且若是再加點老薑和桂心，吃起來絕對能產生許許多多豐富的口感和滋味。至少對於陸游來說，這股滋味值得他詩性大發，提筆寫下這些流傳後世且爲人津津樂道的名句。與陸游同時期的南宋名家韓元吉，也在〈陸務觀赴闕經從留飲〉中說：

> 溪岸高風霜作棱，杯盤草草對青燈。
> 已甘鹽菜待梁柳，況有酒漿延杜陵。
> 歲晚鬢毛紛似雪，天寒門巷冷於冰。
> 春風穩送金闈步，看躡鰲山最上層。〔註17〕

韓元吉在此詩中描述他在陸游赴京途中，與陸游一起宴飲之事。從其詩句可知用來招待客人的，就是鹽菜與美酒。顯然這道蔬食，在南宋當時的社會裡，應該是一頗爲普遍，而又可作爲待客之用且不失禮數的美饌。

二、困頓中的田園美食

（一）羹芋、豆莢

陸游因爲仕途不順遂，使其不論在才華或是家境上，都常處於抑鬱不得志的環境中。因此其雖然身爲官員，但是實際上的生活與一般百姓並無多大差別，有時自己也須務農以度日。這種生活情況，也使陸游常得以品嚐田園美食。〈統〔註18〕分稻晚歸〉中，說：

> 出裹一簞飯，歸收百把禾。
> 勤勞解墮忍，餘暇更吟哦。
> 歲惡增吾困，家貧賴汝多。
> 村醪莫辭醉，羹芋學岷峨。

又

> 薄酒不自酌，夕陽須汝歸。
> 橘包霜後美，豆莢雨中肥。
> 路遠應加飯，天寒莫減衣。
> 老懷憂自切，道眼看皆非。〔註19〕

〔註17〕〔宋〕韓元吉，《南澗甲乙稿》（叢書集成新編）第六十三冊，（台北：新文豐出版公司，1985年），頁408。

〔註18〕陸統，字伯業，爲陸游長子。

〔註19〕〔宋〕陸游，〈統分稻晚歸〉，《劍南詩稿》收錄於《陸放翁全集》，卷一，頁19。

這首詩作於南宋孝宗乾道二年（1166），當時陸游正因前一年在隆興通判任內，被言官論「力說張浚用兵」，被免官而歸返山陰故居。〔註20〕從詩句可知當時陸游的生活並不富裕，得靠長子陸縡務農，才能勉強維持一家溫飽。另外，詩中也提到農家生活的田園美味，例如「羹芋」、「豆莢」等；「羹芋」的羹是作動詞用，所以意思就是煮芋頭粥。〔註21〕芋在宋代是較為普遍的食材，故一般大眾基本上都能夠品嚐得到。而「豆莢」就是指豌豆，又稱為蔌豆、寒豆。〔註22〕從這裡可以知此兩種蔬菜在當時應該常出現在農家的餐桌上，屬於道地的農家風味菜；因此家境處於困頓的陸游，仍然可以吃得到這些菜餚。陸游在〈蔬園雜咏・芋〉，也說：

陸生晝臥腹便便，歎息何時食萬錢。

莫誚蹲鴟少風味，賴渠撐拄過兇年。〔註23〕

「蹲鴟」就是大芋的意思，〔註24〕賈思勰在《齊民要術》對芋描述說：

有青芋、有素芋，子皆不可食，莖可為菹。凡此諸芋，皆可乾臘，

又可藏至夏食之。〔註25〕

由此可知，在唐宋以前，芋就是可被拿來當做儲藏的食品。以陸游的家境狀況來說，一食萬錢的美宴佳席，自然是絕無口福的。所以他在詩中也無奈的表示，縱使芋的滋味有時可能是稍嫌不足，但是至少家中還可以依靠它，來度過收入短缺的日子。

（二）野飯

談到田園風味，就不得不提〈野飯〉這首詩：

薏實炊明珠，苦筍饌白玉。

輪囷斸區芋，芳辛采山蔌。

山深少鹽酪，淡薄至味足。

往往八十翁，登山逐奔鹿。

〔註20〕 于北山，《陸游年譜》，頁134。

〔註21〕 孔祥賢，《陸游飲食詩選注》，頁10。

〔註22〕 徐海榮主編，《中國飲食史》，第四冊第一章〈宋代的食物原料生產〉，頁38。

〔註23〕 〔宋〕陸游，〈統分稻晚歸〉，《劍南詩稿》收錄於《陸放翁全集》，卷十三，頁234。

〔註24〕 孔祥賢，《陸游飲食詩選注》，頁95。

〔註25〕 〔北魏〕賈思勰著、繆啓愉，繆桂龍撰，《齊民要術譯注》（上海：上海古籍出版社，2006年），頁106。

> 可憐城南社，零落依澗曲。
>
> 面餘作詩瘦，趨拜尚不俗。
>
> 病夫益倦遊，頗願老窮谷。
>
> 是家吾所慕，食菜如食肉。
>
> 食能喚鄰里，小甕酒新漉。
>
> 何必懷故鄉，下箸厭雁鶩。〔註26〕

薏實就是薏苡的果實，就是薏仁米，俗稱西米。〔註27〕由於白米在當時是比
較昂貴的食品，一般百姓人家都是混雜著麥、粟、黍或高粱等穀物一起烹煮。
《夷堅志》〈謝七嫂〉中有這樣一則軼聞，說：

> 信州玉山縣塘南七里店民謝七嫂，不孝於姑，每飯以麥，又不得飽，
>
> 而自食白粳飯。……游僧過門，從姑乞食，笑曰：「我自不曾飽，安
>
> 得有餘？」〔註28〕

此則故事敘述不孝的謝七嫂，將摻有麥子的米飯給婆婆吃，自己則是吃白米
飯。從謝七嫂婆婆「不得飽」以及「不曾飽」的反應來看，摻有穀物的米飯
的確是較為劣質的主食，但是就貧苦的農家人來說，這也是不得已的因應之
道。而因而成為田園風味中常見的主食，尤其苦筍與山蕨等野菜，當時清貧
的農家都會至野外去採集，以供餐桌上之不足。所以整體來說，陸游在〈野
飯〉中所提到的薏實飯、苦筍以及山蕨，可謂清楚地勾勒出田園日常生活中，
一餐飯的有限菜色。但是久處如此生活環境下的陸游，卻也適應這般田園風
情，而且自樂於「食菜如食肉」的飲食生活。

（三）菘菜

陸游在〈觀蔬圃〉詩中對其他田園蔬菜也有深刻的描述，其說：

> 菘芥可菹芹可羹，晚風咿軋桔橰聲。
>
> 白頭孤宦成何味，悔不畦蔬過此生。〔註29〕

他在詩中留下了自己所栽培菜園的內容，菘菜、芥菜及芹菜都在其中。菘菜
為白菜的總稱，葉子較大而青色的叫青菜，色白的叫白菜，淡黃的叫黃芽

〔註26〕〔宋〕陸游，〈野飯〉，《劍南詩稿》收錄於《陸放翁全集》，卷五，頁77。

〔註27〕孔祥賢，《陸游飲食詩選注》，頁45。

〔註28〕〔宋〕洪邁，〈謝七嫂〉，《夷堅志》丙卷第八，（北京：中華書局，1981年），
頁430。

〔註29〕〔宋〕陸游，〈觀蔬圃〉，《劍南詩稿》收錄於《陸放翁全集》，卷十二，頁202。

菜。〔註 30〕菹，則是切碎後燒來吃的意思。〔註 31〕從詩中可知菘菜、芥菜和芹菜，也是陸游田園飲食生活中常吃的幾項菜色。《齊民要術》有兩則與如何菹菘菜相關的方法：

> 菘根榶菹法：菘淨洗，褊體須長切如算子，長三寸許。束菘根入沸湯，小停出，及熱，與鹽酢，細縷切，橘皮和之，料理半奠之。
> 〔註 32〕

又有

> 作菘鹹菹法：水四斗，鹽三升。攪之令殺菜。又法，菘一行，女麴間之。〔註 33〕

從這兩則記載，可知宋代以前，菘菜就已經被廣泛食用，而且有恰當的調理以及保存方法。陸游也特別寫過詠菘菜的詩句，〈蔬園雜詠·菘〉：

> 雨送寒聲滿背蓬，如今真是荷鋤翁。
> 可憐遇事常遲鈍，九月區區種晚菘。〔註 34〕

雖然此首詩透露出陸游對於環境和仕途不順遂的無奈，但再怎麼抱怨，他也清楚日子還是須過下去；因此他寄望種下的菘菜，能夠在他困頓的日子裡，或多或少補償食物的不足。

（四）木耳、魚粥

另外從〈冬夜與溥庵主說川食戲作〉中，可以看到其所接觸的其他田園風味：

> 唐安薏米白如玉，漢嘉栮脯美勝肉。
> 大巢初生蠶正浴，小巢漸老麥米熟。
> 龍鶴作羹香出釜，木魚瀹菹子盈腹。
> 未論索麵與饡飯，最愛紅糟并缹粥。
> 東來坐閱七寒暑，未嘗舉箸忘吾蜀。
> 何時一飽與子同，更煎土茗浮甘菊。〔註 35〕

〔註 30〕 徐海榮主編，《中國飲食史》，第四冊第一章〈宋代的食物原料生產〉，頁 42。
〔註 31〕 孔祥賢，《陸游飲食詩選注》，頁 86。
〔註 32〕 〔北魏〕賈思勰著、繆啟愉，繆桂龍撰，《齊民要術譯注》（上海：上海古籍出版社，2006 年），頁 674。
〔註 33〕 〔北魏〕賈思勰著、繆啟愉，繆桂龍撰，《齊民要術譯注》，頁 668。
〔註 34〕 〔宋〕陸游，〈蔬園雜詠·菘〉，《劍南詩稿》收錄於《陸放翁全集》，卷十三，頁 233。

栯就是木耳，脯則是乾肉、乾果脯的意思；栯脯在這裡指的是乾木耳。〔註36〕
至於大巢菜、小巢菜以及龍鶴菜，都是十分著名具有鄉土風味的野菜美饌。
木魚，即棕筍，棕櫚花苞。棕櫚樹皮的纖維可以拿來作繩子，春天在乾燥的
一端會長出黃色的花苞，苞中有細子成塊，像魚肚中的魚子，故稱棕魚，又
名木魚。〔註37〕索餅顧名思義就是像繩索的餅，但也有一說是麵條意思。林
洪在《山家清供》中就有寫道：

> 山藥，名薯蕷，秦楚之間名玉延。……如作索餅，則熟研濾爲粉，入
>
> 竹筒微溜於淡酸盆內，出之於水，浸去酸味，如煮湯餅法。〔註38〕

在宋代，湯餅就是麵條的意思。從這段記載中可以發現，索餅也很有可能
是一種以山藥粉爲原料，加工製作出來的麵條。至於饙飯則是蒸飯的意思。
〔註39〕「紅糟并焦粥」則是說用紅糟醃漬過的肉或魚，一起放入粥內熬煮。
〔註40〕在這首〈冬夜與溥庵主說川食戲作〉中，陸游沒有因家境困頓潦倒而
產生的無奈，反倒是有著面對諸多鄉土風味美食時，一種濃濃的滿足感。想
像著一桌佈滿了薏米飯、木耳、各式野菜、餅麵以及紅糟雜燴粥；使陸游似
乎暫時忘卻了自己的困境，自足地陶醉在這些山珍野味中。

　　說到陸游與田園風味接觸，則不得不提到一些較爲特別的食材。〈埭西小
聚〉中，說：

> 瓦盎盛蠶蛹，沙鍋煮麥人。
>
> 三家小聚落，兩姓世婚姻。
>
> 父老衣冠古，閭閻風俗淳。
>
> 不應陶靖節，獨號葛天民。〔註41〕

姑且不論陸游是否因爲農家的生活貧困，還是獨鍾此淳厚的鄉土味。其在此
詩中開宗明義第一句，就清楚的提到了在瓦盆裡裝著蠶蛹來當作美饌的情
景，搭配食用以沙鍋烹煮的麥子；縱使在現代也還是有許多人無法接受吃蠶

〔註35〕　〔宋〕陸游，〈冬夜與溥庵主說川食戲作〉，《劍南詩稿》收錄於《陸放翁全
　　　　　集》，卷十七，頁288。
〔註36〕　孔祥賢，《陸游飲食詩選注》，頁107。
〔註37〕　孔祥賢，《陸游飲食詩選注》，頁107。
〔註38〕　〔宋〕林洪，《山家清供》（叢書集成新編）第四十七冊，（台北：新文豐出版
　　　　　公司，1985年），頁586。
〔註39〕　孔祥賢，《陸游飲食詩選注》，頁107。
〔註40〕　孔祥賢，《陸游飲食詩選注》，頁107。
〔註41〕　〔宋〕陸游，〈埭西小聚〉，收錄於《陸放翁全集》，卷八十二，頁1118。

蛹，但在當時的鄉間，這卻已成為一道充滿田園風情的絕佳美食。

南宋寧宗嘉定二年（1209），八十五歲的陸游作了一首〈種菜〉，從此詩，我們可以讀出就如同其一生所經歷過田園生活的寫照一斑：

　　菜把青青間藥苗，豉香鹽白自烹調。
　　須臾徹案呼茶椀，盤箸何曾覺寂寥。

又

　　老農飯粟出躬耕，捫腹何殊享大烹。
　　吳地四時常足菜，一番過後一番生。

又

　　白苣黃瓜上市稀，盤中頓覺有光輝。
　　時清閭里俱安樂，殊勝周人詠采薇。

又

　　引水何妨藝芥菘，圓功自古補三農。
　　恨君不見岷山芋，藏蓄猶堪過藏兒。〔註42〕

種著自己食用的蔬菜，照著自己喜好的口感去作烹調；吃不完多餘的食物，還可以保存下來，作為飢荒凶年之時，以備不時之需的存糧。這麼近乎完全自給自足的生活，看似與最普通的農家生活並無多大差別，卻是出仕宋廷的陸游，自身最寫實的寫照。有別於陸游在官場仕途上所面臨的諸多險惡與逆境，在鄉居生活的環境裡，雖然須自己進行勞動，但是一分耕耘，就有一分收穫，過得滿足且充實。這或許也是陸游在面對外界不順遂的生命歷程下，藉由這種田園生活，嘗試找回些許有努力就有收穫的成就感吧。

第二節　陸游與蜀地美食的接觸

一、陸游在蜀地任職時對當地美食的描述

陸游在四川任官九年的時間裡，曾藉由許多作品，對蜀地的美食有生動的描述，使後人對蜀地風味有更多的認識。在乾道八年（1172）時，當時人在夔州，擔任繫銜左奉議郎通判軍州主管學事兼管內勸農事的陸游，將赴通判任。而被當時的四川宣撫使王炎辟為幕賓，以左承議郎權四川宣撫使司幹辦公

〔註42〕〔宋〕陸游，〈種菜〉，《劍南詩稿》收錄於《陸放翁全集》，卷八十二，頁1120。

事兼檢法官，從夔州轉往興元府（即南鄭，今漢中市）。在路途中他作了一首〈道中累日不肉食，至西縣（在今陝西省勉縣附近）市中得羊，因小酌〉：

> 門外倚車轅，頹然就醉昏；
>
> 棧餘羊絕美，壓近酒微渾。
>
> 一洗窮邊恨，重招去國魂；
>
> 客中無晤語，燈燼爲誰繁。〔註43〕

從這首詩可知，陸游可能因連日在棧道上行走趕路，而未曾在三餐中品嚐到肉類食品的機會，因而在到達西縣的時候，就趕緊到市集購買羊肉來一飽口福，並且小酌一番。而陝西羊肉的滋味，從一些紀錄中可以知道長期以來是被人讚賞的美味，例如北宋政和年間曾任職醫官的寇宗奭，在其著作《本草衍義》中就曾寫到，同州（今陝西大荔）和華州（今陝西華陰）之間有一種專門拿來食用的小羊，是各種綿羊肉品中最好的。〔註44〕陶穀在《清異錄》也提到：「馮翊（今陝西大荔附近）產羊，膏嫩第一。言飲食者，推馮翊白沙龍爲首。」〔註45〕莊綽在其《雞肋編》中也說：「陝西……羊肉亦羶臊，惟原州（今甘肅省鎮原縣）二物皆美。」〔註46〕周輝《清波雜志》〈貓食〉則說：「蓋西北品味，止以羊爲貴。」〔註47〕雖然這些地區，有些部分在南宋時已屬金國的領土，但是因爲基本上風俗民情仍是相去不遠，所以從這些資料可以推測出當時陝甘一帶的羊肉，應該是十分出名的。另外，在這首詩中提到的「壓酒」，其意思是因爲古時造酒尚未使用蒸餾法，所以是透過「壓」製出來的；壓出的是酒，壓去酒後剩下的就是糟。〔註48〕雖然只是簡簡單單的一餐羊肉配美酒，不論是否因陸游所說已「累日不食肉」，而產生了過度的讚美，但就其他資料來看，當時蜀地邊區「大塊吃肉、大口喝酒」的風情，除了讓陸游對這些「窮邊」的滋味留下深刻印象外，也讓後人對當時的西北飲食風情，多一些約略的了解。

　　陸游對於蜀地美食，在〈飯罷戲作〉中有較多的描述：

〔註43〕〔宋〕陸游，〈道中累日不肉食，至西縣（在今陝西省勉縣附近）市中得羊，因小酌〉，《劍南詩稿》收錄於《陸放翁全集》，卷三，頁48。

〔註44〕孔祥賢，《陸游飲食詩選注》，頁15。

〔註45〕〔宋〕陶穀，《清異錄》收於《全宋筆記》第二冊，（鄭州市：大象出版社，2003年），頁58。

〔註46〕〔宋〕莊綽，《雞肋編》（北京：中華書局，1997年），頁16。

〔註47〕〔宋〕周輝，《清波雜志》（北京：中華書局，1997年），頁401。

〔註48〕孔祥賢，《陸游飲食詩選注》，頁23。

南市沽濁醪，浮蛆甘不壞；

東門買彘骨，醢醬點橙薤。

蒸雞最知名，美不數魚蟹；

輪囷犀浦芋，磊落新都菜。

欲續老饕賦，畏破頭陀戒；

況予齒日疎，大嚼敢屢喫。

杜老死牛炙，千古懲禍敗；

閉門餌朝霞，無病亦無債。〔註49〕

這首詩完成於南宋淳熙四年（1177），〔註50〕當時的陸游在成都繫衛朝奉郎主管台州（今浙江省臨海）崇道觀。〔註51〕雖然整首詩頗有自我解嘲的韻味，但仍能從中看到許多陸游當時眼中的蜀地風味。如彘骨即為豬骨，應為豬排。〔註52〕薤，則是一種像韭菜而中空的一種蔬菜，鱗莖如小蒜，叫做薤白，也叫「藠頭」。〔註53〕而雞為宋代相當普及的一種飼養家禽，遍佈於大江南北的家家戶戶。〔註54〕蒸雞的烹調手法雖然簡單，但卻最能突顯其原味。林洪《山家清供》也記載一道調理很簡單的〈黃金雞〉做法：

> 其法：燖雞淨洗，用麻油、鹽水煮，入蔥、椒，候熟，擘釘以元汁
> 別供，或薦以酒，則白酒初熟，黃雞正肥之樂得矣。有如新法，川
> 炒等製，非山家不屑為，恐非眞味也。〔註55〕

雖然是看似平凡無奇的水煮雞，但從中可以看出，當時的人在乎的是「眞味」與否。所以越能保持原汁原味的烹調法，就越能看出，調製者的手藝，以及得到食材的美味。所以陸游在詩中特別強調，一道美味的蒸雞能遠勝魚蟹河鮮的滋味。犀浦，則是今四川郫縣，在成都西北，〔註56〕該地所產的芋；還有新都，今成都北邊，〔註57〕其地所出產的蔬菜，應該也都屬於蜀地一絕。

〔註49〕〔宋〕陸游，〈飯罷戲作〉，《劍南詩稿》收錄於《陸放翁全集》，卷九，頁143。

〔註50〕孔祥賢，《陸游飲食詩選注》，頁73。

〔註51〕于北山，《陸游年譜》，頁215。

〔註52〕孔祥賢，《陸游飲食詩選注》，頁72。

〔註53〕孔祥賢，《陸游飲食詩選注》，頁72。

〔註54〕徐海榮主編，《中國飲食史》，第四冊第一章〈宋代的食物原料生產〉，頁19。

〔註55〕〔宋〕林洪，《山家清供》（叢書集成新編）第四十七冊，（台北：新文豐出版公司，1985年），頁583。

〔註56〕孔祥賢，《陸游飲食詩選注》，頁72。

〔註57〕孔祥賢，《陸游飲食詩選注》，頁72。

所以，雖然陸游本人未必眞正都嚐過，或是有能力購得這些美味，但是至少從當時陸游的記載看來，一頓飯裡，桌上有豬排、用橙子和薤白所作的蘸醬、蒸雞以及時蔬，搭配美酒，就已經是一餐既豐盛又道地的成都風味了。

　　成都因爲地屬中國內陸，水產食材自然不比陸游位於東南沿海的老家山陰來得多。陸游在〈冬日〉中有一段註解：

> 幸是元無了事癡，偷閒聊復學兒嬉；
>
> 午窗弄筆臨唐帖，夜几研朱勘楚詞。
>
> 山暖已無梅可折，江清猶有蟹堪持；
>
> 舊交乖隔音塵斷，安得歌呼共一卮。
>
> 蜀中惟嘉州有蟹。〔註58〕

嘉州即是今天四川省的樂山市，岷江流經此處。正因爲蜀地不靠海，河蟹、湖蟹也就成爲較少有的珍味。而陸游的故鄉在山陰，所以自然對如何品嚐螃蟹有豐富的心得。但是趙潛在《養疴漫筆》中，記錄了一則食用湖蟹過量而生病的例子：

> 孝宗嘗患痢，眾醫不效，德壽（宋高宗）憂之。過宮，偶見小藥肆，
>
> 遣中使詢之曰：「汝能治痢否？」對曰：「專科。」遂宣之至。請問
>
> 得病之由。語以食湖蟹多，故致此疾。遂令診脈。曰：「此冷痢也。
>
> 其法用新采藕節細研，以熱酒調服。」如其法杵細，酒調數服即愈。
>
> 德壽大喜，就以杵藥金杵白賜之。〔註59〕

以現今的角度來看，不論是河蟹或是湖蟹，其在淡水中所含有的細菌與寄生蟲之比例當然比較高。大量的食用之下，會導致腸胃不適，或者引發食物中毒。當然，陸游在詩中只提到岷江河蟹的美味；但這也反應出在當時，食蟹早已是十分普遍，而非社會上層人士所獨享的食物；也才進而衍生出，在服用螃蟹後，身體感到不適時，而能夠因應的醫療方法。

　　除此之外，當時蜀地所流行的零食，也可以透過陸游的詩而有所發現。例如其在〈夜食炒栗有感漏舍待朝朝士往往食此〉說：

> 齒根浮動歎吾衰，山栗炮燔療夜飢；
>
> 喚起少年京輦夢，和寧門外早朝來。〔註60〕

〔註58〕〔宋〕陸游，〈冬日〉，《劍南詩稿》收錄於《陸放翁全集》，卷四，頁73。

〔註59〕〔宋〕趙潛，《養疴漫筆》（叢書集成新編）第八十七冊，（台北：新文豐出版公司，1985年），頁219。

〔註60〕〔宋〕陸游，〈夜食炒栗有感　漏舍待朝朝士往往食此〉，《劍南詩稿》收錄於

炮，是烘的意思；燔，則是烤的意思。〔註61〕所以簡單的說，「山栗炮燔」就是烤栗子。漏舍的「漏」，是指古代的計時器—漏壺的意思；漏壺為銅製，以漏水的多少來計算時間，俗稱銅壺漏滴。古時候有宮門郎兩人掌管宮門的鑰匙，漏壺中的水「夜漏盡」，就敲鼓開宮門。由於計時器的落後，報時的準確度不夠，百官上朝怕誤了時辰，就提前來到宮門外等候開門，為此特設一座等待上朝的朝房讓百官休息，就是所謂的「漏舍」。這首詩是陸游於淳熙元年（1174）冬，從權蜀州（今四川省崇慶市）通判的官職改任攝知榮州（今四川省榮縣）事，在返回成都述職時所作。〔註62〕宋代的栗子南北皆有產，其中又以易州栗、常熟頂山栗為最佳。〔註63〕易州為今河北省易縣，常熟即為今江蘇省常熟市。范成大也在其所著《吳郡志》中說：

> 頂山栗，出常熟頂山。比常栗甚小，香味勝絕。亦號麝香囊，以其香而軟也，微風乾之尤美。所出極少，土人得數十百枚，則已采囊貯之，以相饋遺。此栗與朔方易州栗相類。但易栗殼多毛，頂栗殼瑩淨耳。〔註64〕

正因為南方有品質極佳的栗子，所以京城臨安的官員們也才會間接形成這麼一股在上朝前食用烤栗子的風氣。雖說這首詩是陸游在懷念南方京師的片段畫面，但至少也可以從其詩句推斷出，當時蜀地也是或多或少受到這股風氣的影響，只是陸游感嘆自己「齒根浮動」，未必能夠一飽口福罷了。

二、陸游對蜀地美食的眷戀

前文已經提到，陸游從乾道六年（1170）入蜀任官，一直到淳熙五年（1178）被孝宗下詔召回臨安改任他職，整整在四川待了有九個年頭的時間，佔了陸游一生仕途中很長的一段時間。所以四川對陸游來說，可以說是陸游除了山陰老家之外的第二個故鄉。他在〈成都書事〉裡這樣寫道：

> 劍南山水盡清暉，濯錦江邊天下稀；
> 煙柳不遮樓角斷，風花時傍馬頭飛。
> 芼羹筍似稽山美，斫膾魚如笠澤肥；

《陸放翁全集》，卷五，頁92。
〔註61〕 孔祥賢，《陸游飲食詩選注》，頁52。
〔註62〕 孔祥賢，《陸游飲食詩選注》，頁52。
〔註63〕 徐海榮主編，《中國飲食史》，第四冊第一章〈宋代的食物原料生產〉，頁63。
〔註64〕 〔宋〕范成大，《吳郡志》（南京：上海古籍出版社，1999年），頁446。

　　客報城西有園賣，老夫白首欲忘歸。〔註65〕

陸游在此詩的開頭，除了大大的讚賞蜀地的絕佳風景之外，也不忘讚揚令他難忘的美味。芼羹，就是將蔬菜和肉類一起熬煮的羹湯。〔註66〕稽山指的是會稽山，位在浙江省紹興縣，這裡暗指他的老家山陰。〔註67〕笠澤，一說為太湖，不過在此應該是指松江，〔註68〕也同樣是借代陸游東南方的故鄉。陸游認為蜀地的這些美味，並不比自己故鄉出產的各式風味遜色，甚至有過之而無不及；於是一聽說有莊園要出售，他就想在此地置產，長時間甚至是一直留在此地，而「白首欲忘歸」了。這完全體現出陸游長期在蜀地任官，因為蜀地的美味佳餚更加深他對蜀地濃厚的情感和眷戀。這種感情從他日後回鄉多年，仍對蜀地念念不忘的詩詞作品中可看得出來。例如在〈思蜀〉中說：

> 思蜀寸心折，歸吳嬾鬢衰；
>
> 今年脫虎口，昨夜夢蟆頤。
>
> 死隔平時友，愁吟別後詩：
>
> 江山應好在，誰記踏青期。
>
> ……
>
> 玉食峨嵋梪，金虀丙穴魚；
>
> 常思晚秋醉，未與故人疏。
>
> 白髮當歸隱，青山可結廬；
>
> 梅花消息動，悵望雪消初。
>
> 余昔在犍為，師伯渾王志夫張功父王季夷瑩上人輩，以秋晚來訪，樂飲旬日而去。
>
> 〔註69〕

陸游創作這首詩的時間，是在南宋寧宗慶元四年（1198），〔註70〕七十四歲的時候。此時的陸游離開四川已經許多年了，但他對於蜀地的種種仍難以忘懷。

〔註65〕　〔宋〕陸游，〈成都書事〉，《劍南詩稿》收錄於《陸放翁全集》，卷六，頁104。

〔註66〕　孔祥賢，《陸游飲食詩選注》，頁61。

〔註67〕　孔祥賢，《陸游飲食詩選注》，頁61。

〔註68〕　孔祥賢，《陸游飲食詩選注》，頁61。

〔註69〕　〔宋〕陸游，〈思蜀〉，《劍南詩稿》收錄於《陸放翁全集》，卷二十三，頁396。

〔註70〕　孔祥賢在《陸游飲食詩選注》中，將這首詩的創作年代歸為南宋光宗紹熙二年（1191 A.D）的冬天。而于北山的《陸游年譜》則是將此詩的產生時間註明在南宋寧宗慶元四年（1198 A.D）。本文在此以《陸游年譜》之記錄為準。

金齏指的是金黃色的醬，這裡指橙醬，用來蘸魚時食用。〔註 71〕丙穴魚，丙穴有兩種解釋，一為大丙山（陝西省略陽縣東南）的洞，洞中有潛流，春三月，有魚從洞中躍出，稱為嘉魚；一為向丙（即南方，陰陽家所謂「南方丙丁火」）的山洞，也是洞中有潛流，有魚。據說，四川萬源縣東北及雅安縣南，都有丙穴，都出嘉魚。〔註 72〕在這首詩的開頭，陸游透過描繪他記憶中的四川美食，例如峨嵋的木耳、美味的嘉魚，甚至於是用來蘸魚吃的橙醬，來鋪陳整首詩他所想要表達對這人生第二個故鄉的思念。同樣的陳述方式，也可以在〈蔬食戲書〉中觀察出來：

> 新津韭黃天下無，色如鵝黃三尺餘；
> 東門薤肉更奇絕，肥美不減胡羊酥。
> 貴珍詎敢雜常饌，桂炊薏米圓比珠；
> 還吳此味那復有，日飯脫粟焚枯魚。
> 人生口腹何足道，往往坐役七尺軀；
> 氈韋從今一掃除，夜煮白石箋陰符。〔註 73〕

新津位於南宋成都府路的西南邊，根據陸游在詩中的描述，此地應該是盛產韭黃，而且風味馳名天下。韭黃在北宋時就已經出現，〔註 74〕北宋的著名文人梅堯臣，就曾有〈聞賣韭黃蓼甲〉詩：

> 百物凍未活，初逢賣菜人；
> 乃知糞土暖，能發萌芽春。
> 柔美已先薦，陽和非不均；
> 芹根守天性，憔悴澗之濱。〔註 75〕

在大部分的蔬菜，都因為天冷而無法存活時，韭黃仍然能夠完好無缺的生長，可見其生命力很強盛，也是其盛產的主因。而薤肉就是豬肉，四川豬肉的美味，或許從蘇軾在其《仇池筆記》中，引用五代十國時期，四川後蜀一位僧人所寫的〈蒸豚詩〉可見其端倪：

〔註 71〕孔祥賢，《陸游飲食詩選注》，頁 134。
〔註 72〕孔祥賢，《陸游飲食詩選注》，頁 134。
〔註 73〕〔宋〕陸游，〈蔬食戲書〉，《劍南詩稿》收錄於《陸放翁全集》，卷二十四，頁 401。
〔註 74〕徐海榮主編，《中國飲食史》，第四冊第一章〈宋代的食物原料生產〉，頁 36。
〔註 75〕〔宋〕梅堯臣，《梅堯臣集編年校注》中冊卷十五，（上海：上海古籍出版社，2006 年），頁 269。

嘴長毛短淺含膘，久向山中吃藥苗；

蒸處已將蕉葉裹，熟時兼用杏漿澆。

紅鮮雅稱金盤飣，香軟真堪玉筯挑；

若把氈根原比并，氈根自合吃藤條。〔註76〕

詩中的氈根借代為羊的意思。〔註77〕除了交代如何才能烹調出蜀地豬肉的最佳風味之外，蘇軾也認為，至少在四川，羊肉是比不上豬肉的滋味。脫粟，即為糙米飯。〔註78〕枯魚，則是魚乾、醃漬的魚類。〔註79〕將生魚用鹽醃漬之後，再由陽光曬乾後收藏，這種簡單的加工方法，稱為鹽藏。在中國東南沿海地區叫做「鮝」。可有效的防止生魚腐爛，保持魚類的鮮味。〔註80〕陸游在詩中提到的這些韭黃、豬肉、薏米飯、糙米飯以及魚乾等，可說都是令他難忘的四川口味；從「還吳此味那復有」中就可知道，回到故鄉山陰後，陸游對於這些美食，還是有著極為深厚的眷戀。

第三節　小　結

陸游一生，因為主張與北方的金朝積極對抗，受到朝廷中主和當權派的打壓與排擠，仕途可以說是頗不順遂。因此其生命歷練來自他四處任官、到處奔走，見識人生百態累積而成。思想層面如此，其生活習慣層面當然也或多或少受到影響。陸游的行蹤從東到西，再從西回到東，遊歷了大半個當時南宋的中國，而他所經過地區對於當地的飲食習慣，應該都有一定的了解與接觸。也就是他從老家山陰，再到日久他鄉變故鄉的蜀地，再從蜀地回到福建；他幾乎踏遍了當時南宋政府所管轄的絕大部分領地，也嚐遍了這些地區多采多姿的飲食風味。田園風情、鄉村滋味、官員和文人之間的交往應酬，雖然都只任職官階不高的散官，但是各式各樣的方式，所呈現出的美食，陸游幾乎都透過詩文，有意無意的記錄下來。在這些作品中，能夠讀到的是除了陸游有志難伸，卻又瀟灑自處的身影之外；從中略窺南宋時期文人飲食文化些許的端倪與面貌。

〔註76〕〔宋〕蘇軾撰、孔凡禮整理，《仇池筆記》收於全宋筆記，（鄭州市：大象出版社，2003 年），頁 224。

〔註77〕徐海榮主編，《中國飲食史》，第四冊第一章〈宋代的食物原料生產〉，頁 13。

〔註78〕孔祥賢，《陸游飲食詩選注》，頁 136。

〔註79〕孔祥賢，《陸游飲食詩選注》，頁 136。

〔註80〕徐海榮主編，《中國飲食史》，第四冊第二章〈宋代的食物〉，頁 74。

第三章 從《劍南詩稿》論陸游的飲食與養生

陸游生於北宋徽宗宣和七年（1125），卒於南宋寧宗嘉定二年（1210），
〔註1〕享壽八十五歲。〔註2〕以此高齡縱使拿到現今的社會中來加以檢視，也
算是得高壽，他在詩中稱自己：「三十餘年學養生」〔註3〕。陸游一生仕途多
舛，總是被朝中當權派排擠，至地方上擔任閒散官員，因此他所領取的俸祿
十分有限。而且在必須養活一大家子人的前提下，他不能像朝中大臣每天大
魚大肉、錦衣玉食的吃好穿好，同時，他還必須自己從事農業生產活動，才
能勉強糊口度日。但或許正因如此，田園生活所接觸、品嚐到的天然物產，
以及定時且規律的運動量，成為他之所以能夠享有如此長壽的秘訣之一。本
文將先透過陸游《劍南詩稿》的詩文，來瞭解陸游所認知的養生食品以及其
養生功效；再配合宋朝當時所編纂的醫書或驗方，來進一步呈現出當時普遍
通行於知識份子間的養生概念為何，才引發陸游一連串的養生觀念，並且是
如何透過食療、保養抑或是運動，才達到了如此高壽的過程。

〔註1〕 嘉定二年本為 1209 A.D，但因陸游是卒於嘉定二年十二月二十九日。從夏曆
　　　 計，應書嘉定二年；以西曆計，應書 1210 A.D。

〔註2〕 于北山在《陸游年譜》中提到：務觀（陸游字務觀，號放翁）卒年向有兩說。
　　　 一說謂卒于宋寧宗嘉定二年，年八十五，以《宋史》本傳為代表，張淏《寶
　　　 慶會稽續志》、趙翼《陸放翁年譜》從之；一說謂卒於嘉定三年，年八十六，
　　　 以陳振孫《直齋書錄解題》為代表，方回《瀛奎律髓》、錢大昕《陸放翁先生
　　　 年譜》從之。後因陸游晚年弟子蘇泂有「除夜還家翁已仙」之詩句為證，證
　　　 實陸游應卒於嘉定二年除夕前。故本文採用陸游得年八十五歲之說。

〔註3〕 〔宋〕陸游，〈養生〉，收錄於《陸放翁全集》《劍南詩稿》，卷四十三，頁641。

第一節　陸游的飲食養生觀念

　　陸游在他的文學作品中，常常提到飲食習慣的養成，會間接影響養生保健的效果，而且他也提出許多可供後人參考的飲食養生之法。這都可印證他之所以享有高壽，絕非偶然，而是透過身體力行所致。本節將列舉數項陸游在他的詩歌中有提及過的食品和飲食習慣，以及爲何服用這些食品採用這些飲食習慣的好處，呈現出陸游的飲食養生觀。

一、節制飲食

　　陸游在〈居室記〉說：

> 朝晡食飲，豐約其力。少飽則止，不必盡器……少不治生事，舊食奉祠之祿以自給。秩滿，因不復敢請，縮衣節食而已。〔註4〕

由於陸游的仕宦生涯大部分時間都是擔任朝廷小官或地方的閒散官員，即爲宋代的選人（幕職州縣官），甚至於有一段時間因被罷官，只能依靠有限的祠祿過活，而導致他不得不過著縮衣節食的貧困生活。〔註5〕因此從這段引文可以看出，在陸游的飲食習慣裡，「少飽則止，不必盡器」已經成爲他遵守的信念。有別於大吃大喝，能吃多飽就多飽的飲食習慣，陸游覺得吃東西只要有飽足的感覺即可停止，不需要吃一頓飯，硬是要吃的十足飽脹，這樣不但撐壞了腸胃，對身體也是沒有絲毫的益處。

　　陸游在〈素飯〉中說：

> 放翁年來不肉食，盤箸未免猶豪奢；

〔註4〕　〔宋〕陸游，〈居室記〉，收錄於《陸放翁全集》《渭南文集》，卷二十，頁115。

〔註5〕　根據汪聖鐸先生的研究，南宋中期的平均米價，因地區不同，一石米約在一貫錢到兩貫錢之間。詳見汪聖鐸，〈北南宋物價比較研究〉，《宋代社會生活研究》（北京：人民出版社，2007年），頁496～514。若以此標準計算，從陸游初任官時到任職蜀地八年，其俸祿約爲每月7貫到20貫左右，光是買米就必須耗去1到2貫錢，尚不包含一家人其他的開支，顯示出身爲基層官員的窘迫。有關陸游歷任的官職，參見附表1。關於宋代選人的俸祿，參見附表2。附表2爲日本學者衣川強教授之整理成果，參見衣川強著、鄭樑生譯，《宋代文官俸給制度》（臺北：臺灣商務印書館，1955年1月），頁37～39。衣川強教授分別於1970年和1971年京都大學人文科學研究所之《東方學報》第41冊與第42冊中，發表〈宋代の俸給について——文臣官僚を中心として——〉與〈官僚と俸給——宋代の俸給について續考——〉，後由鄭樑生教授翻譯，兩篇文章合爲《宋代文官俸給制度》（臺北：臺灣商務印書館，1955年1月）一書，前篇爲〈以文官爲中心論宋代的俸給〉，後篇爲〈官吏與俸給〉。

松桂輒炊玉粒飯，醯醬自調銀色茄。

時招林下二三子，氣壓城中千百家；

壓布橫摩五經笥，風爐更試茶山茶。

曾樂道近饋茶山茶。〔註6〕

餐桌上沒有肉類食品，對於陸游來說已經是司空見慣的事。但是，從詩中卻看不出陸游以此為苦，反而以仍擁有其他食物而心懷感激，尤其是「園蔬愈珍饈」，可說是其此種心情的一個最佳寫照。

其〈對食有感〉則言：

盃酌以助氣，匕筯以充腹；

沾醉與屬饜，其害等嗜慾。

歠醨有餘歡，食淡百味足；

養生所甚惡，旨酒及大肉。

老翁雖無能，更事嗟已熟；

勿歎茆三間，養汝山林福。〔註7〕

這首詩完整的帶出了陸游的飲食習慣，就是惜福養生；凡事淺嚐輒止，不宜過量。他在詩中提到小酌幾杯、微量進食，都是對身體極有幫助的飲食習慣。若是要喝到酩酊大醉，吃到貪得無饜，如此縱慾之下對身體的保養是大大有害。故陸游特別指出「養生所甚惡，旨酒及大肉」，即是強調不加以節制的大吃大喝，就是養生的首要之惡，必須徹底的戒除這種飲食習慣才行。

另外，在〈東齋雜書〉一詩中，也可以知道陸游所持對飲食須有所節制的思想：

藥與疾相當，何羔不能已；

良醫善用藥，疾去藥亦止。

晨晡節飲食，勞佚時臥起；

藉白米長生，耄期真易爾。〔註8〕

陸游在這首詩中，清楚的點出了一個觀念，那就是因生病而服藥，其實是治標不治本的做法。在《養老奉親書》中這樣寫道：「若有疾患，且先詳食醫之

〔註6〕　〔宋〕陸游，〈素飯〉，收錄於《陸放翁全集》《劍南詩稿》，卷六十七，頁938。

〔註7〕　〔宋〕陸游，〈對食有感〉，收錄於《陸放翁全集》《劍南詩稿》，卷八十一，頁1102。

〔註8〕　〔宋〕陸游，〈東齋雜書〉，收錄於《陸放翁全集》《劍南詩稿》，卷六十六，頁931。

法，審其疾狀，以食療之，食療未愈（癒），然後命藥，貴不傷其臟腑也。」
〔註9〕再好的藥品，當身體的疾病受到抑制或根除的時候，一般人其實就會把
藥品的使用給擱置下來；的確，常服用藥品對身體也是一種負擔。陸游認爲，
與其身體產生疾病的時候，再來求醫吃藥，還不如平常的善加保養，他在詩
中明白的提出平日的保健之法，就是節制飲食。他自己也在〈自詠〉一詩中，
證實了自己的長壽，的確是其來有自：

> 食飲從來戒失時，衣裘亦復要隨宜；
>
> 老人最索調停處，正在初寒與半飢。〔註10〕

陸游自認自己之所以享有如此高壽，除了配合不同時節要有得宜的飲食習慣
之外，再者就是節制飲食。尤其是年邁的長者，每餐最好都不要吃的過於飽
脹，最佳的狀態就是他所提出的「半飢」；以現代的觀點來看，大概就是每餐
的進食量，足夠產生五、六分的飽足感時，就該適可而止。其重要性就像他
在詩文中所提及的，不亞於年事已高的長者，對於衣物的隨宜添加，都是讓
老年人得以養生長壽的秘訣之一。

在中國人飲食的生活習慣上，節制飲食是長久以來就有的概念。例如在
宋代之前，唐人司馬承禎在《天隱子》說：

> 齋戒者，非蔬茹飲食而已。澡身者，非湯浴去垢而已。蓋其法在節
>
> 食調中，摩擦暢外者也。……食之有齋戒者，齋乃潔淨之務，戒乃
>
> 節身之稱。有飢即食，食勿令飽，此所謂調中也。〔註11〕

孫思邈所著，廣爲後世熟知的《備急千金要方》也寫道：

> 食啖鮭肴，勿令簡少，魚肉、果實，取益人者而食之。凡常飲食，
>
> 每令節儉，若貪味多餐，臨盤大飽，食訖覺腹中彭亨短氣，或致暴
>
> 疾，仍爲霍亂。〔註12〕

到了宋代，陳直《養老奉親書》中則言：

> 尊年之人，不可頓飽，但頻頻與食，使脾胃易化，穀氣長存。若

〔註9〕　〔宋〕陳直撰，《養老奉親書》，〈飲食調治第一〉收錄於（元）鄒鉉續編，《壽
親養老新書》卷1，頁2b。

〔註10〕　〔宋〕陸游，〈自詠〉，收錄於《陸放翁全集》《劍南詩稿》，卷七十一，頁991。

〔註11〕　〔唐〕司馬承禎，〈齋戒〉，《天隱子》（臺北：台灣商務印書館，1965年），頁
5。

〔註12〕　〔唐〕孫思邈，〈食治〉，《備急千金要方》（北京：人民衛生出版社，1997年），
頁893。

頓令飽食，則多傷滿，緣衰老人腸胃虛薄，不能消納，故成疾患。
〔註13〕

在這三段引文中，提到了節制飲食所要力行的重點，那就是「食勿令飽」與「不可頓飽」。絕大部分的人，在飢腸轆轆之時，總是會想要好好的飽餐一頓。但是，養生法中卻提醒人們，不要一口氣吃太多的東西，適當即可；待有飢餓感時再進食。依照「有飢即食，食勿令飽」這樣的程式循環，方能達到節制飲食的效果。從醫學保健的角度來解釋，過度飢餓或是過度飽脹，對身體的消化系統都是一項沉重的負擔。長時間的腸胃消化不良或是吸收不佳，都會對健康產生十分負面的影響。

而我們從前文對陸游飲食的討論，也可以知其此一飲食養生觀念確實符合了許多養生名家的說法，他本身也的確透過身體力行達到了很好的效果，證明積極實行節制飲食的重要性。

二、食粥

除了節制飲食之外，陸游也食用一些特定的食物，進而來達到養生保健的功效。就如其在〈食粥〉詩中所言：

張文潛有食粥說，謂食粥可以延年，予竊愛之。
世人個個學長年，不悟長年在目前：
我得宛丘平易法，只將食粥致神仙。〔註14〕

陸游開門見山的直接提到，他認為世界上幾乎人人都汲汲於求得長壽之法，而最單純有效的方式之一，就是吃粥。粥類在宋代是常見的主食之一，一般是以水煮而成。在當時，人們食用粥往往出於兩個目的：一是為了節約糧食，二就是為了養生益壽。〔註15〕而以現今的觀點來檢視陸游的這項概念，也是合情合理的。粥的做法，不外乎是用生米或熟飯，加水煮製而成。所以粥在食用時的質感與口感，相對一般的米飯而言，是更加的糜爛且滑順。在進入胃部之後，自然而然更容易被人體所消化吸收；這也是大病初癒的病人，在剛開始可以進食的時候，醫生都會囑咐先以粥類食品為首選，都是因為易於消化的緣故。年長者的身體代謝機能，本就較為遲緩，這會間接導致身體腸

〔註13〕〔宋〕陳直撰，《養老奉親書》，〈飲食調治第一〉收錄於（元）鄒鉉續編，《壽親養老新書》卷1，頁3a。
〔註14〕〔宋〕陸游，〈食粥〉，收錄於《陸放翁全集》《劍南詩稿》，卷三十八，頁586。
〔註15〕徐海榮主編，《中國飲食史》第四冊，頁123。

胃的消化系統也會受到影響，比不上青年時期那樣的強壯，所以多食用粥類
食品，讓腸胃能夠順利的消化吸收應有的能量與營養，無庸置疑的，長壽的
機率也會大大的提高許多。陸游在〈薄粥〉詩中也這麼說：

> 薄粥枝梧未死身，飢腸且免轉車輪；
>
> 從來不解周家意，養老常須祝骾人。〔註16〕

祝骾也可當作「祝哽」，本意為敬老之詞，有寄望年邁的長者，進食之時不會
被食物噎到、哽到的意思。而陸游在這首詩裡所要表達的，就是老年人食用
薄粥，比較不容易有被噎住或哽住的現象發生。故陸游提倡食粥養生，在預
防的層面上，有著慎防上了年紀的人，進食時恐有意外發生；而在積極的層
面上，則是粥品的養分，易於年邁之人吸收，從不同的角度看，都有它獨到
的保健成效。

宋人周守中在《養生月覽》說：

> 凡粥有三等，一曰地黃以補虛……二曰防風，以去四肢風……三曰
>
> 紫蘇，以去壅氣。〔註17〕

此文中所言，很顯然的粥品在當時是屬於食補藥膳的角色。陸游自己在《齋
居紀事》也說：

> 地黃粥，用地黃二合，候湯沸，與米同下，別用酥二合，蜜一合。
> 炒令香熱，貯器中，候粥欲熟乃下。
>
> 枸杞粥，用紅熟枸杞子，生細研，淨布捩汁，每粥一碗，用汁一盞，
> 加少煉熟蜜乃騫。〔註18〕

因為健康不佳的患者，在食慾不振、消化不良的狀況下，粥糜是比較容易讓
病患進食吸收的一項食品。陸游自己也說：「朝晡食粥飯湯餅之屬，皆當令腹
中有餘地。」〔註19〕宋代費袞《梁溪漫志》中對於食粥養生的觀念，記錄了
一則軼事：

> 張文潛《粥記贈潘邠老》云：「張安道每晨起，食粥一大碗。空腹胃
> 虛穀氣便作，所補不細，又極柔膩，與腸腑相得，最為飲食之良。
> 妙齊和尚說，山中僧每將旦一粥，甚系利害，如或不食，則終日覺

〔註16〕 〔宋〕陸游，〈薄粥〉，收錄於《陸放翁全集》《劍南詩稿》，卷六十八，頁950。
〔註17〕 〔宋〕周守中，《養生月覽》收於《四庫全書存目叢書》（台南：莊嚴出版社，1997年），頁743。
〔註18〕 〔宋〕陸游，《齋居紀事》收錄於《陸放翁全集》，頁74。
〔註19〕 同上註。

　　臟腑燥渴。蓋能暢胃氣，生津液也。今勸人每日食粥，以為養生之
　　要，必大笑。大抵養性命，求安樂，亦無深遠難知之事，正在寢食
　　之間耳。」……後又見東坡一帖云：「夜坐飢甚，吳子野勸食白粥，
　　云能推陳致新，利膈養胃。僧家五更食粥，良有以也。粥既快美，
　　粥後一覺，尤不可說，尤不可說！」〔註20〕

可見，粥除了是與藥材結合的藥膳之外，更是一項食用後可以達到養生補氣
的健康食品，甚至於習慣了每天食粥之人，一日不食粥，反而覺得通體不適。
此一引文也提到了，若是晚餐過後，睡前感覺到飢餓之時，粥品也不失為一
項宵夜的好選擇。因為睡前腹中若是有太多不易消化的東西，一來該是讓全
身放鬆休息的時候，消化系統卻還必須繼續工作無法休息，導致額外的負擔。
二來躺臥在床上休息時，胃的消化不如平時上半身直立時來的效果好，會使
得胃裡頭的食物消化不完全，進而產生腸胃方面的宿疾。因此就以粥品為宵
夜的狀況來說，將米煮的較為糜爛，而且又是伴隨著大量的水分湯汁，在睡
前食用，對於身體的負擔自然減少很多。

　　這些宋代食粥的觀念，縱然用現代的醫學角度來檢視，依然是很實用的。
陸游在其詩歌中多處提到食粥的優點，他本人也奉行這項養生法則，也成為
了他享有高壽的原因之一。

三、素食

　　除了粥類食品之外，陸游也很注重食用時蔬。許多現代人為求健康，紛
紛以食素或食用生機蔬菜來保持身體健康，加強免疫力與抵抗力。在陸游的
田園生活中，常必須靠自己農作勞動，以換取三餐勉強的溫飽。雖然多少有
為窘困環境所迫之因素，但也間接的在他日常三餐的菜色中，總少不了自己
種植的天然蔬食，同時也因此寫了不少的詠蔬詩。如〈蔬園絕句〉說：

　　擬種蕪菁已是遲，晚菘早韭恰當時；
　　老夫要作齋盂備，乞得青秧趁雨移。

又

　　青青蔬甲早寒天，想像登盤已墮涎；
　　更欲鉏畦向東去，園丁來報竹行鞭。〔註21〕

〔註20〕〔宋〕費袞，《梁溪漫志》卷9（臺北：藝文印書館，1971年），頁66。
〔註21〕〔宋〕陸游，〈蔬園絕句〉，收錄於《陸放翁全集》《劍南詩稿》，卷十三，頁
　　　　230。

〈蔬圃〉中則言：

> 山翁老學圃，自笑一何愚；
>
> 磽瘠才三畝，勤劬賴兩奴。
>
> ……
>
> 隙地成瓜援，餘功及芋區。
>
> 如絲細生菜，似鴨爛蒸壺；
>
> 此事金真辦，束歸不為鱸。〔註22〕

甚至在〈蔬園雜詠〉中，還針對自己所種植的多樣蔬菜有相當深刻的描寫：

> 菘
>
> 雨送寒聲滿背蓬，如今真是荷鋤翁；
>
> 可憐遇事常遲鈍，九月區區種晚菘。
>
> 蕪菁
>
> 往日蕪菁不到吳，如今幽圃手親鉏；
>
> 憑誰為向曹瞞道，徹底無能合種蔬。
>
> 蔥
>
> 瓦盆麥飯伴隣翁，黃菌青蔬放筯空；
>
> 一事尚非貧賤分，芼羹僭用大官蔥。
>
> 鄉圃有大官蔥，比常蔥差小。
>
> 巢
>
> 昏昏霧雨暗衡茅，兒女隨宜治酒殽；
>
> 便覺此身如在蜀，一盤籠餅是豌巢。
>
> 芋
>
> 陸生晝臥腹便便，歎息何時食萬錢；
>
> 莫誚蹲鴟少風味，賴渠撐拄過凶年。〔註23〕

從以上所舉的幾首詠蔬詩為例，陸游的確在自己種植供自家食用的蔬菜中，有多樣的種類。不單單是因為自己親手所植，故而有所感情，更多的是他在品嚐過這些天然蔬菜的風味後，不僅得到了溫飽，更從中獲得了健康。不刻

〔註22〕〔宋〕陸游，〈蔬圃〉，收錄於《陸放翁全集》《劍南詩稿》，卷十三，頁231。

〔註23〕〔宋〕陸游，〈蔬園雜詠〉，收錄於《陸放翁全集》《劍南詩稿》，卷十三，頁233。

意去追求餐桌上定要有魚有肉的菜色，光是靠他筆下所描述的這些蔬菜，經年累月的長期服用下來，使得他的身體狀況與壽命，勝過那些既缺乏運動，又幾乎餐餐都吃著重油、重鹹及重口味的人。在〈菜羹〉一詩中，他寫道：

> 青菘綠韭古嘉蔬，蓴絲菰白名三吳；
>
> 臺心短黃奉天廚，熊蹯駝峰美不如。
>
> 老農手自闢幽圃，土如膏肪水如乳；
>
> 供家賴此不外取，襏襫寧辭走煙雨。
>
> 雞豚下箸不可常，況復妄想太官羊；
>
> 地爐篝火煮菜香，舌端未享鼻先嘗。〔註24〕

臺心與短黃（即矮腳黃）都是蔬菜的名稱。〔註25〕陸游認為他在詩中所提及的菘、韭、蓴、菰、臺心及短黃等，都是足以「奉天廚」，即為供奉給皇宮大內御廚來調理的極品美味。但是除了在詩中讚賞各式蔬菜的美味之外，陸游還在詩中提醒世人，「雞豚下箸不可常」，就是肉類的食品盡量吃少一點，不可食用的太過於頻繁或過量，才不會對身體造成過多的負擔，進而產生許多本來可以預防的疾病。其在〈小雨雲門溪上〉也提到：

> 好雨疎疎壓暮埃，斷雲漠漠帶春雷；
>
> 離黃穿樹語斷續，翠碧銜魚飛去來。
>
> 生菜入盤隨冷餅，朱櫻上市伴青梅；
>
> 狂吟不是詩強健，老氣如山未許摧。〔註26〕

詩中的生菜，應是指未煮過的菜；青菜、白菜切碎後，揉以鹽，即可生食。〔註27〕照常理來說，年紀大的長者，應該盡量避免食用未經過加熱煮熟的食材。陸游在詩中所要表達的，是說自己雖然年事已高，但仍不忌諱生食蔬菜，藉此強調自己身體各項器官及其機能的健壯。從文章中就可以發現到，長久以來多吃蔬食的陸游，對於自己健康的自信；也是對於後人欲仿效陸游食蔬養生者，一個最好的見證和鼓勵。

　　除了自己種植的蔬菜之外，陸游的素食食材也包含了很多其他的東西，如其在〈山庵〉詩中，就有提及品嚐豆腐乾的滋味：

〔註24〕　〔宋〕陸游，〈菜羹〉，收錄於《陸放翁全集》《劍南詩稿》，卷五十九，頁848。

〔註25〕　孔祥賢，《陸游飲食詩選注》，頁186。

〔註26〕　〔宋〕陸游，〈小雨雲門溪上〉，收錄於《陸放翁全集》《劍南詩稿》，卷二十二，頁378。

〔註27〕　孔祥賢，《陸游飲食詩選注》，頁131。

> 新春杷椏滑如珠，旋壓犁祁軟勝酥；
>
> 更翦藥苗挑野菜，山家不必遠庖廚。〔註28〕

杷椏本來是指稻穀被風吹動時搖曳的姿態，在此借代為稻的意思。〔註29〕藥苗則是指「防風苗」。〔註30〕而犁祁本是指豆腐的意思，把豆腐再壓就成了豆腐乾，從此句後接「軟勝酥」來看，是屬於作菜用的白豆腐乾，而不是醬油色的香豆腐乾。〔註31〕從這裡就可以看到，陸游的素食食品中，豆腐乾也是其中之一。這也很符合現今的素食餐飲業者，除了蔬果類食品之外，另外還大量的運用豆類，來調理製作許許多多豐富的素食菜色。如素雞、素火腿、豆腸、豆包……等，都是食素者在素食餐廳，或是販賣素食食材的商店中，所頻繁接觸的各式素菜。當然，在當時陸游所身處的年代裡，豆類還不似今日之多元化與多樣性；但是，以多食用豆類製品，來取代動物性蛋白質，以免膽固醇和油脂在體內囤積過多，導致產生心血管疾病的飲食養生，卻是十分實際且成功的方式。

　　蔬食的觀念，在宋代可謂達到一個高峰期。從宋代所出版的許多專門介紹蔬食的書籍就可以發現，茹蔬的觀念在當時很受人們的重視。如贊寧的《筍譜》、陳達叟的《本心齋蔬食譜》、林洪的《山家清供》、陳仁玉的《菌譜》……等，〔註32〕都是記錄宋代各式各樣蔬食的作品，可想見陸游茹蔬養生的觀念，應有可能受到這個背景的影響。約略晚於陸游的羅大經，在其著作《鶴林玉露》說：

> 人之受用自有劑量，省嗇淡泊，有久長之理，是可以養壽也。醉醲飽鮮，昏人神志，若蔬食菜羹，則腸胃清虛，無渣無穢，是可以養神也。〔註33〕

顯見茹素的風潮，至少在南宋時期，頗受文人重視。雖說肉類在當時是比蔬菜還要昂貴的食品，但是經過現今的醫學證實，多吃蔬菜的確比多吃肉類要來的健康許多。肉類提供人類每天所需要的蛋白質，可是蛋白質消耗比較有

〔註28〕〔宋〕陸游，〈山庵〉，收錄於《陸放翁全集》《劍南詩稿》，卷七十二，頁999。
〔註29〕孔祥賢，《陸游飲食詩選注》，頁196。
〔註30〕孔祥賢，《陸游飲食詩選注》，頁196。
〔註31〕孔祥賢，《陸游飲食詩選注》，頁196。
〔註32〕徐海榮主編，《中國飲食史》第四冊，頁393。
〔註33〕〔宋〕羅大經，〈儉約〉，《鶴林玉露》乙編卷五（北京：中華書局，1997年），頁208。

限，人類真正所需要大量攝取的，是各式維生素、礦物質與纖維。而這些成分的來源，則大量的來自於每天進食一定數量的蔬菜和水果，所以蔬食養生一直是健康保健中極為重要的一項觀念；甚至於現代人更積極生產所謂的「有機蔬果」，來取代傳統種植的蔬果作物，無非都是受到這種養生觀念的影響所致。

陸游的蔬食生活雖然有部分是迫於現實生活造成的，但其收穫卻不只是滿足三餐的溫飽而已，時常茹素造就了他健康的生活，用現代的解釋來說就是一種有機並且注重體內環保的飲食生活，對於養生有著很正面的幫助。

第二節　陸游的飲食保健與養生

陸游的養生觀念中，飲食的確佔了很重要的部分，但是除此之外，他認為還得搭配良好的生活習慣，才能達到更好的效果。本節將從陸游在詩歌中所談到的相關保健方法，對照當時的背景來探討陸游的飲食保健觀念。

一、早起和活動

陸游每天養生的生活習慣，打從一早起床就已經開始進行。在《劍南詩稿》中以晨起為題的詩歌不勝枚舉，由此可見陸游每天早起的習慣。其中〈晨起〉如此說：

> 老尚貪書課，黎明即下床；
> 不驚天乍冷，更覺意差強。
> 蟾滴初添水，蝸爐旋炷香；
> 浮生又一日，開卷就窗光。〔註34〕

很顯然的，陸游十分積極的奉行「一日之計在於晨」的至理。不論天氣狀況，或是溫度高低與否，陸游都規定自己必須「黎明即下床」。雖然詩中說是養成了早起讀書的習慣，但早晨確實是一天中最精華的時段，讓自己的身體在這個時候開始活動，不只能讓一整天的精神飽足，長時間下來也能達到強身健體的功效。

除此之外，每餐飯後，陸游也有其養生之法。在〈冬日齋中即事〉說：

〔註34〕〔宋〕陸游，〈晨起〉，收錄於《陸放翁全集》《劍南詩稿》，卷五十五，頁789。

> 東園二畝地，重重作藩籬；
>
> 我豈婦女哉，避客門不窺。
>
> 要當盡撤去，來往無他歧；
>
> 飯罷忌久坐，時須曳筇枝。〔註35〕

陸游在這首詩中清楚的道出「飯罷忌久坐」，這也十分符合現今的醫療保健觀點，每當用餐之後，食物會開始囤積在胃部，緩慢的進行消化的動作，進而在腸道進行養分的吸收。所以剛吃飽的時候，胃裡總是會充斥著剛剛吃進去的食物。這時，若是長時間維持著坐姿，會使胃部的積食不易消化，而可能產生許多使胃部不適的小毛病，如胃脹氣等，日積月累下來，對腸胃更是一種不小的傷害。所以陸游認為，飯後不宜久坐，應該起來走動走動，使胃部的積食能夠順利的消化，而不至於得到消化系統方面的疾病，也是養生保健的一項方法。其在〈病起遊近村〉中寫道：

> 老人摧頹絕造請，門設常關草生徑；
>
> 一年三百六十日，三百五十九日病。
>
> 一日不病出忘歸，繞村處處扣柴扉；
>
> 水東溪友新酒熟，舍北園公菾菜肥。
>
> 平生養氣心不動，黝陟雖聞了如夢；
>
> 從今病癒即相尋，共聽糟床滴春甕。〔註36〕

只要身體尚堪負荷，陸游就會藉故四處走動。詩中雖然是在陳述陸游老年時，身體已不如年輕時強健，一年之中，有絕大部分的時間是處於病厭厭的狀態。可是重點在於，只要他還能從病床上起身走動，他就絕對會善加把握能夠走動的機會，因為他知道勤於行走，能夠增加促進血液循環的機會，也才能讓自己身體的免疫系統發揮抵抗疾病的自療效果，也是他一生中長期實行的養生之法。

　　早起活動的觀念，自古以來即為許多名家所倡導。老子在《道德經》中提到：「人法地，地法天，天法道，道法自然。」〔註37〕《莊子》的〈天運〉篇中也記載：「夫至樂者，先應之以人事，順之以天理，行之以五德，應之

〔註35〕〔宋〕陸游，〈冬日齋中即事〉，收錄於《陸放翁全集》《劍南詩稿》，卷七十九，頁1086。

〔註36〕〔宋〕陸游，〈病起遊近村〉，收錄於《陸放翁全集》《劍南詩稿》，卷三十六，頁552。

〔註37〕李勉，《老子詮證》第25章（臺北：東華書局，1987年），頁57。

以自然，然後調理四時，太和萬物，四時迭起，萬物循生。」〔註38〕宋代名醫張杲所著《醫說‧養性篇》也說：「春欲晏臥早起，夏秋欲夜寢早起。」〔註39〕甚至略晚於宋代，醫學成就被尊稱爲「金元四大家」之一的劉完素，在其傳世作品《素問病機氣宜保命集》中也說：

> 是以聖人春三月，夜臥早起，被髮緩形，見於髮陳之時，且曰以使志生；夏三月，夜臥早起，無厭於日，見於蕃秀之時，且曰使志無怒，使氣得洩；秋三月，早臥早起，與雞俱興，見於容平之時，收斂神氣，且曰使志安寧，以應秋氣……此順生長收藏之道，春夏養陽，秋冬養陰，順四時起居法，所以調其神也。〔註40〕

傳統中醫十分強調「天人相應」的觀念，人體從頭頂到腳底的構造，都是與天地之間的構造相呼應。天地之間在一年中間是如何運行的，人跟隨這樣的步驟去做，對身體就是有益的。早晨朝陽升起，是大多數生物活動的開端，所以人也應該配合著這個作息來活動，才是完整符合「天人相應」的概念，身體也才會健康，少得疾病。

多活動的概念，其實不僅止於飯後，先人從以前就不斷提醒活動的重要。《關尹子》中記載：「人勤於體者，神不外馳，可以集神，人勤於智者，精不外移，可以攝精。」〔註41〕《呂氏春秋》也提到：「流水不腐，戶樞不蠹，動

〔註38〕 〔周〕莊子，〈天運篇〉，《南華眞經》收錄於《中國子學名著集成》第 54 冊（台北：中國子學名著集成編印基金會，1978 年），頁 285。又此處引文引用晉朝郭象的注釋本，但許多後代學者認爲，從「夫至樂者」至「太和萬物」共三十五字非莊子本文，乃爲郭象的注文。如蘇輿說：「『夫至樂者』以下三十五字是注文。」馬敘倫說：「蘇說是也。當是郭象注。宜在下文『流光其聲』下注文『自然律呂』云云之上。」于省吾說：「蘇轍云『夫至樂者以下三十五字是注文』。按蘇說是也。郭慶藩集釋竟未採此說，疏矣。茲列五證以明之：敦煌古鈔本無此三十五字，其證一也。『先應之以人事，順之以天理』，與上『奏之以人，徵之以天』詞複，其證二也。『調理四時，太和萬物』，與下『四時迭起，萬物循生』，詞義俱複，其證三也。上言『行之以禮義，建之以太清』，『清』字與下文『生』、『經』爲韻，有此三十五字，則『清』字失韻，其證四也。郭於三十五字之以無注，其證五也。」王叔岷先生說：「案唐寫本，趙諫議本，道藏成玄英本，王元澤本，林希逸口義本，並無此三十五字，乃疏文竄入正文也。」詳見王雲五主編，《莊子今註今譯》上冊（台北：臺灣商務印書館，1975 年），頁 404。

〔註39〕 〔宋〕張杲，《醫說》（臺北：新文豐出版公司，1981 年），頁 670。

〔註40〕 〔金〕劉完素，《素問病機氣宜保命集》，收錄於《金元四大醫學家名著集成》（北京：中國中醫藥出版社，1995 年），頁 110。

〔註41〕 〔周〕尹喜，《關尹子》（臺北：台灣商務印書館，1965 年），頁 33。

也，形氣亦然。形不動則精不留，精不留則氣鬱。」〔註42〕宋代醫書《醫說・養生》的〈體欲動搖〉篇中，也記載：

> 魏志曰：吳普常問道於華佗，陀謂普曰：「人體欲得動搖，但不當使
> 極耳。如動搖則穀氣易消，血脈流通，病不得生。譬猶戶樞不蠹，
> 流水不腐，以其常動故也。」〔註43〕

不論從事哪一方面的活動，其目的都在於藉此促進氣血循環，增加新陳代謝，將人體所需的營養與精華留在體內，把不需要或是已攝取完畢的廢物排出體外。而促進氣血循環對年長者來說更為重要，因為人體的生理與病理，長壽與衰老均與氣血息息相關。氣血隨著人的年齡遞增則會出現失衡瘀阻的病理變化，導致疾病叢生，軀體衰老。因此，人要健康長壽，就必須重視氣血的調和。〔註44〕陸游自己在〈養氣〉詩中也提到：

> 學道先養氣，吾聞三住章。
> 屏除金鼎藥，糠粃玉函方。
> 凜凜春冰履，兢兢拱璧藏。
> 高談忘力守，此病最膏肓。〔註45〕

金代李杲《脾胃論》說：「氣乃神之祖。」〔註46〕血也是神志活動的主要物質基礎，血在脈中運行，滋養五臟六腑、四肢百骸、五官九竅，產生有「神」的活動，以保證人體各臟腑組織進行正常的生理活力，因此，血盛則神旺，血少則神怯，血盡則神亡。〔註47〕而飯後正是人體內進入了大量營養物質的時候，透過適當的活動，使得這些食物轉化成造血的素材，延續人的精神與體力，來從事各式各樣的活動。

從《劍南詩稿》中為數頗豐「晨起」類的詩來看，陸游的確是個很早起來讀書的人，他的高壽也許正來自他規律的作息。而他也酷愛四處遊歷名山勝水，除非身體微恙的時候，否則到處走動一定是他日常生活的一部分。除此之外，他也說自己「學劍四十年」〔註48〕，所以練習劍術應該也是他日常

〔註42〕〔周〕呂不韋，〈季春紀〉，《呂氏春秋》（上海：上海古籍出版社，1995年），頁26。

〔註43〕〔宋〕張杲，《醫說》，頁692。

〔註44〕顏德馨，《中國歷代中醫抗衰老秘要》（上海：文匯出版社，1993年），頁161。

〔註45〕〔宋〕陸游，〈養氣〉，收錄於《陸放翁全集》《劍南詩稿》，卷六十二，頁876。

〔註46〕〔金〕李杲，〈省言箴〉，《脾胃論》（臺北：台灣商務印書館，1965年），頁83。

〔註47〕顏德馨，《中國歷代中醫抗衰老秘要》，頁162。

〔註48〕〔宋〕陸游，〈醉歌〉，收錄於《陸放翁全集》《劍南詩稿》，卷二十一，頁366。

活動的一環，在他運動的領域中另一個特殊的項目。

二、洗腳

陸游在夜晚上床就寢前，有洗腳的習慣。其〈僧房假榻〉寫道：

> 過盡青山喚渡船，晚窗洗腳臥僧氈；
>
> 剩償平日清遊願，更結來生熟睡緣。
>
> 吞啄漸稀如老鶴，鳴聲已斷似寒蟬；
>
> 旁觀莫苦嘲癡鈍，此妙吾宗祕不傳。〔註49〕

〈泛舟過金家埂贈賣薪王翁〉則言：

> 老人不復事農桑，點數雞豚亦未忘；
>
> 洗腳上床真一快，稚孫漸長解燒湯。〔註50〕

不論身處外地或在家中，每逢睡前陸游總不忘記進行「洗腳」這個動作，他認為這個舉動，對睡眠品質是有正面的幫助。以現今的觀點來看，洗腳不僅能解除一天的疲勞，也的確能促進睡眠，因為腳底有「湧泉」穴，一邊洗腳，一邊按摩此穴，還可以明目，〔註51〕兼有今日腳底按摩之功效。除此之外，小腿位於膝蓋下方有一個「三里」穴，屬於足陽明胃經中的穴道，多按摩也有助於消解食氣，幫助消化。

元代鄒鉉所著，內容以宋代《養老奉親書》為基礎所擴編增補的《壽親養老新書》〔註52〕中，就有一篇〈擦湧泉穴〉的記錄：

> 其穴在足心之上，濕氣皆從此入，日夕之間，常以兩足赤肉，更次用一手握指，一手摩擦。數目多時，覺足心熱，即將腳指略略轉動，倦則少歇，或令人擦之亦得，終不若自擦為佳。陳書林云：先公每夜常自擦至數千，所以晚年步履輕便。僕性懶，每臥時只令人擦至睡熟即止，亦覺得力。鄉人鄭彥和自大府丞，出為江東倉，足弱不能陛辭。樞筦黃繼道教以此法，踰月即能拜跪。雲人丁卲州致遠，病足半年不能下牀，遇一道人亦授此法，久而即癒，今筆於冊，用

〔註49〕 〔宋〕陸游，〈僧房假榻〉，收錄於《陸放翁全集》《劍南詩稿》，卷二，頁22。

〔註50〕 〔宋〕陸游，〈泛舟過金家埂贈賣薪王翁〉，收錄於《陸放翁全集》《劍南詩稿》，卷六十九，頁966。

〔註51〕 顧學裘，《中外名人養生術》（臺北：台灣商務印書館，1992年），頁46。

〔註52〕 俞寶英，〈老年養生醫學指南——鄒鉉《壽親養老新書》評述〉，《上海中醫藥雜誌》，2008年第九期，頁48。

告病者，豈曰小補之哉。〔註53〕

甚至於流傳到明代時，冷謙所著《修齡要旨》中，也對於按摩腳底有如下的記載：

> 平坐，以一手握腳指，以一手擦足心赤肉，不計數目，以熱爲度，
> 即將腳指略略轉動，左右兩足心更手握擦，倦則少歇，或令人擦之，
> 終不若自擦爲佳，此名湧泉穴，能除濕氣，固眞元。〔註54〕

此二段引文相似度極高，但卻先後出現在不同年代的不同書籍中可以發現，按摩腳底的這項觀念，歷經宋、元、明三朝，完整的一脈相傳下來。洗腳時一面用手按壓摩擦腳底的湧泉穴，從史料記載上來看，當時中國的醫學相信能夠預防許多足部疾病的發生，甚至對於許多因年邁不良於行的長者而言，能夠達到步履穩健，行走無虞的功效。再者，位於小腿上，膝蓋下方的「三里穴」，更是一個與日常飲食息息相關的穴位，宋代王執中在《針灸資生經》中寫道：

> 三里二穴，土也。在膝下三寸外廉兩筋間（一云骭骨〔註55〕外大筋內），
> 當舉足取之。秦承祖云：諸病皆治，食氣、水氣、蠱毒、痃〔註56〕
> 癖、四肢腫滿、膝胻痠痛、目不明。華陀云：療五勞羸瘦，七傷虛
> 乏，胸中瘀血，乳癰。〔註57〕

同樣是在宋代，王惟一在《銅人腧穴針灸圖經》裡，對於三里穴與飲食生活的關係，也說：

> 三里二穴，土也。在膝下三寸，胻外廉兩筋間，當舉足取之。足陽
> 明脈之所入也，爲合。治胃中寒，心腹脹滿，胃氣不足，聞食臭，
> 腸鳴腹痛，食不化。〔註58〕

由此可知，位於足上之三里穴，所主要對應和管理的部分，就是包括了胃部的消化系統，每天藉由洗腳時的按摩，能夠達到健胃和加強消化能力的作用，也可以消除長時間以來，累積在胃部無法得到消解的多餘食氣，紓解消化器

〔註53〕〔宋〕陳直撰，〔元〕鄒鉉編，《壽親養老新書》卷1，頁27b。

〔註54〕〔明〕冷謙，《修齡要旨》（臺北：藝文印書館，1965年），頁66。

〔註55〕靠近膝蓋的脛骨上部。

〔註56〕中醫上指肚臍兩旁突起的條狀硬塊，形如弓弦，大小不一。

〔註57〕〔宋〕王執中，《針灸資生經》收錄於黃龍祥主編《針灸名著集成》（北京：華夏出版社，1996年），頁263。

〔註58〕〔宋〕王惟一，《銅人腧穴針灸圖經》，收錄於黃龍祥主編《針灸名著集成》，頁204。

官的壓力。

　　陸游透過洗腳這個看似只有消除疲勞的方法，進一步的從按摩穴道中達到了消解食氣、幫助消化的作用，既能充分的將攝取的養分吸收，更能排除累積在腸胃中的瘀氣，讓消化系統在經過一夜的休息後，在隔日的攝食中繼續發揮很好的功效。

三、睡眠

　　午睡也是陸游一整天的生活作息中，一個十分重要的環節。他在《午夢》中寫道：

> 若爰幽窗午夢長，此中與世暫相忘；
> 華山處士如容見，不覓仙方覓睡方。〔註59〕

另外，陸游的詩中，也有許多關於午睡的描述。如兩首〈午睡初起〉說：

之一

> 曲腰桑上午雞鳴，喔喔還如報五更；
> 睡起展書摩病眼，油窗喜對夕陽明。

之二

> 舍中未報壓新醅，閑弄流塵槲葉杯；
> 得醉固佳醒亦好，了無一事到靈臺。〔註60〕

吃過午飯後，陸游十分重視「午休」的程式。從他在〈午夢〉一詩中表示，若有朝一日得遇方外修士，他寧可放棄求取羽化成仙之法，轉而向他們討教如何透過午休，能夠有效的兼達到養生的效果。而在〈午睡初起〉之一中，也透露出經過充足的午休後，能夠使他更有精神來面對各項所要做的事。但不同於現今的社會，大部分的人在中午的休息時間裡，扣除中午的用餐時間，所剩下的時間相當有限；況且，吃飽飯後馬上趴在桌上或是躺下休息，不但對身體毫無益處，甚至更會造成腸胃等消化系統嚴重的負擔。但是，至少從詩文中，可以觀察到陸游所傳達出來的概念是，午餐過後，盡可能的保持一個平緩的身心狀態，可以有比較充足的精神來面對午後的工作。這個做法類似於現代的醫學觀念，在飯後只做些較為和緩的動作，不但能使午餐所進食

〔註59〕　〔宋〕陸游，〈午夢〉，收錄於《陸放翁全集》《劍南詩稿》，卷七，頁117。
〔註60〕　〔宋〕陸游，〈午睡初起〉，收錄於《陸放翁全集》《劍南詩稿》，卷四十一，頁619。

的食物，受到較佳的消化和吸收，也可以呼應他在詩中所謂勝於尋覓成仙之道的方式，而更容易做到養生保健之方。

飯後午睡，除了如前文所述，增進午後活動的精神力之外，現代醫學的研究證實，老年人多有腦動脈硬化，頸椎病和椎基動脈供血不全，導致腦血流量減少，腦組織血缺氧，而引起暈眩、少寐。〔註61〕而適當的午後睡眠，也正能補足夜間正常睡眠時間減少的問題。重要的是，經由臥姿再配合其他的簡易動作，能夠在飯後達到消解食氣長期鬱滯在胃部的功效。《幻真先生服內元氣訣》中就寫道：

> 凡人五臟，各有正氣，夜臥閉息，覺後欲服氣，先須轉令宿食得消，故氣得出，然後始得調服。其法：閉目握固，仰臥倚兩掌於乳間，豎兩膝，舉背反尻，間閉氣乃鼓氣海中氣，使氣自內向外輪而轉之，呵而出之，一九或二九止，是曰：淘氣。〔註62〕

另外，睡覺也具備養生功效的看法，在《醫說‧夜臥》中清楚的提到：「夜臥覺，常扣齒九通，咽唾九過，以手按鼻左右上下數十過。」〔註63〕睡覺並非純粹只是躺著休息，還要搭配著一些按摩以及身體部位的簡單活動，來達到身體各項機能可以復原到最佳的狀態。宋代初年著名的仙人陳摶，就是利用睡眠方式達到養生的最佳例證。生於唐朝末年的陳摶，因為目睹天下紛亂，戰事頻仍，對於世事感到十分灰心，而選擇長臥不起的消極應對方式。雖然這是則如同神話般的傳奇軼事，但是實際上，對於道家養生之法有深入研究的陳摶，就連在睡覺的時候，或許都有獨特的呼吸吐納之法，來達到延年益壽的養生功效。〔註64〕日本學者三浦國雄先生甚至認為陸游在詩歌中常提及到的「危坐」、「晏坐」、「默坐」、「兀坐」、「快坐」、「晝坐」以及「夜坐」等有關「坐」的用語，應該與宋代道家養生學派中修養派的導引法有所關聯；他甚至提出了陸游在〈禪室〉詩中所寫的詩句「縣縣鼻息自輕勻」、〔註65〕〈幽事絕句〉中「新傳服氣訣，舊喜步虛吟」〔註66〕以及〈又作二首自解〉中「吐

〔註61〕 顏德馨，《中國歷代中醫抗衰老秘要》，頁181。
〔註62〕 〔唐〕佚名，〈淘氣訣〉，《幻真先生服內元氣訣》（北京：北京科學技術出版社，1995年），頁317。
〔註63〕 〔宋〕張杲，《醫說》，頁672。
〔註64〕 三浦國雄，〈文人と養生——陸游の場合〉，《中國古代養生思想の總合的研究》，頁409。
〔註65〕 〔宋〕陸游，〈禪室〉，收錄於《陸放翁全集》《劍南詩稿》，卷十四，頁236。
〔註66〕 〔宋〕陸游，〈幽室絕句〉，收錄於《陸放翁全集》《劍南詩稿》，卷六十五，

納餘閒即按摩」〔註67〕的描述，推測陸游藉由睡眠養神來達到延年益壽的功效。〔註68〕

第三節　小　結

陸游是一位少見的長壽歷史人物，縱然以醫學科技高度發達的今日來審視，要達到他這樣的高齡，且沒有太多的老人或慢性疾病，都是不容易的。他在一首〈養生〉詩中這麼說：

> 稟賦本不強，四十已遽衰；
> 藥裹不離手，對酒盤無梨。
> 豈料今八十，白間猶黑絲；
> 咀嚼雖小艱，幸未如牛呞。
> 昔雖學養生，所遇少碩師；
> 金丹既茫昧，鸞鶴安可期？
> 惟有庖丁篇，可信端不疑；
> 愛身過拱璧，奉以無缺虧。
> 孽不患天作，戚惟憂自詒；
> 孿孿豈不苦，害猶在四支。
> 二豎伏膏盲，良醫所不治；
> 衣巾視寒燠，飲食節飽飢。
> 虎兕雖在傍，牙爪何由施，
> 老人不妄語，聊賦養生詩。〔註69〕

這首詩總結了陸游一生養生的思想與落實。從他日常的進食內容來說，盡量避免大魚大肉，改以簡單的蔬菜來搭配進食，不但能夠減輕身體過多的負擔，蔬菜中的礦物質、維生素及鐵質，都是身體健康缺一不可的要素。尤其是蔬菜類在體內代謝後，會產生較多的鹼性元素，可以中和在蛋類、肉類與五穀

頁 909。

〔註67〕〔宋〕陸游，〈又作二首自解〉，收錄於《陸放翁全集》《劍南詩稿》，卷七十五，頁 1038。

〔註68〕三浦國雄，〈文人と養生──陸游の場合〉，《中國古代養生思想の總合的研究》，頁 405。

〔註69〕〔宋〕陸游，〈養生〉，收錄於《陸放翁全集》《劍南詩稿》，卷五十四，頁 777。

類中的酸性元素，維持體內的酸鹼平衡。〔註 70〕至於蔬菜中的纖維，因不能被人體消化，遺留在腸道的正常蠕動，也可預防與治療便秘。〔註 71〕而陸游食粥養生的觀念，來自於粥品易消化吸收，對於腸胃的負擔較小，故十分適合老年人食用，《養老奉親書》中也提到：「老人之食，大抵宜其溫、熱、熟、軟，忌其粘硬。」〔註 72〕現代營養學的觀念中，當五穀類加水烹調時，澱粉顆粒的外膜破裂，澱粉與水接觸，彼此融和，形成膠質化的液體。〔註 73〕而膠質化的粥品，不但利於進食，跟米飯相較之下，也容易被人體消化吸收，故能夠對身體有益。另外，陸游也秉持著十分節制的飲食習慣，不暴飲暴食，寧願少量多餐，餓了再吃，也不要在非常飢餓的狀態下，一下子吃下太多的食物，讓腸胃從過度空轉到過度負載，造成很大的負擔。

在與飲食相關的養生方式上，首先，陸游落實了「一日之計在於晨」的概念，認為早晨是經過一夜充分睡眠之後，精神最為充足的時刻，早起讀書，然後食用早餐，對身心都是一件非常有益的事。再者飯後進行適當的緩和運動，能夠促進新陳代謝，幫助身體的消化系統更有效的對食物進行消化，然後加以吸收。除此之外，食物的養分在經過吸收後，成為人體造血的來源，血與氣的相互調和，更能夠帶動「神」的飽滿，而達到精、氣、神都充足的狀態，兼顧去疾和養生之效。規律的午休，除了藉由讓身體放鬆休息，能夠補足早上活動所流失的精神和體力之外，從當時的醫書中可以發現，睡覺時另外搭配一些簡單的動作，如口齒部的開合運動，或是吞嚥口水的動作，都是在臨睡前有益於身體、有助於養生的簡易活動。他在《東齋紀事》中說：「食罷，行五十七步，然後解襟寬帶，低枕少臥，此養生最急事也。」〔註 74〕明白的總結了飯後活動到午睡的養生觀念。最後，在每日夜間睡前，取一盆熱水洗腳，除了可消除雙腳在一整天活動時所累積的疲憊之外，更能透過利用手指按摩腳底的湧泉穴，除卻濕氣，固守真元，也是一項一舉兩得的養生術。在沒有高度的醫學技術，以及許多高營養補品的時代，陸游透過簡單且清淡

〔註 70〕 林蘊玉、宋申蕃、張作櫻，《營養概論》（臺北：黎明文化事業公司，1978 年），頁 311。

〔註 71〕 林蘊玉、宋申蕃、張作櫻，《營養概論》，頁 312。

〔註 72〕 〔宋〕陳直撰，〔元〕鄒鉉續編，〈飲食調治第一〉，《壽親養老新書》卷 1，頁 3a。

〔註 73〕 林蘊玉、宋申蕃、張作櫻，《營養概論》，頁 371。

〔註 74〕 〔宋〕陸游，《齋居紀事》收錄於《陸放翁全集》，頁 75。

的飲食，和規律且有效的養生作息，養成了與現代同年齡文明疾病叢生的人相比，一個更為健康以及長壽的身體；這或許可以讓自認為擁有高度文明的現代人去進行反省，或許反璞歸真，去除許多複雜以及不規律的生活方式和飲食習慣，反而更能夠因此延年益壽，身體健康。

表1　陸游歷任官職表

紹興二十八年	始出仕，福州寧德縣主簿。
紹興二十九年	調官為福州決曹。
紹興三十年	到行在，除敕令所刪定官。
紹興三十一年	七月，以敕令所刪定官為大理司直（宋史本傳所謂兼宗正簿），未幾，以敕令所罷，反裡一行。冬季，再入都為史官。
紹興三十二年	孝宗即位。九月，除樞密院編修官兼編類聖政所檢討官。
隆興元年	三月，除左通直郎通判鎮江府，隔年二月到任。
乾道元年	七月，改任通判隆興軍事。
乾道二年	在隆興通判任。言官論務觀「力說張浚用兵」，免歸。
乾道三年	在故鄉，為文繫銜左通直郎。
乾道四年	在故鄉。
乾道五年	十二月六日得報，以左奉議郎差通判夔州軍州事，謀以明年夏初起行。
乾道六年	閏五月十八日，離山陰赴夔州通判任，十月二十七日到任。
乾道七年	在夔州繫銜左奉議郎通判軍州主管學事兼管內勸農事。四月，為州考監試官。
乾道八年	王炎辟為幕賓，左承議郎權四川宣撫使司幹辦公事兼檢法官。十月，改除成都府安撫司參議官。
乾道九年	權通判蜀州事，未久，攝知嘉州事。
淳熙元年	離嘉州，反蜀州任。冬，攝知榮州事，除夕，得制置司檄，除朝奉郎（正七品）成都府路安撫司參議官兼四川制置使司參議官。
淳熙二年	官居在成都花行，距大聖慈寺數哩。
淳熙三年	免官。六月，得領祠祿，主管台州桐柏山崇道觀。
淳熙四年	在成都領祠祿，得都下八月書報，差知敘州，戍期尚在明年冬。

淳熙五年	春間奉詔,別蜀東歸。秋抵杭州,召對,除提舉福建路常平茶事。
淳熙六年	秋季,奉詔離建安任。得旨,改除朝請郎(正七品)提舉江南西路常平茶鹽公事,賜緋魚袋。
淳熙七年	被命詣行在所。半途,得旨,許免入奏,仍除外官。旋為給事中趙汝愚所劾,遂奉祠。
淳熙八年	除提舉淮南東路常平茶鹽公事,三月,為臣僚以「不自檢飭,所為多越於規矩」論罷。
淳熙九年	除朝奉大夫(從六品)主管成都府玉局觀。
淳熙十年	領祠祿。
淳熙十一年	在故鄉,領祠祿。
淳熙十三年	除朝請大夫(從六品),知嚴州。七月三日到嚴州任。
淳熙十四年	在嚴州任。
淳熙十五年	任滿,於七月十日還抵故鄉。復上書乞祠。冬,除軍器少監,入都。
淳熙十六年	正月,學士院缺員額,周必大薦務觀可往,孝宗不許。除朝議大夫(正六品)禮部郎中。七月,兼實錄院檢討官。為諫議大夫何澹所劾,二十八日詔罷官,返故里。
紹熙元年	在故鄉。
紹熙二年	在故鄉,領祠祿:中奉大夫提舉建寧府武夷山沖祐觀。
紹熙三年	在故鄉,仍領祠祿。封山陰縣開國男(從五品),食邑三百戶。
紹熙四年	在故鄉,仍領祠祿。
紹熙五年	在故鄉,仍領祠祿。祠祿已滿,復乞奉祠。
慶元元年	在故鄉,領祠祿。
慶元二年	在故鄉,領祠祿。祠祿秩滿,復被命再領武夷祠祿。
慶元三年	在故鄉,領祠祿。
慶元四年	在故鄉,領祠祿。九月,祠祿將滿,幸粗支朝夕,不敢復請。十月,奉祠歲滿,不復請。
慶元五年	在故鄉。
慶元六年	在故鄉。三月為文,繫銜中大夫直華文閣致仕賜紫金魚袋。
嘉泰元年	在故鄉。

嘉泰二年	在故鄉。五月，朝廷以孝宗、光宗兩朝實錄及三朝史未就，宣召以元官提舉祐神觀兼實錄院同修撰兼同修國史，免奉朝請。六月十四日入都。十二月，除秘書監（正四品）。
嘉泰三年	除寶謨閣待制，舉從政郎曾黯自代。四月十七日，上《孝宗實錄》五百卷、《光宗實錄》一百卷。以進書畢，上疏請守本官致仕，不允；再上箚子，始得敕，除提舉江州太平興國宮。五月十四日去國，自此未再至杭州。轉太中大夫（從四品），有辭免狀及謝表。
嘉泰四年	在故鄉。本年為文繫銜：太中大夫充寶謨閣待制致仕山陰縣開國子食邑五百戶次紫金魚袋。
開禧元年	在故鄉。本年為文繫銜：太中大夫寶謨閣待制致仕山陰縣開國子食邑五百戶次紫金魚袋。
開禧三年	晉封渭南伯（正四品），並刻渭南伯印。
嘉定元年	在故鄉。本年為文，均無繫銜。
嘉定二年	在故鄉。春季被劾，落寶謨閣待制。

資料來源：于北山，《陸游年譜》，上海：上海古籍出版社，2006 年。

表 2　宋代選人料錢表　　　　　　　　　　　　　（單位：貫）

選人官職	料　錢	元豐寄祿官名	官　品	料　錢	
				元豐	紹興
留守、節察判官	30.25	承直郎	從八品	25	25
節察掌書記、支使、防團判官	20.15	儒林郎	從八品	20	20
留守節察推官、軍監（事）判	15.20～10	文林郎	從八品	15	15
防團推官、（軍）監判官	7	從事郎	從八品	15	15
錄事參軍、縣令	表 2-1	通事郎（於政和改稱從政郎）	從八品	15	15
知錄事參軍、知縣令	表 2-2	登仕郎（於政和改稱修職郎）	正九品（政和改從九品）	15	15
軍巡判官、司理、司法、司戶、簿尉	表 2-3	將仕郎（於政和改稱迪功郎）	從九品	12	12

表2-1　宋初幕職官俸錢（括號內為後增）　　　　　（單位：貫）

州　戶　數	錄事參軍	司理、司法	司　戶
五萬戶以上州	20	12	10
三萬戶以上州	18	12	9
一萬戶以上州	15	10（12）	8
五千戶以上州	12（15）	10（12）	7
五千戶以下州	10（15）	10（12）	7

表2-2　宋初東京知縣俸錢　　　　　　　　　　　（單位：貫）

縣　戶　數	朝　官	京　官
七千戶以上縣	22	20
五千戶以上縣	20	18
三千戶以上縣	18	15
三千戶以下縣		12

表2-3　宋初諸縣令簿尉俸錢（括號內為後增）　　　（單位：貫）

縣　戶　數	縣　令	簿　尉
河南府河南洛陽	30	
一萬戶以上縣	20	12
七千戶以上縣	18	10（12）
五千戶以上縣	15	8（12）
三千戶以上縣	12（15）	7（12）
三千戶以下縣	10（15）	7（12）

資料來源：衣川強著、鄭樑生譯，《宋代文官俸給制度》（臺北：臺灣商務印書館，1955年1月），頁37～39。

第四章 從《劍南詩稿》論陸游的飲品生活

　　前文已論述許多陸游的飲食背景、飲食內容與飲食養生概念，但是既然要研究陸游整體的飲食生活，除了吃之外，自然不能缺少飲品的內容。因此本章擬從陸游《劍南詩稿》中對於茶與酒的詩歌描寫，再搭配當時時空背景下茶與酒所扮演的各種角色和功能性，來研究陸游在飲品生活中的情形。

第一節　陸游的飲茶生活

　　宋代產茶地區比唐代大為增加，唐代的產茶地區，根據陸羽《茶經・茶之出》所載，僅集中在山南道、淮南道、劍南道和江南道裡約三十二個州郡；〔註1〕而至宋代，則除淮水以北諸路外，南方諸路均出產茶葉，而江東、江西、兩浙、福建、荊湖南、荊湖北以及川陝等路都是盛產茶葉的地區。〔註2〕南宋時期李心傳所著《建炎以來朝野雜記》，紹興末年時統計，僅東南十路產茶地就達六十州、二百四十二縣。〔註3〕如前文所述，陸游一生宦途多舛，因此從東到西，再由西返東，幾乎都有他遊歷過的足跡。而這些地方，例如陸游的故鄉山陰、謫居將近十載的蜀地，以及之後曾任職過提舉常平茶事〔註4〕

〔註1〕　〔唐〕陸羽，《茶經》（北京：中國友誼出版社，2005年），頁40～41。
〔註2〕　徐海榮主編，《中國飲食史》第四冊，頁200。
〔註3〕　〔宋〕李心傳，《建炎以來朝野雜記》（北京：中華書局，2000年），頁303。
〔註4〕　掌茶鹽之利，以助國用。其事為給賣茶、鹽鈔引，通商聚財，定時赴所部州、縣巡察，禁止私販茶鹽、查處不法等。龔延明，《宋代官制辭典》，頁490。

的福建和江南西路，都是宋代盛產茶葉的地方，陸游對於茶葉的知識、沖茶的技術和品茶的功力都相當高明。以下即是討論陸游對於此三個地區茶事的詩歌描寫。

一、山陰

陸游在山陰所做的茶詩，大多是晚年退居故里時所創作出來的。陸游於淳熙十五年（1188）離開嚴州任職後返回山陰故鄉，當時陸游的心境已沒有了年輕時的活力與朝氣，取而代之的是更多的知足與安閒自得，所以時常有自娛的茶詩作品。例如當年所作〈七月十日到故山，削瓜瀹茗，脩然自適〉，說：

鏡湖清絕勝吳松，家占湖山第一峰；

瓜冷霜刀開碧玉，茶香銅碾破蒼龍。

壯心自笑老猶在，狂態極知人不容；

擊壤窮閻歌帝利，未妨堯舜亦親逢。〔註5〕

蒼龍係指蒼龍爪，即色澤暗綠的茶葉。〔註6〕詩裡描述了陸游家鄉既有鏡湖這樣清澈的好水，又有好茶葉，顯示出陸游在回到故鄉山陰後，對家鄉茶的滋味懷著很高的期待。宋代山陰屬於兩浙路越州，其中茶產區包括了會稽（今併入紹興）、山陰（今併入紹興）、餘姚、上虞、蕭山、新昌、諸暨、嵊等八縣。〔註7〕故鄉既然是著名的產茶區，退居故里後的陸游自然有許多時間可以好好的品味一番，他在〈閒居對食書愧〉說：

遊宦無功坐免歸，誰令盤箸極甘肥；

錦鱗差尾魚登俎，繡羽駢頭雉觸機。

桑落滿壺春盎盎，雨前轉碾雪霏霏；

殘年何地酬君賜，自古羈臣厭蕨蕨。〔註8〕

雨前是指穀雨〔註9〕前的茶，《夢粱錄》中記載的宋代十分著名的徑山茶：「徑山採穀雨前茗，以小罐貯饋之」，〔註10〕可見穀雨茶在當時確實很受到重視。

〔註5〕〔宋〕陸游，〈七月十日到故山，削瓜瀹茗，脩然自適〉，收錄於《陸放翁全集》《劍南詩稿》，卷二十，頁348。

〔註6〕孔祥賢，《陸游飲食詩選注》，頁124，註5。

〔註7〕朱重聖，《北宋茶之生產與經營》（臺北：臺灣學生書局，1985年），頁94。

〔註8〕〔宋〕陸游，〈閒居對食書愧〉，收錄於《陸放翁全集》《劍南詩稿》，卷二十七，頁447。

〔註9〕二十四節氣之一。

〔註10〕〔宋〕吳自牧，《夢粱錄》收錄於《學海類編》第113冊（上海：涵芬樓，1920

轉碾是轉磨，指碾碎茶葉，宋代蔡襄所著《茶錄》中就有對碾茶的解釋：「碾茶，先以淨紙密裹搥碎，然後熟碾。其大要，旋碾則色白；或經宿，則色已昏矣。」〔註11〕從這裡可以發現碾碎茶葉程序，還須配合時間上的掌握，否則也會影響到茶的風味。霏霏則是借指碾碎後的茶葉被風吹而飛揚的樣子。〔註12〕陸游在詩中描述經歷了四處遊歷的仕途之後，在故鄉的他盡情享用著懷念的家鄉味，穀雨前所採收的穀雨茶也被他贊為故鄉的美味之一，可見山陰地區在南宋時期的確是出產名茶的重鎮。其〈新闢小園〉說：

> 西戍歸來鬢已霜，生兒又過乃翁長；
> 眼明身健殘年足，飯軟茶甘萬事忘。
> 學廢僅能書姓字，客來嬾復倒衣裳；
> 山園寂寂春將晚，酷愛幽花似蜜香。〔註13〕

這首詩作於淳熙五年（1178），當時的陸游過著在家鄉閒居，專領祠祿過活的日子。可以看出在結束四處遊歷的宦途之後，陸游返鄉閒居的生活中，品味好茶是每天不可缺少的重要之事，好茶甚至於能讓他暫時將官場仕途中的種種不愉快和過往通通抹去，只留下茶香供他回味。而在〈自法雲歸〉詩中則說：

> 落日疎林數點鴉，青山闕處是吾家；
> 歸來何事添幽致，小竈燈前自煮茶。〔註14〕

這一首詩作於嘉定元年（1209），當時的陸游已是八十四歲的高齡，閒居時除了在家，他也四處走訪家鄉的名山，天色漸暗返家之時，在家中小灶前就點著一盞燈火一邊煮茶，他認為這是一種富有閒情逸致的享受；既從眼中享受了景色的美，也在口中享受到了茶的香。

　　上述與山陰同屬越州的其他幾個縣，如會稽縣東南五十五里之日鑄鎮出產的日鑄茶，被稱為江南第一、〔註15〕產自會稽縣臥龍山以充作歲貢的瑞龍

年），頁90。
〔註11〕〔宋〕蔡襄，《茶錄》收錄於《荔枝譜・外十四種》（福州：福建人民出版社，2004年），頁82。
〔註12〕孔祥賢，《陸游飲食詩選注》，頁143，註6。
〔註13〕〔宋〕陸游，〈新闢小園〉，收錄於《陸放翁全集》《劍南詩稿》，卷二十九，頁467。
〔註14〕〔宋〕陸游，〈自法雲歸〉，收錄於《陸放翁全集》《劍南詩稿》，卷七十九，頁1086。
〔註15〕〔宋〕施宿，《嘉泰會稽志》（台北：國泰文化，1980年），頁6486。

茶、唐代就已負盛名，越州新昌縣出產的剡茶等，〔註16〕都是唐宋時期山陰及其附近地區出產的珍品異茗。陸游就曾在兩首詩歌中提到日鑄茶，例如他在〈試茶〉中說：

> 蒼爪初驚鷹脫韝，得湯已見玉花浮；
> 睡魔何止避三舍，歡伯直知輸一籌。
> 日鑄焙香懷舊隱，谷簾試水憶西遊；
> 銀瓶銅碾俱官樣，恨欠纖纖為捧甌。〔註17〕

清代陸廷燦在《續茶經》中記載：「陸羽論水次第凡二十種：廬山康王谷水簾水第一。」〔註18〕詩歌中的谷簾水就是指廬山康王谷的好水，再搭配上江南第一的日鑄茶，是非常好的搭配。另外，陸游在〈信手翻古人詩隨所得次韻〉，也說：

> 病起瘦可驚，峻嶒夜窗影；
> 八十遂當至，何止踐衰境。
> 食簞幸能盡，藥裹亦已屏；
> 汲泉煮日鑄，舌本味方永。
> 士苦不自晦，常若錐見穎；
> 叔度獨何人，長陂渺千頃。〔註19〕

這首詩作於嘉泰三年（1203），當時閒居在家的陸游已經將近八十歲。即使如詩歌中所提到的身體已經呈現許多疲態，但是他仍堅持要喝到日鑄茶的美味，可見日鑄茶應該是陸游非常喜愛的茶飲之一。

除了有名的日鑄茶外，陸游也在詩歌中提到另一種浙江馳名的貢茶——顧渚茶。在其〈齋中弄筆偶書示子聿〉中說：

> 左右琴樽靜不譁，放翁新作老生涯；
> 焚香細讀斜川集，候火親烹顧渚茶。
> 書為半酣差近古，詩雖苦思未名家；
> 一窗殘日呼愁起，裊裊江城咽暮笳。〔註20〕

〔註16〕 朱重聖，《北宋茶之生產與經營》，頁128～129。
〔註17〕 〔宋〕陸游，〈試茶〉，收錄於《陸放翁全集》《劍南詩稿》，卷六，頁103。
〔註18〕 〔清〕陸廷燦，《續茶經》（北京：中國友誼出版社，2005年），頁141。
〔註19〕 〔宋〕陸游，〈信手翻古人詩隨所得次韻〉，收錄於《陸放翁全集》《劍南詩稿》，卷五十六，頁804。
〔註20〕 〔宋〕陸游，〈齋中弄筆偶書示子聿〉，收錄於《陸放翁全集》《劍南詩稿》，

唐代陸羽在《茶經》評定浙江茶的優劣時，說：「浙西以湖州上，湖州，生長城縣顧渚山谷，與峽州、光州同。」〔註21〕可見顧渚茶於唐代就已經是非常有名的茶種。陸游在〈過武連縣北柳池安國院，煮泉試「日鑄」、「顧渚」茶。院有二泉，皆甘寒。傳雲：「唐僖宗幸蜀，在道不豫，至此飲泉而愈，賜名‘報國靈泉’」雲。〉詩，也說：

> 我是江南桑苧家，汲泉閒品故園茶；
> 只應碧缶蒼鷹爪，可壓江囊雪白芽。
>
> 「日鑄」貯以小瓶，蠟紙丹印封之；「顧渚」貯以紅藍縑囊；皆有歲貢。〔註22〕

在這首詩歌中，陸游明確的指出日鑄茶和顧渚茶都是故鄉的名茶，甚至是要進貢朝廷的貢茶，由此可知這兩種茶的珍貴。

在《宋史・食貨志》中也有提到陸游故鄉及其四周出產的茶，並且做出了一個統整：

> 高宗建炎初，於眞州印鈔，給賣東南茶鹽。當是時，茶之產於東南者，浙東西、江東西、湖南北、福建、淮南、廣東西，路十，州六十有六，縣二百四十有二。雪川顧渚生石上者謂之紫筍，毗陵之陽羨，紹興之日鑄，婺源之謝源，隆興之黃龍、雙井，皆絕品也。
>
> 〔註23〕

這段記錄完整的描述南宋時，東南茶產區以及著名茶種的產地，從記錄中可以清楚的發現浙江山陰一帶，茶葉出產很豐富也很有品質。

二、蜀地

陸游在蜀地任官長達九年的時間，除了前文所談到對蜀地的美食多有涉獵之外，對於蜀地好茶的品味自然不在其下。他在〈同何元立、蔡肩吾至東丁院汲泉煮茶〉詩中說：

> 一州佳處盡徘徊，惟有東丁院未來；
> 身是江南老桑苧，諸君小住共榮杯。

　　　卷四十一，頁625。
〔註21〕〔唐〕陸羽，《茶經》，頁40。
〔註22〕〔宋〕陸游，〈過武連縣北柳池安國院，煮泉試「日鑄」、「顧渚」茶。院有二泉，皆甘寒。傳雲：「唐僖宗幸蜀，在道不豫，至此飲泉而愈，賜名『報國靈泉』雲。」收錄於《陸放翁全集》《劍南詩稿》，卷三，頁50。
〔註23〕〔元〕脫脫，《宋史》志一百三十七・食貨下六（北京：中華書局，1985年）第十三冊，頁4508。

又

> 雪芽近自峨嵋得，不減紅囊顧渚春；
>
> 旋置風爐清樾下，它年奇事記三人。〔註24〕

這首詩歌作於乾道九年（1173），陸游在蜀地任官的第四年。詩中除了再次強調他本是來自江南之外，也對蜀地的茶種有了新的認識。雪芽是一種茶葉，又稱鵝眉白芽茶，是宋茶中的佳品。〔註25〕陸游在品嚐過白芽茶後，發覺這種茶的味道並不輸給故鄉的顧渚茶，別有一番風味。而在〈九日試霧中僧所贈茶〉中則說：

> 少逢重九事豪華，南陌雕鞍擁鈿車；
>
> 今日蜀州生白髮，瓦爐獨試霧中茶。〔註26〕

蜀地因為多山，山中多霧，霧中所產的茶葉其質量較好。〔註27〕陸羽《茶經》說：「劍南以彭州上，棉州、蜀州次蜀州，青城縣生丈人山，與棉州同。青城縣有散茶、木茶。」〔註28〕可見從唐代開始，蜀州的山區也是個出產好茶的地方，其品質只略遜於彭州所出產的茶。另外，陸游在〈睡起試茶〉詩中說：

> 笛材細織含風漪，蟬翼新裁雲碧帷；
>
> 端谿硯璞斲作枕，素屏畫出月墮空江時。
>
> 朱欄碧甃玉色井，自候銀缾試蒙頂；
>
> 門前剝啄不嫌渠，但恨此味無人領。〔註29〕

蒙頂茶又稱蒙山茶，時稱蜀中第一。〔註30〕范鎮《東齋記事》提到：

> 蜀之產茶凡八處：雅州蒙頂、蜀州之味江、邛州之火井、嘉州之中
>
> 峰、彭州之堋口、漢州之楊村、棉州之獸目、利州之羅村，然蒙頂
>
> 為最佳也。〔註31〕

李心傳在《建炎以來朝野雜記》也說：

〔註24〕 〔宋〕陸游，〈同何元立、蔡肩吾至東丁院汲泉煮茶〉，收錄於《陸放翁全集》《劍南詩稿》，卷四，頁59。

〔註25〕 徐海榮主編，《中國飲食史》第四冊，頁211。

〔註26〕 〔宋〕陸游，〈九日試霧中僧所贈茶〉，收錄於《陸放翁全集》《劍南詩稿》，卷五，頁91。

〔註27〕 孔祥賢，《陸游飲食詩選注》，頁51，註3。

〔註28〕 〔唐〕陸羽，《茶經》，頁41。

〔註29〕 〔宋〕陸游，〈睡起試茶〉，收錄於《陸放翁全集》《劍南詩稿》，卷五，頁78。

〔註30〕 徐海榮主編，《中國飲食史》第四冊，頁210。

〔註31〕 〔宋〕范鎮，《東齋記事》（北京：中華書局，1997年），頁37。

蜀茶之細者，其品視南方已下。唯廣漢之趙坡、合州之水南、峨嵋之
白芽、雅安之蒙頂，土人亦珍之，然所產甚微，非江建比也。〔註32〕
這兩則史料都在說明蒙頂茶是蜀地頂級的好茶，但只可惜生產量似乎不多。
至於品茶的方式與過程，北宋文人文同曾作〈謝人寄蒙頂新茶〉詩，說：

> 蜀土茶稱盛，蒙山味獨珍；
> 靈根托高頂，勝地發先春。
> 幾樹初驚暖，群籃竟摘新；
> 蒼條尋暗粒，紫萼落輕鱗。
> 的皪香瓊碎，鬖鬖綠藍勻；
> 慢烘防熾炭，重碾敵輕塵。
> 無錫泉來蜀，乾崤盞自秦；
> 十分調雪粉，一啜咽雲津。
> 沃睡迷無鬼，清吟健有神；
> 冰霜凝入骨，羽翼要騰身。
> 磊磊真賢宰，堂堂作主人；
> 玉川喉吻澀，莫惜寄來頻。〔註33〕

這首詩中大量的描寫了蒙頂茶從摘採到加工，經過烹煮品嚐之後的完整記
錄，將蒙頂茶的美味與珍貴表現的非常清楚，讓讀者瞭解品嚐蜀中第一茶的
完整流程。另外，陸游在〈卜居〉詩中也說：

> 南浮七澤吊沉湘，西泝三巴掠夜郎；
> 自信前緣與人薄，每求寬地寄吾狂。
> 雪山水作中冷味，蒙頂茶如正焙香；
> 儻有把茅端可老，不須辛苦念還鄉。〔註34〕

正焙是茶名，據《鐵圍山叢談》，說：

> 建谿龍茶，始江南李氏，號北苑龍焙者，在一山之中間，其周遭則諸
> 葉地也。居是山，號正焙。一出是山之外，則曰外焙。正焙、外焙，
> 色香必迴殊。此亦山秀地靈所鍾之有異色已。龍焙又號官焙。〔註35〕

〔註32〕〔宋〕李心傳，《建炎以來朝野雜記》（北京：中華書局，1997年），頁306。
〔註33〕〔宋〕文同，〈謝人寄蒙頂新茶〉，《丹淵集》（台北：台灣商務印書館，1965年），頁97。
〔註34〕〔宋〕陸游，〈卜居〉，收錄於《陸放翁全集》《劍南詩稿》，卷七，頁111。
〔註35〕〔宋〕蔡絛，《鐵圍山叢談》（北京：中華書局，1997年），頁106。

陸游認為他所喝過的四川蒙頂茶，味道並不遜於江南的正焙茶，其風味甚至可以讓他在遠離故鄉任官的期間，暫時忘卻了些許的思鄉之苦，可見蒙頂茶的確有其獨特的風味。

蜀地與江南相比，茶葉的產量與品質都無法相提並論，但其中還是有一些好茶擁有獨特的風味，讓遠到此地作官的陸游讚譽有加之餘，也能夠消解因為喝不到故鄉好茶而產生的思鄉之苦。他透過詩歌來讚美這些蜀地美茗，不但留下了他洋溢在詩詞中對於品味到好茶的喜悅之情，也替這些蜀地名茶留下了美名。

三、福建

陸游自紹興二十八年（1158）開始出仕任官，首先就是擔任位於福州寧德縣的主簿，隔年又調官為福州決曹。從蜀地東歸之後，又調任提舉福建路常平茶事，〔註36〕所以福建對他來說並不是個陌生的地方。福建路在宋代也是屬於東南產茶區中一個十分出色的區域，唐代陸羽在《茶經》中提到當時天下的產茶區：「嶺南生福州、建州、韶州、象州。福州生閩方山之陰者也。」〔註37〕陸游在〈建安雪〉一詩中，說：

> 建谿官茶天下絕，香味欲泉須小雪；
> 雪飛一片茶不憂，何況蔽空如舞鷗。
> 銀瓶銅碾春風裏，不枉年來行萬裏；
> 從渠荔子腴玉膚，自古難兼熊掌魚。〔註38〕

官茶是朝廷專賣的茶葉，茶的品質都在一定的評價之上，所以可見建安的茶葉在當時深受好評，李心傳《建炎以來朝野雜記》即稱：「建茶歲產九十五萬斤，其為團胯者號臘茶，久為人所貴。」〔註39〕陸游在詩中提到要彰顯出茶葉的香味，還必須用雪水來煎煮。陸羽《茶經》則提出：「其水，用山水上，江水中，井水下。」〔註40〕可見在當時煎煮茶葉的概念裡，雪水或是山泉水都算是較好的水源，能夠更加襯托出好茶的美味。

陸游在福建也曾品嚐了前文所提及的正焙茶，又叫作北苑茶。據趙汝礪

〔註36〕請參見第四章附表一。
〔註37〕〔唐〕陸羽，《茶經》，頁41。
〔註38〕〔宋〕陸游，〈建安雪〉，收錄於《陸放翁全集》《劍南詩稿》，卷十一，頁176。
〔註39〕〔宋〕李心傳，《建炎以來朝野雜記》，頁304。
〔註40〕〔唐〕陸羽，《茶經》，頁24。

《北苑別錄》，說：

> 建安之東三十裡，有山曰鳳凰。其下直北苑，旁聯諸焙。厥土赤
> 壤，厥茶惟上上。太平興國中，初為禦焙，歲模龍鳳，以羞貢篚，
> 益表珍異。慶曆中，漕臺益重其事，品數日增，制度日精，厥今茶
> 自北苑上者獨冠天下，非人間所可得也。方其春蟲震蟄，千夫雷
> 動。一時之盛，誠為偉觀。故建人謂，至建安而不詣北苑，與不至
> 者同。〔註41〕

這段引文中，完整的介紹了北苑茶的產地位置和歷史背景。宋子安《東溪試
茶錄》也說：「建溪之焙三十有二，北苑首其一。」〔註42〕由此可知福建北苑
茶的名聲極大。陸游在〈適閩〉詩中，說：

> 春殘猶看少城花，雪裡來嘗北苑茶；
>
> 未恨光陰疾駒隙，但驚世界等河沙。
>
> 功名塞外心空壯，詩酒樽前髮已華；
>
> 官柳弄黃梅放白，不堪倦馬又天涯。〔註43〕

來到福建作官對於陸游來說是仕途上的失意，但在生活習慣上卻不算陌生，
因為當地的許多文化甚至是飲食習慣，都與故鄉山陰相去不遠。所以在這首
詩中，他就提及到達福建時，還有花景可看、有北苑茶可以品嚐，是一件在
失意中還能覺得欣慰的事情。他在〈試茶〉詩，也說：

> 北窗高臥鼾如雷，誰遣香茶挽夢回；
>
> 綠地毫甌雪花乳，不妨也道入閩來。〔註44〕

這首詩作於淳熙六年（1179）六月，〔註45〕當時的陸游依舊在建安任官；從
第一句「北窗高臥鼾如雷」，就可以間接看出在工作內容和工作環境上都讓陸
游感到意興闌珊，能將他從夢境帶回到現實人世的就是煮茶時的茶香。

而毫甌是建州窯出產的一種茶碗，據蔡襄《茶錄》說：「茶色白，宜黑
盞。建安所造者紺黑，紋如兔毫。其盃微厚，熁之久，熱難冷，最為要用。

〔註41〕 〔宋〕趙汝礪，《北苑別錄》收錄於《荔枝譜·外十四種》（福州：福建人民
　　　　 出版社，2004年），頁139。
〔註42〕 〔宋〕宋子安，《東溪試茶錄》收錄於《荔枝譜·外十四種》（福州：福建人
　　　　 民出版社，2004年），頁91。
〔註43〕 〔宋〕陸游，〈適閩〉，收錄於《陸放翁全集》《劍南詩稿》，卷十，頁172。
〔註44〕 〔宋〕陸游，〈試茶〉，收錄於《陸放翁全集》《劍南詩稿》，卷十一，頁186。
〔註45〕 〔宋〕陸游著、錢仲聯校注，《劍南詩稿校注》（上海：上海古籍出版社，2005
　　　　 年），頁893。

出他處者,或薄、或色紫,皆不及也。其青白盞,鬭試家自不用。」〔註46〕
上等茶葉泡出來的好茶,也需要特別選用特殊的茶碗來喝,才能夠彼此相互
襯托,喝出絕佳的美味。陸羽在《茶經》中對於盛裝茶水的茶碗,即有很清
楚的解釋:

> 碗,越州上,鼎州次,婺州次;嶽州上,壽州、洪州次。或者以邢
> 州處越州上,殊為不然。若邢瓷類銀,越瓷類玉,邢不如越一也。……
> 晉杜毓《荈賦》所謂:「器擇陶揀,出自東甌。」甌,越州也。……
> 越州瓷、嶽瓷皆青,青則益茶,茶作白紅之色。邢州瓷白,茶色紅;
> 壽州瓷黃,茶色紫;洪州瓷褐,茶色黑;悉不宜茶。〔註47〕

陸羽指出,茶碗出產地所用土壤的好壞,都會直接的影響到茶色的品質,
進而讓品茶者對茶的印象甚至於茶的味道大打折扣,所以也得謹慎的選擇
搭配。

　　陸游的品茶之道可以說來自於他四處遊歷的宦途,縱然故鄉山陰已經屬
於當時著名的茶產區,但是在蜀地及福建任官的經驗,更是讓他有機會見識
和品嚐不僅只限於山陰的好茶,在四川和福建也有著不亞於山陰的珍茗。所
以說或許這段時間裡,陸游的政治生活是不得志的,但在飲茶生活上卻是豐
富多元的。

第二節　陸游的飲酒生活

　　陸游的日常飲品中,除了好茶之外,酒也是不可或缺的。也許是不得志
的仕途,讓他必須從酒中找尋暫時逃避現實的煩惱;也或許是旅居各地,各
式的美酒都讓他留下了深刻的印象。因此在他的詩歌中,有許多是關於飲酒
的記錄,筆者在這一節將如前文一樣,以陸游曾任官地區作分類,討論他的
飲酒習慣與生活。

一、山陰

　　陸游對於酒有一定程度的研究,這可從他淳熙五年(1178)在故鄉所作
〈比作陳下瓜麴,釀成奇絕,屬病瘍,不敢取醉,小啜而已〉清楚的表現出
來,他說:

〔註46〕〔宋〕蔡襄,《茶錄》,頁84。
〔註47〕〔唐〕陸羽,《茶經》,頁20~21。

翠蔓扶疎采擷忙，麴生系出古淮陽；
蹋成明月團團白，釀作新鵝淡淡黃。
醅甕秋淒驚凜冽，糟牀夜注愛淋浪；
西齋幽事新成譜，首爲高人著此方。

酒方昔得知胡基仲〔註48〕

詩中記錄了從採集釀酒的材料，到從酒甕中倒出來的成色，詩末還不忘提及
是參考誰所提供的酒方。陸游若是對酒沒有一定程度的瞭解，想必沒有辦法
這麼輕易的能夠照著朋友給他的酒方就釀出美酒。宋代朱翼中的《北山酒
經》，提到與詩中有關的〈上糟〉法，說：

造酒，寒時須是過熱，即酒清數多渾，頭白醅少。溫涼時並熱時，
須是合熟便壓，恐酒醅過熱。又糟內易熱，多致酸變。大約造酒自
下腳至熟，寒時二十四、五日，溫涼時半月，熱時七、八日便可上
糟。仍須勻裝停鋪，手安壓板正，下砧簟所貴，壓得勻乾，並無煎
失轉。酒入甕，須垂手傾下，免見濯損酒味。寒時用草薦麥　圍蓋，
溫涼時去了，以單布蓋之，候三五日，澄折清酒入瓶。〔註49〕

這段引文顯示出在造酒的過程中，溫度是決定風味優劣的一項重要條件，大
致上來說天氣冷，上糟過程就必須要有比較長的時間，天氣熱則反之，但是
也要注意時間不可過久，以免影響酒的味道。從陸游當時身在故鄉來看，他
閒居在家時，對於品酒與製酒的熱情仍然很高。山陰所在的越州，當時盛產
一種名爲蓬萊春的名酒，再加上兩浙路的紹興、金華等地都是酒品盛產的
地方，因此可以窺見陸游對於酒的瞭解自然不俗。

陸游在山陰的生活與酒脫離不了關係，據其〈村居初夏〉，說：

暮境難禁日月催，臘醅初見拆泥開；
壓車麥穗黃雲卷，食葉蠶聲白雨來。
薄飯蕨薇端可飽，短衫紵萬亦新裁；
宦塗自古多憂畏，白首爲農信樂哉。

又

北陌東阡節物新，往來饋餉走比鄰；

〔註48〕〔宋〕陸游，比作陳下瓜麴，釀成奇絕，屬病瘍，不敢取醉，小啜而已〉，收
　　　　錄於《陸放翁全集》《劍南詩稿》，卷十，頁172。
〔註49〕〔宋〕朱翼中，《北山酒經》收錄於《宋代經濟譜錄》（蘭州：甘肅人民出版
　　　　社，2008年），頁227。

出籠鵝白輕紅掌，藉藻魚鮮淡墨鱗。
笑語相聞豐穗樂，耕桑自足骨風淳；
頹然一醉茆簷下，且免西曹議吐茵。

又

煮酒開時日正長，山家隨分答年光；
梅青巧配吳鹽白，筍美偏宜蜀豉香。
風暖緊催蠶上簇，雨餘閒看稻移秧；
老夫見事真成晚，浪走人間兩鬢霜。

又

天遣為農老故鄉，山園三畝鏡湖傍；
嫩莎經雨如秧綠，小蝶川花似繭黃。
斗酒隻雞人笑樂，十風五雨歲豐穰；
相逢但喜桑麻長，欲話窮通已兩忘。〔註50〕

這四首詩是紹熙二年（1191）陸游閒居山陰時所作，詩中處處可見他鄉居生活的剪影，其中「頹然一醉茆簷下」、「斗酒隻雞人笑樂」等句子，都可以看出他在山陰生活時，酒是不可缺少之物，也是他能夠樂在其中的重要關鍵。另外，第一首詩中寫到的「臘醅初見拆泥開」與第三首詩的首句「煮酒開時日正長」，可以發現這是隔年的陳酒（即紹興酒），這種酒要煮熟了喝才好。〔註51〕紹興酒又稱紹興老酒，屬於黃酒類，酒液黃亮有光，香氣濃郁芬芳，口味鮮美醇厚，獨具一格，〔註52〕甚至於也常被拿來當作烹飪入菜的用品。

除了紹興酒之外，陸游在〈閒居對食書媿〉也提到山陰的另一種酒，說：

遊宦無功坐免歸，誰令盤箸極甘肥？
錦鱗差尾魚登俎，繡羽駢頭雉觸機。
桑落滿壺春盎盎，雨前磑磑雪霏霏；
殘年何地酬君賜，自古羈臣厭蕨薇。〔註53〕

〔註50〕〔宋〕陸游，〈村居初夏〉，收錄於《陸放翁全集》《劍南詩稿》，卷二十二，頁380～381。

〔註51〕孔祥賢，《陸游飲食詩選注》，頁132，註1。

〔註52〕張遠芬主編，《中國酒典》（貴州：貴州人民出版社，1991年），頁1287。

〔註53〕〔宋〕陸游，〈閒居對食書媿〉，收錄於《陸放翁全集》《劍南詩稿》，卷二十七，頁447。

這首詩作於紹熙四年（1193），當時陸游閒居在故鄉。桑落即是桑葚酒，﹝註54﹞宋代唐慎微《重修政和經史證類備用本草》一書中記載：

> 《外台秘要》治水下，或不下則滿溢，下之則虛竭，虛竭還腹，十無一活。以桑葚并心皮兩物細銼，重煮煎，取四斗以釀米，四升釀酒，一服一升。﹝註55﹞

引文中的水是指水腫，有水腫的人不能一昧的用下法（排泄）將身體的津液排出，因為縱使排完後，每天攝取的水分仍舊會導致積水。這時候可以讓病患服用桑葚酒，就能夠不用下法使水腫慢慢消除。宋代除了葡萄酒之外，其他果酒品種的生產規模很小，多限於個別地區或個別家庭，遠不如穀物酒類那樣形成社會性批量生產。﹝註56﹞所以從這首詩中可以發現到當時的山陰地區是出產桑葚酒的，只是數量不多，可能只夠提供當地居民飲用而已。

另外，有趣的是陸游在故鄉時，竟然還能喝到北方金國所出產的酒。他在〈偶得北虜金泉酒小酌〉說：

> 草草杯盤莫笑貧，朱櫻羊酪也嘗新；
>
> 燈錢耳熱顛狂甚，虜酒誰言不醉人。
>
> 高適詩云：「胡兒十歲能騎馬，虜酒千杯不醉人」

又

> 逆胡萬里跨燕秦，志士悲歌淚滿巾；
>
> 味履胡腸涉胡血，一樽先醉范陽春。﹝註57﹞

詩末最後一句所指的范陽春就是金泉酒，范陽是借指金國的首都。﹝註58﹞這首詩是作於淳熙十一年（1184），陸游在故鄉尚未知嚴州時。詩中提及的朱櫻羊酪以及能夠喝到金泉酒的情形來看，當時南北的貿易是互有往來的，就連身處山陰的陸游都能夠喝到北方產的酒，的確是個有趣的現象。

﹝註54﹞ 孔祥賢，《陸游飲食詩選注》，頁143，註5。桑落一詞出自《水經注》中：「河東郡民有姓劉名墮者，宿善工釀，採挹河流，釀成芳酎，排於桑落之辰，故酒得其名矣。」在史料中並未提及是否就是桑葚酒，但因桑落酒產於河東而非江南，故此採用孔氏書中所注。

﹝註55﹞ 〔宋〕唐慎微，《重修政和經史證類備用本草》（北京：華夏出版社，1993年），頁587。

﹝註56﹞ 李華瑞，《宋代酒的生產和征榷》（河北：河北大學出版社，1995年），頁35。

﹝註57﹞ 〔宋〕陸游，〈偶得北虜金泉酒小酌〉，收錄於《陸放翁全集》《劍南詩稿》，卷十六，頁280。

﹝註58﹞ 孔祥賢，《陸游飲食詩選注》，頁103，註5。

中國南方本就是氣溫較為溼熱之地，對於製酒所需的發酵程序是一項很大的助力，所以陸游失意在故鄉時，仍不乏有酒為伴。江南也是水果盛產之地，除了食用之外，將多餘的水果拿來作為釀製酒品的原料，進而有許多果類酒品的產出，只是礙於數量，外出宣傳和產銷似乎有極大的困難度。南宋與金之間雖是長期交戰的關係，但在經濟貿易上卻是不曾間斷，南北之間的物品流通、互通有無仍然是檯面下很活絡的市場，所以北方的酒品在南方的市場上也是可以看得見的商品。

二、蜀地

蜀地本來就是個盛產許多名酒的地方，如五糧液、綿竹大麴酒、敘府大麴酒、渠縣紅桔酒等，都是自古至今著名的好酒。個性嗜酒的陸游既然在蜀地任官長達九年，對蜀地酒類的記載當然不少，因此筆者擬從陸游的詩歌，來討論其在蜀地的飲酒生活。

陸游在乾道八年（1172）於綿州作了〈東山〉一詩，他說：

今日之集何佳哉，入關劇飲始此回；
登山正可小天下，跨海何用尋蓬萊。
青天肯為陸子見，妍日似趣梅花開；
有酒如涪綠可愛，一醉直欲空千罍。
馳酥鵝黃出隴右，熊肪玉白黔南來；
眼花耳熱不知夜，但見銀燭高花摧。
京華故人死太平，歡極往往潛聲哀；
聊將豪縱壓憂患，鼓吹動地聲如雷。〔註59〕

詩中陸游描寫了此次宴會的熱絡場景，從「入關劇飲始此回」句中不難發現他的心境，而宴中的佳餚美酒也是不可或缺的角色。詩中提到如同涪江一般清碧的酒應該就是綿竹大麴酒，又叫作「劍南春」。劍南春是以高粱、大米、糯米、玉米和小麥五種糧食為原料，用小麥製大麴為醣化發酵劑釀製而成。〔註60〕宋代因稻米的廣泛種植，使我國歷史上釀酒的原料至宋發生了一個大轉變，即稻米取代黍秫等原料而為最重要的原料品種，〔註61〕但是因為蜀地並非稻米盛產區，所以在釀酒原料的使用上就比較不常見到稻米。

〔註59〕〔宋〕陸游，〈東山〉，收錄於《陸放翁全集》《劍南詩稿》，卷三，頁52。
〔註60〕張遠芬主編，《中國酒典》，頁1221。
〔註61〕李華瑞，《宋代酒的生產和征榷》，頁70。

　　談到當時的製麴造酒，就得提到《北山酒經》裡的〈用麴〉法，書中記載：

> 古法先浸麴，發如魚眼，湯淨淘米，炊作飯，令極冷，以絹袋濾去
> 麴滓，取麴汁於甕中，即酸飯。近世不然，炊飯冷，同麴搜伴入
> 甕。……四時麴麤細不同，春冬醞造日多，即搗作小塊子，如骰子
> 或皂子大，則發斷有力而味醇釅。秋夏醞造日淺，則差細，欲其麴
> 米早相見而就熟。要之麴細則味甜美，麴麤則硬辣。若麤細不勻，
> 則發得不齊，酒味不定。大抵寒時化遲不妨，宜用麤麴。暖時麴欲
> 得疾發，宜用細末。……定酒味全此時，亦無固必也。〔註62〕

從這段記錄中可以瞭解，宋代所製的麴與古代製麴之法已經有了差異，而且
很須要密切注意的是發酵的時節氣候與時間，兩者之間要搭配得宜。麴的粗
（麤）細也對應出酒品不同的風味，細麴所釀出的酒較甜，粗麴所釀出的酒
較辣，所以顯示出用麴這個步驟在製酒過程中，也是一項重要的關鍵。

　　前文提到山陰的果酒，而陸游在蜀地也對果酒產生興趣，他在〈小宴〉
詩中說：

> 洗君鸚鵡杯，酌我葡萄醅；
> 冒雨鶯不去，過春花續開。
> 英雄漫青史，富貴亦黃埃；
> 今夕湖邊醉，還須秉燭回。〔註63〕

葡萄醅就是指葡萄酒的意思。在《重修政和經史證類備用本草》中認為葡
萄是具有療效的藥物，其中記載：「葡萄，味甘，平，無毒。主筋骨濕痺，益
氣倍力，強志，令人肥健，耐飢，忍風寒。久食輕身不老延年。可作酒。」
〔註64〕主要產地則是在「隴西五原、敦煌山谷，今河東及近京州郡皆有之」。
〔註65〕從詩歌中可以發現到南宋時的蜀地有生產葡萄酒，前文提到李華瑞先
生認為除了葡萄酒之外，其他果酒生產規模都較小，原因是基於宋代有很多
文人的詩詞中都有葡萄一詞的出現，如王安石、蘇東坡和汪元量等人。若沒
有大量的生產，是不好做這些比喻的。〔註66〕

〔註62〕　〔宋〕朱翼中，《北山酒經》收錄於《宋代經濟譜錄》，頁223～224。
〔註63〕　〔宋〕陸游，〈小宴〉，收錄於《陸放翁全集》《劍南詩稿》，卷五，頁76。
〔註64〕　〔宋〕唐慎微，《重修政和經史證類備用本草》，頁555。
〔註65〕　〔宋〕唐慎微，《重修政和經史證類備用本草》，頁556。
〔註66〕　李華瑞，《宋代酒的生產和征榷》，頁30。

對於蜀酒的描述，陸游在〈城上〉詩中也說：

> 雙雙黃犢臥斜陽，葉葉丹楓著早霜；
>
> 沙水自鳴如有恨，野花無主爲誰芳。
>
> 郫筒味釀愁濡甲，巴曲聲悲怯斷腸；
>
> 賴有生平管城子，不妨驅使答風光。

又

> 濯錦豪華夢不通，歸然孤壘亂山中；
>
> 行歌滿道知人樂，露積連村見歲豐。
>
> 萬瓦新霜掃殘瘴，一林丹葉換青楓；
>
> 鵝黃名釀何由得，且醉杯中琥珀紅。
>
> 榮州酒赤而勁甚。鵝黃，廣漢酒名。〔註67〕

這首詩是陸游於淳熙元年（1174）在榮州時所作。郫筒是一種酒名，范成大在《吳船錄》中對郫筒酒有加以說明：

> 郫筒，截大竹長二尺，以下留一節爲底，刻其外爲花紋，上有蓋，
> 以鐵爲提梁，或朱或黑，或不漆，大率挈酒竹筒耳。華陽風俗志所
> 載，乃刳竹傾釀，閉以藕絲蕉葉，信宿馨香達於外，然後斷取以獻，
> 謂之郫筒酒。觀此，則是就竹林中爲之，今無此酒法也。〔註68〕

從引文中可知郫筒本爲裝酒的一種容器，但後來發現在盛裝時加進蓮藕絲或芭蕉葉，可以使酒香更爲濃郁，所以才將其定名爲郫筒酒。榮州近成都，南宋時酒的產量很多，陸游在〈樓上醉書〉說：「益州官樓酒如海，我來解旗論日買」，〔註69〕可見當時蜀地酒品販賣是很興盛的。他也曾在淳熙三年（1176）於成都所寫的〈寺樓月夜醉中戲作〉中說：

> 水精盞映碧琳腴，月下冷冷看似無；
>
> 此酒定從何處得，判知不是文君壚。〔註70〕

此首詩提到倒入杯中仍能夠清澈見底的碧琳腴，應是成都所出產的全興大麴酒。雖然全興大麴的名稱是直到清代才出現，但是這項成都所出產的酒品卻

〔註67〕〔宋〕陸游，〈城上〉，收錄於《陸放翁全集》《劍南詩稿》，卷六，頁98。

〔註68〕〔宋〕范成大，《吳船錄》收錄於《叢書集成新編》第九十五冊（台北：新文豐出版公司，1985年），頁1。

〔註69〕〔宋〕陸游，〈樓上醉書〉，收錄於《陸放翁全集》《劍南詩稿》，卷八，頁127。

〔註70〕〔宋〕陸游，〈寺樓月夜醉中戲作〉，收錄於《陸放翁全集》《劍南詩稿》，卷七，頁116。

是歷史悠久，其酒液無色、清澈透明，具有窖香濃郁、醇和協調、綿甜甘冽、落口爽淨等特點〔註71〕，是蜀地成都很富盛名的名酒。

陸游在乾道九年（1173）所作的〈蜀酒歌〉說：

> 漢州鵝黃鷺鳳雛，不驚不搏德有餘；
>
> 眉州玻瓈天馬駒，出門以無萬里塗。
>
> 病夫少年夢清都，曾賜盧皇碧琳腴；
>
> 文德殿門晨奏書，歸局黃封羅百壺。
>
> 十年流落狂不除，遍走人間尋酒壚；
>
> 青絲玉瓶到處酤，鵝黃玻瓈一滴無。
>
> 安得豪士致連車，倒瓶不用杯與盂；
>
> 琵琶如雷聒坐隅，不愁渴死老相如。〔註72〕

關於詩中的漢州鵝黃酒，陸游自己就曾在〈遊漢州西湖〉一詩的注中說：「鵝黃，漢中酒名，蜀中無能及者。」〔註73〕眉州玻瓈則是指眉州的名酒玻瓈春，他也在〈凌雲醉歸作〉中自注說道：「玻瓈春，眉州酒名。」〔註74〕可見自古有天府之國美譽的蜀地，也蘊藏著許多的名酒。不同於陸游故鄉著名的紹興酒是屬於黃酒類，其在蜀地所品嚐的郫筒酒、綿竹大麴酒和全興大麴酒多是質地清澈的白酒，在口感、酒香、後勁等方面都與家鄉的黃酒有著很大的差異，使得在蜀地仕途雖不得志的陸游，在酒文化的見識上卻是豐富了許多。

三、福建

陸游在離開蜀地回到臨安後，旋即被孝宗任命為提舉福建路常平茶事，前往福建任官，而福建的飲品文化對於陸游的影響，在前文已經談過了茶的方面，接下來要討論的則是他與當地酒文化的接觸。陸游在〈建安遣興〉詩中說：

> 建安酒薄客愁濃，除却哦詩事事慵；
>
> 不許今年頭不白，城樓殘角寺樓鐘。〔註75〕

〔註71〕張遠芬主編，《中國酒典》，頁1233。

〔註72〕〔宋〕陸游，〈蜀酒歌〉，收錄於《陸放翁全集》《劍南詩稿》，卷四，頁71。

〔註73〕〔宋〕陸游，〈遊漢州西湖〉，收錄於《陸放翁全集》《劍南詩稿》，卷三，頁52。

〔註74〕〔宋〕陸游，〈凌雲醉歸作〉，收錄於《陸放翁全集》《劍南詩稿》，卷四，頁58。

〔註75〕〔宋〕陸游，〈建安遣興〉，收錄於《陸放翁全集》《劍南詩稿》，卷十一，頁

其實宋代福建路並非如同陸游在詩中所描述的，是一個酒文化相對薄弱的地區，反而它也有著屬於當地獨特的酒文化。宋代南方魚米的盛產，正促使福建地區大量出現了以米類作物為製酒原料的酒品，像是著名的苜莉青酒以及一般大眾廣泛飲用的福建老酒，即福建糯米酒。陸游在福建任官的時間雖然約只有一年左右，與他在蜀地或山陰生活的時間相去甚遠，但是這樣的在地製酒文化，也是只有他在親自來到福建加以品嚐過這些酒之後，才會瞭解的獨特風味。當時的福建雖然離陸游的故鄉山陰不遠，但畢竟是離家在外，而且所擔任的官職也無法讓他大展抱負，這樣的背景下，他在淳熙六年（1179）於建安所作的〈客思〉中說：

> 千里關山道路賒，可憐客子費年華；
>
> 杯觴灔灔紅燒酒，風露盈楹紫笑花。
>
> 孤月有情來海嶠，雙魚無信到天涯；
>
> 此生那得常飄泊，歸臥東溪弄釣車。〔註76〕

這首詩將陸游四處飄泊的心境很清楚的描寫出來，而在他感嘆多年客居在外之時，藉以澆愁的只有杯中的酒。詩中所提到的紅燒酒，應是福建所產的苜莉青。當時的建安屬於今日福建省的南平，苜莉青即是南平所出產的名酒。苜莉青酒是一種以糯米為原料，用白麴為醣化發酵劑，經一個月以上的養醅期，壓取榨酒，加熱殺菌，再陳釀一年以上方能飲用，是一種風味獨特的甜型黃酒，酒液呈褐紅色，香氣幽雅，味甜適口，順和協調。〔註77〕所以陸游在詩中所寫紅燒酒的「紅」，應該就是苜莉青酒本身褐紅的酒色。

黃酒類除了苜莉青酒以外，陸游也在詩歌中提到另一種酒品，據其〈長歌行〉，說：

> 人生宦遊亦不惡，無奈從來宦情薄；
>
> 既不能短衣射虎在南山，又不能鬥雞走馬晏平樂。
>
> 惟有釣船差易具，問君胡為不歸去；
>
> 片雲雨暗玉笋峯，斜日人爭石旗渡。
>
> 渡頭酒壚堪醉眠，白酒醇釅鱸魚鮮；
>
> 菰米如珠炊正熟，蓴羹似酪不論錢。

179。

〔註76〕〔宋〕陸游，〈客思〉，收錄於《陸放翁全集》《劍南詩稿》，卷十一，頁179。

〔註77〕張遠芬主編，《中國酒典》，頁1301。

　　　　翁唱菱歌兒舞櫂，醉耳那知朝市鬧；

　　　　城門幾度送迎官，睡擁亂簽乎未覺。〔註78〕

這首詩詳細描寫了許多他在建安時的飲食原貌，隨手可得的食材，其中也包
含了福建當地百姓最常喝的酒。而屬於黃酒類的福建老酒，是福建地區最
大眾化的酒類。但福建老酒只是個統稱，因福建民間有用糯米釀酒的習慣，
福建的方言「糯」與「老」韻母相同，讀音也很接近。閩西一帶的客家人
很容易把「糯米酒」說成是「老米酒」，後來人們就把這種糯米酒簡稱「老
酒」。福建各地都出產糯米，幾乎各地都用糯米來釀酒，儘管名稱不同，但大
部份也都是屬於老酒這一類型。〔註79〕曾知福州的范成大也在《桂海酒志》
裡說：

　　　　老酒，已麥麴釀酒，密封藏之，可數年，士人家尤貴重。每歲臘中，

　　　　家家造酢，使可為卒歲計。有貴客，則設老酒，冬酢以示勤，婚娶

　　　　亦以老酒為厚禮。〔註80〕

從這段引文中可以更清楚的看到，除了釀酒原料要用糯米，在發酵劑酒麴裡
還要使用以麥子製作成的麴，才可製出道地的老酒。而且老酒則是十分普
遍的酒品，不論招待賓客或是婚嫁禮俗的場合裡，都是宴客和送禮常見的一
種酒。

　　米酒是宋代南方地區最盛行的一種黃酒。《東坡酒經》中對其加工生產有
這樣的描寫：

　　　　南方之泯以糯與粳，雜以卉藥而為餅，嗅之香、嚼之辣、揣之枵然

　　　　而輕，此餅之良者也。吾始取麵而起肥之，和之以薑液，蒸之以十

　　　　裂，穿繩而風戾之，愈久而益悍，此麴之精者也。……釀久者，酒

　　　　醇而豐，速者反是，故吾酒三十日而成也。〔註81〕

從引文中可以看出當時一般大眾自行釀製酒的過程，是以糯米或粳米為原
料，加入以多種草藥製成的藥汁，和入麵粉、薑汁而成為酒麴，且釀製的時
間大致在三十天左右，這些步驟都顯示出黃酒的釀造工藝在宋代已經十分成
熟。〔註82〕

〔註78〕〔宋〕陸游，〈長歌行〉，收錄於《陸放翁全集》《劍南詩稿》，卷十一，頁181。

〔註79〕張遠芬主編，《中國酒典》，頁1297。

〔註80〕〔宋〕范成大，《桂海酒志》收錄於張遠芬主編《中國酒典》，頁265。

〔註81〕〔宋〕蘇軾，《東坡酒經》收錄於張遠芬主編《中國酒典》，頁229。

〔註82〕徐海榮主編，《中國飲食史》第四冊，頁172～173。

第三節　小　結

　　陸游的家鄉山陰在宋代以前就是盛產茶葉的地區，到了宋代其產量與品質依然維持很高的水平。當陸游奉詔入蜀時，對於蜀地所出產茶葉的認知想必不多，但親自品嚐到雪芽、蒙頂等不亞於江南顧渚、徑山的名茶之後，就如同他在品嚐過蜀地的美食那般讓他難以忘懷，甚至於在日後想起還會作詩歌詠一番。而福建本就是宋代當時朝廷貢茶的來源地之一，所以來到福建任職常平茶鹽公事的陸游對於福建茶的接觸與瞭解自然更多，也讓他對江南的茗茶有了更深的認識。

　　酒對於陸游來說，可以說除了是必備的飲品之外，更是他情感上的寄託。於蜀地任官時，在前線戰場酒是激發他豪情壯志的催化劑，當他被迫從前線調動到後方擔任閒散官員時，酒則是他傾訴內心不滿和無奈的對象。儘管如此，陸游的酒文化水平並非只停留在豪飲而已，他對於酒的釀造與製法十分留心，自己也常試作各式不同的酒方。他也不單單只對聞名遐邇的名酒才有興趣，縱然只是尋常百姓家中自釀自飲的酒，他也能品嚐出其箇中滋味，在酒文化上達到雅俗共賞的水平。

第五章　結　論

綜合陸游的美食生活、飲食保健和養生的觀念，最後再到茶與酒的點綴，它給人的印象除了是在文學上有非凡造詣的愛國詩人之外，陸游對於飲食的重視和講究並不亞於稍早的蘇軾、黃庭堅等人。與這些文人較為不同的是，陸游對於飲食生活的記錄並沒有留下專著，而是分布在他的諸多詩歌作品之中，所以要研究他的飲食生活，《劍南詩稿》絕對是一項不可或缺的基本史料。而經過本文的研究，筆者對於其飲食生活，總結出下列五點的觀察和體會：

（一）安貧樂道的美食觀

陸游的美食觀與他所身處時代的美食價值觀較為不同，並不是以蒐羅山珍海味、奇珍異獸為盤中佳肴為目的，而是以園蔬為主，搭配簡單的粥品或是採集到的河鮮，在餐桌上佈置出一番務農人家的風味。沒有大魚大肉、美酒名饌的奢華享受，但卻對他的身體除去了不少多餘的負擔，取而代之的是筵席裡比較不容易攝取到的養分。雖然說這樣的生活模式是受到仕途不順遂的影響，但是卻因禍得福讓他擁有非常良好的飲食習慣和健康狀態，他在詩歌中也表現出安於這種飲食的方式。縱然他在蜀地長達九年的時間，蜀地的物產與江南也有極大的區別，但是在飲食習慣上的安貧樂道卻是一直未曾改變。

（二）節制進食的重視

陸游並非只依靠飲食而享有高壽，在吃的方面他也要求須有所節制，暴飲暴食只會對身體造成負荷，吃得太少又沒有足夠的體力，所以過與不及都

是飲食上的大忌，進食的量也要遵循中庸之道。什麼時間進食也是一個非常重要的保健概念，就如同睡眠作息一般，一天三餐進食的時間也要固定，晨起的第一餐尤其重要，因為早餐影響到人一天的能量來源，所以在營養攝取上必須充足。若是每日三餐不定時進食，不但養分攝取的不夠完全，甚至於在不對的時間進食反而會讓身體無法休息，造成消化系統額外的負擔。

（三）力行適量的活動

除了定時定量的進食習慣可以保養消化系統之外，陸游認為還要透過飯後簡單的活動和午休來輔助。簡單的活動例如走動，他在詩歌中常提及自己四處去拜訪朋友，往來於各個村落之間，以達到活動的效果。飯後的活動可以促進食物的消化，平時的活動則能夠帶動氣血的循環，對身體都是很有益處。除了外在肢體的活動之外，陸游也透過調息打坐促進內在的活動，氣、血、神都可以得到累積，維持體內足夠的活力來源。

（四）睡前洗腳按摩穴道

陸游在詩歌中提及自己睡前洗腳的習慣，除了消除疲勞幫助睡眠之外，連帶按摩腳底的湧泉穴和膝下的三里穴，不但可以去除體內多餘的濕氣，還可以消解腸胃中過剩的食氣，而不致於造成腸胃太多負荷而導致疾病。

（五）寄情茶酒的點綴

陸游的故鄉山陰是盛產好茶與美酒的地方，所以他在品茶與品酒的標準上自然很高。他因為被外放任官的關係，非自願性的前往蜀地與福建任官，但是川陜與福建的茶酒風情與其故鄉頗不相同。陸游在與這些風味各異的好茶美酒接觸時，固然有藉此抒發不得志的情感與鄉愁，但是他也能用純粹品嚐的角度，深入的去對其進行瞭解，並且從中領略出屬於這些地方特產的獨特風味。

筆者在本文中，對於陸游飲食生活的研究，做出一系列的整理，即是擬從陸游在日常生活中吃的食物、喝的飲品以及積極的飲食保健觀念，建構出他在飲食方面的完整面貌。而利用相同的研究方法，筆者認為在這個基礎上，尚可擴展出下列幾個研究的題目：

（一）遭貶謫官員的飲食習性研究

中國歷代總有許多著名的官員和文人在仕途上很不順遂，於地方閒散職

缺上輾轉來去。這些人被迫離開故鄉或京城，前往他們一無所知或僅止於書中才看過的地區任官。就意義上來說他們也已經屬於是一種非自願性的移民，必須要被強制的去接受當地十分陌生的風土民情。而飲食習慣是其中頗為要緊的一環，畢竟民以食為天，吃飯是每天都得面對的一件大事，在陌生的土地上嘗試自己不熟悉的食物，對這些非自願性的移民而言，須要很大的勇氣。所以筆者認為研究中國歷代遭流放或是貶謫的文人官員的飲食生活，是本研究未來可以再延伸的一個研究方向，尤其是利用這些文人官員所留下來的文學作品或是著作文集，就如同本研究將陸游的《劍南詩稿》視為一項主要研究的史料一樣，將本來用文學欣賞角度來看的文詞，利用史學方法再賦予它一種截然不同的詮釋。

（二）官員被貶謫州郡地區的飲食特性

歷來許多研究飲食史和飲食文化的重點都擺在一些重要的地區，如京城和商業活動頻繁或人口興盛的大城市，但是一些外緣地區的飲食活動研究卻不太多見。筆者認為研究歷代外緣地區的飲食活動是一項極富多元性的研究，因為正如前文所述，這些外緣地區可能因為流官、戍兵等非志願性的移民的遷入，而引入了這些人在原鄉的飲食習性以及口味。但是他們到了這些外緣地區之後，卻也必須與當地的環境和物產做出妥協，在原有的飲食習慣基礎上作出幅度或大或小的改變。而且這些外緣地區往往是許多土著和原住民等少數民族世居當地，他們原有屬於自己的飲食習慣和飲食文化，將會與外來的飲食習慣匯集，經過長時間的演變融合後，產生出另一種新的飲食習性和文化。這些都是在飲食史研究中比較被忽略的部分，因此歷代的戍所或是官員流放地的飲食文化研究，是筆者認為可以延伸討論的大範圍飲食史研究專題。

最後，筆者要強調的是，本論文研究陸游的飲食生活，是藉由陸游自己的描寫再搭配其他材料的輔助，進而呈現出一個較為完整的面貌。雖然其個人飲食生活並不代表整個南宋時期的文人飲食生活，但是我們可以說他的飲食生活絕對是屬於南宋文人飲食的一部份，在某些層面上有屬於他的代表性，這是我們可以確定的。

徵引書目

一、基本史料

1. 〔周〕尹喜，《關尹子》，台北：台灣商務印書館，1965 年。
2. 〔周〕呂不韋，《呂氏春秋》，上海：上海古籍出版社，1995 年。
3. 〔北魏〕賈思勰著、繆啓愉，繆桂龍撰，《齊民要術譯注》，上海：上海古籍出版社，2006 年。
4. 〔唐〕司馬承禎，《天隱子》，台北：台灣商務印書館，1965 年。
5. 〔唐〕孫思邈，《備急千金要方》，北京：人民衛生，1997 年。
6. 〔唐〕陸羽，《茶經》，北京：中國友誼出版社，2005 年。
7. 〔宋〕朱翼中，《北山酒經》收錄於《宋代經濟譜錄》，蘭州：甘肅人民出版社，2008 年。
8. 〔宋〕宋子安，《東溪試茶錄》收錄於《荔枝譜·外十四種》，福州：福建人民出版社，2004 年。
9. 〔宋〕李心傳，《建炎以來朝野雜記》，北京：中華書局，2000 年。
10. 〔宋〕周守中，《養生月覽》收錄於《四庫全書叢目存書》，台南：莊嚴出版社，1997 年。
11. 〔宋〕周煇，《清波雜志》，北京：中華書局，1997 年。
12. 〔宋〕林洪，《山家清供》，收於《叢書集成新編》第四十七冊，台北：新文豐出版公司，1985 年。
13. 〔宋〕洪邁，《夷堅志》，北京：中華書局，1981 年。
14. 〔宋〕范成大，《吳郡志》，南京：上海古籍出版社，1999 年。
15. 〔宋〕范成大，《吳船錄》收錄於《叢書集成新編》第九十五冊，台北：新文豐出版公司，1985 年。

16. 〔宋〕范成大,《桂海酒志》收錄於張遠芬主編《中國酒典》,貴州:貴州人民出版社,1991 年。

17. 〔宋〕范鎮,《東齋記事》,北京:中華書局,1997 年。

18. 〔宋〕唐慎微,《重修政和經史證類備用本草》,北京:華夏出版社,1993 年。

19. 〔宋〕張杲,《醫說》,台北:新文豐出版公司,1981 年。

20. 〔宋〕梅堯臣,《梅堯臣集編年教注》,上海:上海古籍出版社,2006 年。

21. 〔宋〕莊綽,《雞肋編》,北京:中華書局,1997 年。

22. 〔宋〕陳達叟,《本心齋蔬食譜》,收於《叢書集成新編》第四十七冊,台北:新文豐出版公司,1985 年。

23. 〔宋〕陶穀,《清異錄》,收於《全宋筆記》第二冊,鄭州市:大象出版社,2003 年。

24. 〔宋〕陸游,《老學菴筆記》收錄於《陸放翁全集》,台北:世界書局,1961 年。

25. 〔宋〕陸游,《渭南文集》收錄於《陸放翁全集》,台北:世界書局,1961 年。

26. 〔宋〕陸游,《劍南詩稿》收錄於《陸放翁全集》,台北:世界書局,1961 年。

27. 〔宋〕陸游,《齋居紀事》收錄於《陸放翁全集》,台北:世界書局,1961 年。

28. 〔宋〕費袞,《梁溪漫志》,台北:藝文印書館,1971 年。

29. 〔宋〕趙汝礪,《北苑別錄》收錄於《荔枝譜・外十四種》,福州:福建人民出版社,2004 年。

30. 〔宋〕趙溍,《養疴漫筆》,收於《叢書集成新編》第八十七冊,台北:新文豐出版公司,1985 年。

31. 〔宋〕蔡絛,《鐵圍山叢談》,北京:中華書局,1997 年。

32. 〔宋〕蔡襄,《茶錄》收錄於《荔枝譜・外十四種》,福州:福建人民出版社,2004 年。

33. 〔宋〕韓元吉,《南澗甲乙稿》,收於《叢書集成新編》第六十三冊,台北:新文豐出版公司,1985 年。

34. 〔宋〕羅大經,《鶴林玉露》,北京:中華書局,1997 年。

35. 〔宋〕蘇軾,《東坡酒經》收錄於張遠芬主編《中國酒典》,貴州:貴州人民出版社,1991 年。

36. 〔宋〕蘇軾著、孔凡禮整理,《仇池筆記》,收於《全宋筆記》第九冊,鄭州市:大象出版社,2003 年。

37. 〔金〕劉完素，《素問病機氣宜保命集》收錄於《金元四大醫學家名著集成》，北京：中國中醫藥出版社，1995 年。

38. 〔元〕脫脫，《宋史》，北京：中華書局，1985 年。

39. 〔元〕鄒鉉，《壽親養老新書》，台北：台灣商務印書館，1983 年。

40. 〔明〕冷謙，《修齡要旨》，台北：藝文印書館，1965 年。

41. 〔清〕陸廷燦，《續茶經》，北京：中國友誼出版社，2005 年。

二、專著

1. Sidney W. Mintz 著、林爲正翻譯，《吃——漫遊飲食行爲、文化與歷史的金三角地帶》，台北：藍鯨出版有限公司，2001 年。

2. 上海古籍出版社編，《宋元筆記小說大觀》，上海：上海古籍出版社，2001 年。

3. 于北山，《陸游年譜》，上海：上海古籍出版社，2006 年。

4. 中國道教協會、蘇州道教協會，《道教大辭典》，北京：華夏出版社，1994 年。

5. 孔祥賢，《陸游飲食詩選注》，北京：中國商業出版社，1989 年。

6. 朱東潤，《梅堯臣集編年校注》中冊卷十五，上海：上海古籍出版社，2006 年。

7. 朱重聖，《北宋茶之生產與經營》，臺北：臺灣學生書局，1985 年。

8. 坂出祥伸，《中国古代養生思想の総合的研究》，東京：平河出版社，1988 年

9. 李華瑞，《宋代酒的生產和征榷》，河北：河北大學出版社，1995 年。

10. 林蘊玉、宋申蕃、張作櫻，《營養概論》，台北：黎明文化事業公司，1978 年。

11. 徐海榮主編，《中國飲食史》第四冊，北京：華夏出版社，1999 年。

12. 張遠芬主編，《中國酒典》，貴州：貴州人民出版社，1991 年。

13. 陳可冀、周文泉主編，《中國傳統養生學精粹》，台北：台灣商務印書館，1991 年。

14. 陳定玉點校，《荔枝譜　外十四種》，福州：福建人民出版社，2004 年。

15. 陶晉生，《北宋士族——家族·婚姻·生活》，台北：中央研究院歷史語言研究所，2001 年。

16. 傅璇琮主編，《全宋詩》，北京：北京大學出版社，1991 年。

17. 黃純艷、戰秀梅點校，《宋代經濟譜錄》，蘭州：甘肅人民出版社，2008 年。

18. 劉維崇，《陸游評傳》，台北：正中書局，1966 年。

19. 歐陽俊，《陸游研究》，上海：上海三聯出版社，2007 年。

20. 錢仲聯校注，《劍南詩稿校注》第六冊，上海：上海古籍出版社，2005 年。

21. 顏德馨，《中國歷代中醫抗衰老秘要》，上海：文匯出版社，1993 年。

22. 顧學頡，《中外名人養生術》，台北：台灣商務印書館，1992 年。

三、學術論文

1. 三浦國雄，〈文人と養生——陸游の場合〉，《中国古代養生思想の総合的研究》，頁 379〜427。

2. 王靜，《蘇軾與陸游養生思想比較研究》，河南：河南大學專門史學科碩士論文，2009 年。

3. 付玲玲，《陸游茶詩研究》，山東：曲阜師範大學中國古代文學專業碩士論文，2006 年。

4. 李繼紅，《陸游巴蜀酒詩研究》，四川：重慶師範大學中國古代文學學科碩士論文，2009 年。

5. 徐佩霞，《陸游茶詩探究》，台北：臺北市立教育大學中國語文學系碩士論文，2009 年。

6. 顧雲艷，《論陸游的茶詩與茶事》，江蘇：江南大學食品貿易與文化學科碩士論文，2008 年。

四、期刊論文

1. 申家仁，〈從陸游詩看養生之道〉，《華夏文化》第 2 期，2001 年，頁 37〜38。

2. 李貴榮、潘江東，〈簡論陸游茶詩、茶趣與茶文化〉，《高餐通識教育學刊》第六期，2010 年，頁 681〜690。

3. 周蓉、薛芳云、馮麗梅，〈從陸游的長壽與李賀的早天看傳統精神養生法及對當代社會的啟示〉，《山西高等學校社會科學學報》第 22 卷第 3 期，2010 年，頁 118〜119。

4. 胡迎建，〈論陸游的詩酒〉，《廈門大學教育學院學報》第十二卷第一期，2010 年，頁 66〜72。

5. 張忠智、莊桂英的〈陸游詩歌中的醫藥養生訊息〉，《遠東學報》第二十卷第三期，2003 年，頁 681〜690。

6. 張英強，〈從《劍南詩稿》看陸游與祖國醫藥學的關係〉，《成都中醫藥大學學報》第 25 卷第 2 期，2002 年，頁 32〜33。

7. 劉揚忠,〈平生得酒狂無敵,百幅淋漓風雨疾──陸游飲酒行為及其詠酒詩述論〉,《中國韻文學刊》第二十二卷第三期,2008 年,頁 12～18。

8. 蔣凡,〈藥‧養生‧濟世──讀陸游《劍南詩稿》札記〉,《中國韻文學刊》第二十二卷第三期,2008 年,頁 1～11。

9. 駱曉倩、楊理論,〈陸游養氣說的詩學闡釋〉,《西南大學學報第三十四卷》第三期,2008 年,頁 170～173。

10. 魏雅惠,〈陸游茶詩研究〉,《古今藝文》第三十一卷第三期,2005 年,頁 29～41。

元代刑罰制度研究
——以五刑體系爲中心

王信杰　著

作者簡介

王信杰，1985 生，畢業於淡江大學歷史系，後考取臺灣師範大學歷史系碩士班，碩班時期參加「唐律研讀會」與「中國法制史學會」。曾任《法制史研究》編輯助理，現為臺灣師範大學歷史系博士生。曾於「唐律與國家秩序」會議發表論文〈唐以後五刑體制的破壞與近世新五刑的建立〉，後收入於高明士主編，《唐律與國家秩序》一書。主要研究方向為法制史、蒙元史、元明的法律變遷問題。

提　要

　　元代是中國歷史上最特殊的朝代之一，是北亞草原民族首度征服全中國的政權，在政治、社會各方面都帶來極大的衝擊，學者討論元代在中國歷史上的地位，多研究其特殊性，而常忽略其在中國歷史發展的延續性。這種現象也反映在法制史研究上，民初程樹德於《九朝律考》中所畫律系表：漢律→後魏律→北齊律→隋開皇律→唐律→宋刑統→明律→清律。一望即知少了元代，而法制史學者如楊鴻烈、徐道鄰均對遼、金、元三朝不甚關注。普遍來說，學界鮮少關注遼金元法律對明清法律的重大影響。本文將透過元代刑罰制度——笞、杖、徒、流、死五刑體系的建立，考察元代在中國法制史上該有的地位。

　　笞杖刑方面，元代發展出尾數為七的笞杖刑，大異於其他朝代且共有十一等，自七下至五十七下為笞，有六等笞刑；六十七下至一百零七下為杖，有五等杖刑。其中一百零七下的刑度位階帶來兩種不同的觀察面向，一說是本於元世祖忽必烈的「天饒他一下、地饒他一下、朕饒他一下」為由的減三下之說。一說為本意減三下卻無意之中發展了加七下，是故導致一百零七下的出現。兩種說法都沒錯，只是沒有闡釋出元代刑罰體系建立的複雜性，因為國初程行用十一等笞杖刑加死刑共十二等的刑罰來代換金宋舊律的律定刑，於是乎同為笞杖刑卻有不同的來源與設定目的。

　　徒刑方面。是針對屬於自由刑的徒刑，自宋代行折杖法之後，自由刑與原先《唐律》的設計出現巨大改變，金代徒刑類似隋代徒刑有附加杖，有五年七等徒，更有代流役。元初將金之徒流刑轉為擊打笞杖的方式執行，到了頒布〈鹽法通例〉、〈強竊盜賊通例〉等法令，出現了兩種來源不一的徒刑，此時類似金代的徒刑附加杖也一併恢復。透過判決徒刑的案例，依時間先後分析元代徒刑的演變過程，並討論「加徒減杖」制度在元代刑罰體系建立過程中所扮演的角色與功用。

　　元代的流刑與死刑。討論生刑之最的流刑與剝奪性命的死刑。元代流刑出現多種說法，一是二千里比移鄉接連、二千五百里遷徙屯糧、三千里流遠出軍；一是說遼陽、湖廣、迤北，或大致上南人流放至北方，北人流放至南方，到底何者說法較符合歷史事實，為何會發展出這種南北對調，富含任務性質的流刑，此外要討論與流刑十分相似的遷徙（遷移）刑，其設立緣由與施用的對象。死刑方面要探討元代死刑的執行率，與影響死刑執行的幾種原因，在看過元代仁慈的一面後，還要接著討論殘忍的凌遲處死，針對所見凌遲處死的法律條文或案例，整理出施行對象，並處理「敲」這個詞語，考訂元代是否以「敲」一詞表示杖殺。

　　最後本文提出元代法律創設過程中三個重要因素——「世祖成憲」、「蒙古舊慣」以及「唐金舊例」，三者相互作用之下決定了日後為明清律繼受的複式刑罰「近世新五刑」。

目

次

表目錄

第一章　緒　論

一、研究目的

　　元代是中國歷史上最特殊的朝代之一，是北亞草原民族首度征服全中國的政權，在政治、社會各方面都帶來極大的衝擊，對於儒學士人而言，真可謂「天綱絕，地軸折，人理滅」〔註1〕，實開千古未有之變局。正因如此，學者討論元代在中國歷史上的地位，多研究其特殊性，而常忽略其在中國歷史發展的延續性。這種現象也反映在法制史研究上。民初程樹德於《九朝律考》中所畫律系表：漢律→後魏律→北齊律→隋開皇律→唐律→宋刑統→明律→清律。〔註2〕一望即知少了元代，而法制史學者如楊鴻烈、徐道鄰均對遼、金、元三朝不甚關注。普遍來說，學界鮮少關注遼金元法律對明清法律的重大影響。〔註3〕

　　中華法系為世界五大法系之一，是東亞主要的法律傳統之一，為周遭日、韓、越等國效法與模仿。〔註4〕此法律系統最具代表性的律典為《唐律》，其架構多為後代王朝所仿效，但唯一例外就是蒙古人所建立的元代。元代士人

〔註1〕宋子貞之言：「國家承大亂之後，天綱絕，地軸折，人理滅。」語出（元）蘇天爵編，《國朝文類》（臺北：臺灣商務印書館，1965，四部叢刊縮印元刊本），卷五十七，〈中書令耶律公神道碑〉，頁638。

〔註2〕程樹德，《九朝律考》（北京：中華書局，2006），頁4律系表。

〔註3〕徐氏甚至在其作品《中國法制史論略》中元代部分立一標題為「元代法律的奇奇怪怪」言元代立法技巧的幼稚，參徐道鄰，《中國法制史論略》（臺北：正中出版社，1953），頁86～88。

〔註4〕陳顧遠，《中國法制史概要》（臺北：三民書局，1965），頁42。「世界法系大別有五，即印度法系，回回法系，羅馬法系，英吉利法系，中華法系是也。」

已提到本朝法制「有例可援，無法可守」。〔註5〕明太祖也說：「唐宋以來皆有成律斷獄，惟元不倣古制，取一時所行之事爲條格，胥吏易爲奸弊」。〔註6〕種種跡象顯示人們普遍將元代法制視爲一個發展上的斷裂抑或是重挫，評價不高。但這樣的認識是否正確？元代法制發展對明清眞的毫無影響嗎？事實上，後世對元代是否有「律」亦有所爭議。

元代的法律價值核心如同歷代王朝一樣，無法脫離統治者欲維護的秩序與價值的思維，即蒙古式、北亞草原式原則。蒙古法的代表「大札撒」，其主要精神重賠償，非實刑主義，無所謂五刑（笞、杖、徒、流、死）刑罰體系，即便其政權隨著征服擴張，其轄下保有漢地，統治漢人不得不以漢法治之時，也無法放棄其「正義」——札撒式的正義即草原大汗的聖訓傳統。

元代法律在法律體系上不像遼代採「本俗主義」，保留許多部落的用刑手段，轉而直接引用金朝的《泰和律》，這是主客觀環境巧合下的結果，依蕭啓慶先生所言「蒙古統治者本身對漢文化的了解不深（元仁宗、元文宗除外），官方意識型態的取捨往往是聽從『主流』民意而決定。」〔註7〕所謂「主流」民意，不外就是接近蒙古汗廷的漢族士人，或受漢文化薰陶較深的蒙古色目士人。金元之際的主流民意，當爲金末遺老、華北名士們的意見，他們對當時金自大定、明昌「小堯舜」時代整理出的法典《泰和律》中刑罰輕重有許多評論，而元初循用《金律》斷罪定刑時，便走上中原律令傳統的道路，其繼受的法律體系是包含遼、金、宋三個不同的傳統，其中又以《金律》爲大宗。即使統治者在情感上是草原至上主義，卻出現類似《唐律》十二篇名、令篇名相類之事，可將其視爲蒙漢法文化交流下的產物。

在元帝國統治下從事法典編撰或詔令、條格彙編之人，多係嫻熟於「吏學」或實際上負責司法審判的第一線的吏員。就族群歸屬而言，應以「漢人」、「南人」爲大宗，他們正是原先接受漢地法傳統薰陶的士人，在司法實務的

〔註5〕鄭介夫之言：「國家立政，必以刑書爲先。今天下所奉者，有例可援，無法可守，官吏因得並緣爲欺……遇事有難決，則檢尋舊例，或中無所載，則旋行議擬。」（明）楊士奇等撰，《歷代名臣奏議》（臺北：臺灣商務印書館，1983，景印文淵閣四庫全書），卷六十七，〈治道〉，葉四十六～五十。

〔註6〕夏原吉監修，胡廣等總裁，《明太祖實錄》（臺北：中央研究院歷史語言研究所，1984，縮景中央研究院歷史語言研究所民國五十一年[1962]刊本），卷26，頁4a（389）。吳元年十月甲寅條。

〔註7〕筆者於清華大學月涵堂旁聽蕭啓慶先生漢族士人與蒙元政權研究課程，蕭氏於課堂中對於蒙元官方意識型態取捨的言論。

運作中，以原先「亡金舊例」、「亡宋舊慣」為基礎來思考，是十分自然的事。因此，「律令格式」、「敕令格式」這些根深蒂固的刑書框架無法散去，反而變成所謂的「主流民意」。是以在這種社會統治者與被統治者存在不同的價值觀與法文化的情況下，發展出自己的國朝刑制。

　　元代自開國之初流刑似未可用，杖雖多卻不過一百七的單純刑制，至日後大德年間出現「加徒減杖」，開明清徒刑規模的先例，最後到《元史・刑法志》上笞、杖、徒、流、死，五刑皆備的體系，這段刑罰制度化的過程相當值得探討，卻長期為學界所忽略。尤其是自宋代已經名實不符的五刑體制，如何透過金、元兩個外族政權的繼受發展再次名實相稱，並下開明清兩代繼承的規模更是值得深入探究的課題。

　　故以元代刑罰制度的建立為核心，觀察「正義的刻度」—刑罰制度，犯罪與刑罰的對應關係，與整個刑罰制度的輕重，刑罰位階「五刑制度」的再建立，正是本文的核心關懷。筆者想解決元代廢行《泰和律》之後，元政府如何在繼受《金律》的基礎上發展自己特有的法律？這樣的提問與探究，也可以在刑罰刑度的對應設定上，回應薛允升、沈家本兩位律學名家對於明律一些刑罰輕重失衡的評判找出原因。究竟是因為「輕其所輕，重其所重」〔註8〕的特色？還是在金元轉換之際時，將一些原先為徒刑的律定刑，轉換為較輕的笞杖刑，造成刑罰輕重失衡？可見想要瞭解明代刑罰的特點，還是要回到元代的法律體系中尋找答案。這也是本研究的另一個動機。

　　另外，將元代法律視為北亞法系與漢地的律令傳統交融下的產物，以此觀察對明律的影響，哪些要素是被北族習慣所影響？試圖了解元代法制的真實面目，以及元律在中國法史中的地位與角色，究竟是延續《唐律》十二篇目的內容和理想？還是對《唐律》的附會與繼受？亦或是北亞習慣法的強勢逆滲透？又，明律篇目與分類系統，究竟是對元代法律的繼承？或是法律價值取向的改變？凡此均為本文研究動機。

二、研究回顧

　　本研究涉及法制史和元史兩大範疇。法制史方面不得不提到沈家本。沈

〔註8〕薛允升著：懷校鋒・李鳴點校，《唐明律合編》（北京：法律出版社，1999）引孫淵如唐律疏議序：「輕其輕罪，重其重罪，或言輕罪愈輕則易犯，重罪加重則多冤。非善政云云。」大抵事關典禮及風俗教化等事，唐律均較明律為重，賊盜及幣帛錢糧等事，明律又較唐律為重。頁168～170。

氏所著《歷代律令》與《歷代刑法考》兩書，有系統的排比、條列歷代正史或政書中所見有關律令刑罰的內容。同時也為了編修律例的緣故，搜求許多有關律令的資料，現今《元典章》兩大刻本之一的沈刻本，正是沈氏據丁氏藏本重新校訂印行。不過沈家本對《元典章》有所誤解，他認為《元史‧刑法志》以《大元通制》為本，而《元典章》所載皆是斷例，後來又有改定，因此與刑法志篇目相同但記載不同。此一錯誤理解，導致後來的中國學者，如楊鴻烈、陳顧遠、徐道鄰等人，對《大元通制》也有錯誤的認知，以為引用刑法志的條文，等同於《大元通制》原文，〔註9〕由此造成對條格體的元代法律系統有錯誤的印象。事實上，條格與斷例的功用、性質與法律位階均不相同，但沈氏的見解造成後世學者的混淆。

　　相較於早期中國學者昧於篇目，日本學者從事的研究較為實事求是。法制史方面，1923年淺見倫太郎〈元經ノ世大典並二元律〉〔註10〕與1932年安部健夫〈元史刑法志と「元律」との関係に就いて〉〔註11〕兩文，主要討論元代有沒有「律」的問題，也在此時期解決了《元史‧刑法志》史源的問題。安部健夫將《元史‧刑法志》與《經世大典‧憲典》的篇目相對照後，得出了《元史‧刑法志》來源於《經世大典‧憲典》的結論。1941年仁井田陞〈元代刑法考〉論述了元朝法的三個特徵：擅斷主義、賠償制、屬人主義，認為元代社會的民族複合性，造成無法有統一的法典。〔註12〕宮崎市定於〈宋元時代的法制與審判機構〉一文中有系統地提出金元刑制轉換的假說，試圖找出轉換的規律，〔註13〕文末大膽以明律有以六部職能分篇的特質，提出明律

〔註9〕關於沈家本對《元史‧刑法志》與《通制條格》的關係之論可參閱《歷代刑法分考》（臺北：臺灣商務印書館，1976）。而楊鴻烈於《中國法律發展史》（上海：上海書局，1990）於大元通制條之記載「這書的內容完全錄在刑法志裏，即名例、衛禁、職制、學規、……捕亡、恤刑、平反等二十篇。」頁685。因此楊氏於元代法律之部分所引之相關條例，皆出自《元史‧刑法志》。而徐道鄰於《中國法制史論略》所論大體上繼承沈家本與楊氏的說法，但有質疑沈氏之據條文立說，頁85～86。

〔註10〕淺見倫太郎，〈元ノ経世大典並二元律〉收於《法學協會雜誌》（第十一卷、第七號‧第八號），大正十二年（1923）。

〔註11〕安部健夫，〈元史刑法志と「元律」との関係に就いて〉後收入氏著《元代史の研究》，（東京：創文社，1970），頁253～276。

〔註12〕仁井田陞，〈元代刑法考〉收於《蒙古學報》，2，1941）後收入氏著《中國法制史研究 刑法》（東京：東大出版社，1959），頁525～579。

〔註13〕宮崎市定，〈宋元時代的法制與審判機構〉原載於《東方學報》京都第二十四

為「明典章」的說法，點破元明法律上的繼受關係非古籍上明律遠宗《唐律》的官樣成說。

　　日本戰前因為有滿蒙研究的風氣，加上善於運用與修正征服王朝理論，著重遼金元三朝的共通性，強調民族與草原文化因素的影響。如島田正郎《北亞州法史》強調北亞民族原始的習慣法自成系統，提出相較於漢地中原的北亞法系概念，並歸納出非實刑主義、賠償制、褒賞制三項主要特色，〔註14〕以及家族觀念不如氏族觀念強大，各氏族內部利益大於外部利益，故兀魯思（Ulus）〔註15〕無法持久穩定。植松正《元初法制史一考──與金制的關係》考察金元一脈相承的聖旨條畫傳統，藉由編修聖旨條畫成為新的行政法規，其中有仿中國式編敕整理行政法規的意味，特別是在行政法典方面的影響，〔註16〕島田與植松兩位學者均較重視金元時期的民族因素。

　　以上研究聚焦於《元史‧刑法志》、《經世大典‧憲典》與《元典章》中所見的法制內容。刑法志與憲典同源，但《經世大典》早已亡佚，只有依賴《永樂大典》輯錄其殘文。蘇振申《元政書經世大典之研究》〔註17〕，試圖利用《永樂大典》還原《經世大典》。因資料殘缺且性質有異，而《經世大典》記述型式與《至正條格》或《大元通制》在行文記述上有極大的差異。

　　《元典章》與《大元通制》為當時的公文型式的記錄，以當時北方白話漢語硬譯蒙古文，已故內蒙大學教授亦鄰真將之命名為「蒙古硬譯公文體」〔註18〕，因其文法怪異及不同單位間公文流轉而出現多重引文的結構，導致後世學者研究上的語言障礙，所幸黃時鑑與方齡貴分別於 1986 年與 2001

冊，1954 年 2 月後收入楊一凡總主編：《中國法制史考證》丙篇，第 3 卷，《日本學者考證中國法制史重要成果選譯‧宋遼西夏元卷》（北京：中國社會科學出版社，2003），頁 1～121。

〔註14〕詳情請參閱島田正郎，《北亞洲法制史》（臺北：文化學院，1963），頁 10～14。島田正郎，《北方ユーラシア法系の研究》（東京：創文社，1981）該書對北亞游牧民自成法律體系，並提出北方ユーラシア法系一詞，對其有詳細的討論可參看。

〔註15〕兀魯斯（Ulus）蒙文國家、領地之意。

〔註16〕詳請請參閱植松正，〈元初法制史一考──與金制的關係〉，收入楊一凡總主編：《中國法制史考證》丙篇，第 3 卷，《日本學者考證中國法制史重要成果選譯‧宋遼西夏元卷》，頁 203～232。

〔註17〕蘇振申，《元政書經世大典之研究》（臺北：中國文化大學出版部，1984）。

〔註18〕詳情請參閱亦鄰真，〈元代硬譯公牘文體〉收入《亦鄰真蒙古學文集》（呼和浩特：內蒙古人民出版社，2001），頁 583～605。

年，出版大元通制殘本中的條格部分的校注本。兩位先生於校注時注意到篇目的問題，條格的篇目與唐令戶令以降多有重複，又另增加了站赤、権貨兩目。早在 1931 年安部健夫就發現斷例的篇目名如《唐律》十二篇：名例、衛禁、職制、戶婚、厩庫、擅興、賊盜、鬥訟、詐僞、雜律、捕亡、斷獄，其篇名相同。〔註 19〕此說根據元人沈仲緯《刑統賦疏》所言：「斷例，即《唐律》十二篇，名令提出獄官入條格。」其中後一句「名令提出獄官入條格」，後來的黃氏與方氏都認爲是小注，非正文，故有 12 篇。〔註 20〕安部氏則認爲該句「名令」爲「名例」之誤植，不在斷例之中，因此應爲 11 篇。〔註 21〕

過去《至正條格》未被發現，今本通制亦無斷例，直到 2003 年發現《至正條格》殘本，其斷例第一篇爲衛禁，才解答此一疑問。黃、方兩位也撰有通制一書的性質考辨文章，〔註 22〕認爲元代存在完整且有系統的法典，《大元通制》即是其一，而關於是否有成「律」的問題，黃氏則認爲通制中亡佚斷例部分，即爲斷罪定刑的律。而它是以《唐律》爲範式的，同時含有明顯的蒙古因素，正是元代社會二元性在上層建築領域的鮮明反映。

方齡貴〈《通制條格》考略〉〔註 23〕修正了一些學界的成說，對《大元通制》是基於《風憲宏綱》修編而成的錯誤說法加以駁斥，並肯定柯劭忞編寫《新元史·刑法志》時將導致誤解的文句略而不引。兩文都強調無論是外在形式或實質條文方面，元代律法都是對於《唐律》的繼承。

對於元代刑法體制有較深入的探討當推郭曉航、姚大力〈金《泰和律》徒刑附加決杖考〉〔註 24〕。本文以宮崎市定的假說出發，透過元代的資料考

〔註 19〕安部健夫，〈大元通制解説～新刊本「通制条格」の紹介に代へて～〉刊於《東方学報》（1，1931），後收於氏著《元代史の研究》，頁 277～318。

〔註 20〕方齡貴校注，《通制條格校注》（北京：中華書局，2001），關於通制篇目的討論見前言頁 9～10。

〔註 21〕島田正郎主編，《中國法制史料》第二輯第二冊收（元）沈仲緯《刑統賦疏》（臺北：鼎文書局，1979），頁 899。

〔註 22〕黃時鑑，〈《大元通制》考辨〉，原載於《中國社會科學》，1987 年第二期，後收入柳立言編《宋元時代的法律思想與社會》（臺北：國立編譯館，2001），頁 16～37。

〔註 23〕方齡貴後來將其內文加以增修作爲氏著《通制條格校注》，一書的前言，頁 1～26。

〔註 24〕郭曉航、姚大力，〈金《泰和律》徒刑附加決杖考〉收入楊一凡總主編：《中國法制史考證》甲篇，第 5 卷，《歷代法制考·宋遼金元法制考》（北京：中國社會科學出版社，2003），頁 469～484。

證，解釋金代徒刑決杖的刑罰是附加刑或是代換刑。文中指出許多修正宮崎假說的錯誤，但卻不認爲金代有「徒杖減半」的狀況。

姚大力〈論元代刑法體系的形成〉〔註25〕，以歷史發展脈絡，梳理蒙古國時期、中統建元、至元八年以後，各階段刑法體系的形成，提出「徒年杖」一詞爲《金律》決杖的殘留，而非眞刑。文中對金元刑制轉換著墨甚多，但對於大德以後五刑體制的再確立，元代流刑與徒刑方面的討論不多，殊爲可惜。

關注流刑的文章有馮修青〈元朝的流放刑〉〔註26〕，算是中國大陸學界最早關注流刑的專文，文中以蒙古原有的流放刑概念與漢地固有流刑概念的混合體，觀察元代的流放刑，對於流放地點有所考證，並將出軍與流放視爲兩種獨立的刑罰，待至元代停止武力征伐後，兩刑有合流的現象，出軍因其流放地較遠，成爲流放刑中相對於屯種的重刑，文中還補充修正沈家本〈充軍考〉論證未詳之處。

陳高華〈元代的流刑和遷移法〉〔註27〕，針對元代的流刑和與之相似的遷移刑，點出元代流刑自國初廢而不用，以決杖方式和替換爲金制徒刑科罰，到日後大德年間盜賊通例的頒行，而需刺字附有杖擊一百零七下的出軍、鷹房子種田多樣性的處罰手段，用力頗多且貢獻較大的當爲對移鄉（遷移）刑的來源討論。陳氏認爲是元廷是受鄭介夫於《大平策》中所提「遷豪霸」抑強之策影響，對地方豪強採取強迫移居，不得返鄉的刑罰，以達到「根蒂既搖，支黨自散」的功效，是故遷移之法遇赦不還，不同於一般的流刑犯遇赦可以返還家鄉。

武波〈元代刑法體系中的出軍制度探析〉〔註28〕，針對馮氏所說出軍爲流放刑的說法提出反駁，認爲元代的流放刑自始自終就是以出軍爲基礎發展，是蒙古舊慣進入漢式刑罰體系之下，充當故流刑減死一等的刑罰位階；

〔註25〕姚大力，〈論元代刑法體系的形成〉原載於《元史論集》第二輯，後收入柳立言編《宋元時代的法律思想與社會》（臺北市：國立編譯館，2001），頁 83～128。

〔註26〕馮修青，〈元朝的流放刑〉《內蒙古大學學報哲學社會科學版》第四期（1991.04），43～49 頁。

〔註27〕陳高華，〈元代的流刑和遷移法〉收入氏著《元史研究新論》（上海：上海社會科學院出版社，2005），頁 171～183。

〔註28〕武波，〈元代刑法體系中的出軍制度探析〉，《山西師範大學學報（社會科學版）》第 33 卷第二期（2006.3），頁 79～84。

流遠隨著出軍制度的發展而改變，沒有自己獨立成系統的演變，是故，元代的流刑以出軍的架構自成體系，發展出不同於唐宋法立定里程與區分遠近等特色。

胡小鵬、李〓〈試析元代的流刑〉〔註29〕將中國大陸學界對於元代流刑和遷移刑的研究，作一統整。該文認爲沈仲緯《刑統賦解》「二千里比移鄉接連、二千五百里遷徙屯糧、三千里流遠出軍」的說法，是符合元末新流刑漢制化、等級化的成果，而爲明代流刑所繼承。惟全文以整理居多，論證上稍嫌不足。

日本方面對於流刑的討論，則有德永洋介〈金元時代の流刑〉〔註30〕。本文相較於陳氏之文，篇幅較大，是以日人法制史脈絡角度討論金元時期的流刑，其中值得讚賞的是將遼金元「自由刑」的觀念做一評比，排比出北亞系遼元對放逐罪犯的同質性，將人犯賦予特定的勞動任務。在元代流刑論述上，將元廷政治與軍事征伐的需求和流刑施用的任務，作因果結合的討論，流刑附加任務反映當時元廷的國家政治需求，文中並提出元代流刑的多樣勞役手法對明代的充軍刑的前導作用。

在通論考辯上，曾代偉《金元法制叢考》〔註31〕一書收錄〈蒙元刑制考〉，該文雖對元代刑制的一些疑難問題做出考證，可惜對於所列舉的《元典章》實例並未詳細案情分析或解說，有流於資料堆砌之感。又可能因爲法學出身的背景，並未對前輩學者如日本宮崎氏或中國大陸元史學界的黃、方、姚等諸前賢，針對相關問題提出對話與交流。與之相較，吳海航《元代法文化研究》〔註32〕與《元代條畫與斷例》〔註33〕兩書，在對話與交流上成就較高，唯其偏重法文化與現代法學部門法分類的書寫方式令人有瑣碎之感，然案例的分析頗爲成功。胡興東《中國古代判例法運作機制研究》〔註34〕，以判例法爲核心概念去查考比較元、清兩代在立法運作上的創制、說理、適用、比附各項機制，文中提出以「例」爲中心，用現代法學的觀念看待古代判例，

〔註29〕 胡小鵬、李〓〈試析元代的流刑〉，《西北師大學報社會科學版》45 卷第 6 期（2008.11），頁 57～61。

〔註30〕 德永洋介，〈金元時代の流刑〉收入梅原郁主編《前近代中國の刑罰》（京都：京都大學人文科學研究所，1997），頁 285～322。

〔註31〕 曾代偉，《金元法制叢考》（北京：社會科學文獻出版社，2009）。

〔註32〕 吳海航，《元代法文化研究》（北京：北京師範大學出版社，2000）。

〔註33〕 吳海航，《元代條畫與斷例》（北京：知識產權出版社，2009）。

〔註34〕 胡興東，《中國古代判例法運作機制研究》（北京：北京大學出版社，2010）。

歸納出元代法在判例效力承認上具有隨意性、程序結構上具有統一性、受制於制定法等特徵。

　　同為法學出身的林茂松〈元代賊盜律之研究〉〔註35〕一文，吸收日本學者的研究成果，雖名為針對賊盜律的研究，卻清晰明快的點出元律在中國法史的幾個特色，包括犯罪體系的多元化、立法上對於犯罪形態的細瑣化，以及元律與中華法系雙向互動的影響。

　　上述可發現，前人研究多因元代資料的特性，著重資料的考定、註釋，而提出《元史・刑法志》、《大元通制》、《經世大典》、《元典章》這些書籍的相互關係，在整體通盤的討論上，宮崎市定〈宋元時代的法制與審判機構〉一文有開山之功，它將宋金元視為一個時期的代表，《唐律》的律令格式制度崩潰，相較之後明律，凸顯元代扮演的連接角色。應為第一篇以整體刑罰體制角度討論金元轉換與刑制變革問題的論著，而姚氏〈金《泰和律》徒刑附加決杖考〉與〈論元代刑法體系的形成〉兩文，分別向前往金代、向後往元代中期接續加深宮崎假說的討論，但卻無法達到回應宮崎提出的問題—元律對明代的影響為何？

　　過去學者的研究也反映一個問題，兩岸對元代刑罰的關注有強烈差異。中國大陸學者對此著墨甚多，臺灣方面對相關議題興趣不大。近來有陳昭揚〈金代的杖刑、杖具與用杖規範〉一文，〔註36〕利用新出現的史料《至正條格》與《天聖令》針對唐、宋、金、元的杖刑與用杖規範做一查考。該文對於《大金國志》中法條來源鈔自《金虜圖經》，指出前人的引證錯誤，文中對於金代行「徒杖減半法」持肯定意見，並點出金代有用杖猛暴的傾向，而此傾向為元人所亟欲去除的用杖文化。

　　中國大陸內部又有歷史學界元史科班系統與法學界法制史兩個不同的研究系統，彼此互動交集似乎不多，出現學術成果缺乏交流的現象，屢見成說新說並陳，此外，兩岸與日本學界交流與對話似嫌不足。就成果而言，法學界量多但整體水平優劣不一，在研究方法上與角度上值得借鏡，現代法學的訓練對於法條意義掌握較佳，與之相對，歷史學界在律系脈絡、背景考證上

〔註35〕林茂松，《中國法制史探索》（臺北：正典出版文化有限公司，2005），頁103～129。

〔註36〕陳昭揚，〈金代的杖刑、杖具與用杖規範〉收入於臺師大歷史系，中國法制史學會，唐律研讀會主編《新史料、新觀點、新視角天聖令論集》（臺北：元照出版社，2011）頁73～93。

取得較大的成果，雙方各有擅場。惟目前未見討論整個五刑體制或兼有身體刑、自由刑的研究，又不見專門討論元代刑制對於明代刑制造成影響的作品。學界對於金元的法律繼受脈絡較清楚，但對元明法律的繼受問題討論不多，反而不如清末兩位律學家薛允升、沈家本對於唐明律比較研究，所帶出來律意轉換的討論，也許我們應該重視古代中國的「律學傳統」，才能更明白元代的法律在中國法制史上的角色，給予應有的評價與重視。

三、研究方法與步驟

本論文面對的問題為元代的刑罰體系。元代法律繼受的來源多樣，首先，將唐以後的法律發展分為南、北兩系，以遼、金為北系，兩宋為南系，先比較兩系的發展趨向與特色，蒙古本身大汗聖訓與舊慣的傳統也是一項重要因素。有前輩學者依照時代的推演，說明元代刑制的變遷，惟之前的研究成果多以考證及史料排比為主，在法律繼受上的取捨問題論之甚少，特別是不同刑度之間的上下關係研究不多，是故，本文在研究方法上：

第一，依照犯罪類型探討刑度差異的原因。由於元代在同一犯罪行為上，新舊兩律出現不同輕重的刑度規定，可藉此觀察元代立法設定的特殊性，如單純的鬥毆、犯姦、詐偽等刑事犯罪個案，可表現出舊例的律定刑與大元新制刑度上的差異。特別要說明的是，私鹽、鈔法、私酒這類損及政府稅收利益的經濟犯罪，因對國家財政危害較大，所施用的刑罰往往非一般刑事犯罪可比擬，故本文僅對其新舊兩制併存的原由加以說明，不做進一步細論。另外，因政治鬥爭所導致的大獄，因不屬通例，故不特別細述，這類政治性的判決多出現在流刑和流遠的案例之中，流放地點有高麗、西藏、耽羅（濟州島）。

第二，依照時間序列區分刑制的變化。元朝立國不算長，其中元世祖、元順帝二人在位時間約占三分之二強。元代刑罰體系的規畫於世祖朝便有中統、至元二大時期，其中又以中統到至元八年廢《泰和律》之前的架構，奠定了整個元代刑制的框架。成宗之後，整體的發展趨勢為典制的成文化與趨向往漢制古典靠攏。短短八十幾年間，刑制發生極大變化。自世祖定制以後，十二等的五刑代換體制不斷演變修訂，分化到《元史・刑法志》所現笞、杖、徒、流、死五刑俱備，其中以徒流自由刑的變化最大。這個變化的產物，一種皆附加有杖刑的自由刑，為日後明、清兩代所繼受，成為行用於帝制中國

晚期的「近世新五刑」。

　　第三，基於案例上的順藤摸瓜法。元代法制史料的特色，當屬其案牘公文的特性，而此特性又可以較方便尋找案例，其次，官方史料與法律條文有高度正相關，屬系出同源的抄錄關係，而民間《吏學指南》、《刑統賦解》類型的資料註解，恰恰補足時人對法制的看法。另外值得一提的是，元代立法上的特徵，有遇一事立一例（即因事立法）的特徵，案例與法條呈現互為因果，相互補足的關係，與案牘公文體轉鈔的性質配合，案由、舊例法條、案件疑義、新法創制條文等細節，往往隨著公文流轉的過程一起並陳。是故，順藤摸瓜手法可以循著立法的案例推敲其立法的緣由及演變。

四、章節安排

　　本文章節安排如下：

　　第一章緒論。說明本論文之研究動機、問題意識與研究回顧。

　　第二章元代的笞杖刑。討論元代的笞杖刑，元代發展出尾數為七的笞杖刑，大異於其他朝代且共有十一等，自七下至五十七下為笞，有六等笞刑；六十七下至一百零七下為杖，有五等杖刑。其中一百零七下的刑度位階帶來兩種不同的觀察面向，一說是本於元世祖忽必烈的「天饒他一下、地饒他一下、朕饒他一下」為由的減三下之說。一說為本意減三下卻無意之中發展成了加七下，是故導致一百零七下的出現。兩種說法都沒錯，只是沒有闡釋出元代刑罰體系建立的複雜性，因為國初行用十一等笞杖刑加死刑共十二等的刑罰來代換金宋舊律的律定刑，於是乎同為笞杖刑卻有不同的來源與設定目的。本章就是針對以上問題，將金元之交的刑制變化加以釐清，並導出元代笞杖刑的形成過程。

　　第三章元代的徒刑。是針對屬於自由刑的徒刑，自宋代行折杖法之後，自由刑與原先《唐律》的設計出現巨大改變，金代徒刑類似隋代徒刑有附加杖，有五年七等徒，更有代流役。元初將金之徒流刑轉為擊打笞杖的方式執行，到了頒布〈鹽法通例〉、〈強竊盜賊通例〉等法令，出現了兩種來源不一的徒刑，此時類似金代的徒刑附加杖也一併恢復。筆者擬透過判決徒刑的案例，依時間先後分析元代徒刑的演變過程，並討論加徒減杖制度在元代刑罰體系建立過程中所扮演的角色與功用。

　　第四章元代的流刑與死刑。討論生刑之最的流刑與剝奪性命的死刑。有

元一代流刑出現多種說法，一是二千里比移鄉接連、二千五百里遷徙屯糧、三千里流遠出軍；一是說遼陽、湖廣、迤北，或大致上南人流放至北方，北人流放至南方，到底何者說法較符合歷史事實，爲何會發展出這種南北對調，富含任務性質的流刑，都是本章要處理的問題。此外要討論與流刑十分相似的遷徙（遷移）刑，其設立緣由與施用的對象。死刑方面要探討元代死刑的執行率，與影響死刑執行的幾種原因，在看過元代仁慈的一面後，還要接著討論殘忍的凌遲處死，針對所見凌遲處死的法律條文或案例，整理出施行對象，並處理「敲」這個詞語，考訂元代是否以「敲」一詞表示杖殺。

第五章爲結論，總述本論文之研究結果。

第二章　元代的笞杖刑

第一節　問題的提出

如果將電視劇中常常出現的縣太爺大喊：「來人！將犯人拖下去打二十大板」橋段用於元代，應該是大錯特錯的。自《唐律》確立中華法系「五刑體制」笞、杖、徒、流、死之後，笞、杖打幾十下是正常的，除宋代換刑的折杖法與行刑手法多采多姿的遼代不論，元代以七爲數（七下到一百零七下）是唯一例外，笞杖身體刑的刑等而言，歷代多爲十等，自笞十至杖一百，元代共分十一等，又是一個例外。

杖七下的原因，《元史‧刑法志》與葉子奇的《草木子》，皆曰：「天饒他一下，地饒他一下，我饒他一下。」〔註1〕這減三下的說法固然沒錯，然爲何下文葉子奇云：「以合笞五十，止笞四十七。合杖一百十，止杖一百七？」又《刑法志》中有王約上言：「國朝之制，笞杖十減爲七，今之杖一百者，宜止九十七，不當又加十也」〔註2〕的記載，明顯與葉氏所言合一百十的刑制有極大的差異。

其中有幾個問題，第一、眞的有合杖一百十之刑嗎？若有則葉是而王非，若沒有則需要查考是否有杖一百十之刑。第二、爲何有一百零七之刑？第三、

〔註1〕　（明）葉子奇，《草木子》（北京：中華書局，2010），卷之三下，〈雜制〉，頁64。
〔註2〕　（明）宋濂等，《元史》（北京：中華書局，1976），卷一百二，〈刑法志〉，頁2604。

若照前所述何，各饒三下，前代無一百十之刑，何來一百零七之數。又何以出現共十一等的笞杖刑？

關於這些問題，上文已經提及，元代在律系中的地位很奇妙，來源有南宋、金兩脈，其中以金爲大宗。元初的法律沿用金《泰和律》來斷罪，但如何制定刑名等第？對於這個問題，蒙元汗廷於中統二年（1261）頒布了〈中統權宜條理〉，該條理爲國初沿用《金律》所頒佈的臨時性權宜立法，其詳細內容今已亡佚，但據王惲〈中堂事記〉引述其內容，略云：

> 據五刑之中，流罪一條似未可用。除犯死刑者，依條處置外。徒年、杖數今擬遞減一等，決杖雖多，不過一百七下。著爲定律，揭示多方。〔註3〕

這條史料揭示元初刑度轉換的原則，安部健夫、植松正兩位前輩學者認爲該記載是元初不用流刑、杖刑以七爲斷特色的最早法律依據。〔註4〕至於爲何上引資料沒有出現在元代其他文獻，如《元典章》之中，部分學者認爲當係後來發布更完善的法令之故，亦有學者懷疑是否有正式頒布，不過都認同該條例對元代刑制的形成有影響。〔註5〕

依照〈中統權宜條理〉所揭示「流刑不用，決杖不過一百七」的刑罰原則，要如何從〈泰和律〉舊五刑的體系轉換爲這套新刑制？姚、郭兩位學者，以《元典章·刑部》卷首附五刑之制圖，推演舊例的轉換。但是這樣的推演會陷入三流（流三千里、流二千五百里、流二千里）轉換困難與徒刑轉換的歧異性，即流三千里、流二千五百里、流二千里，轉成比徒五年、四年半、四年，而《金律》並無徒四年半，造成徒刑轉換的歧異。

〔註3〕（元）王惲，《秋澗先生大全文集》（臺北：新文豐出版社，1985 元人文集珍本叢刊），卷八十二，〈中堂事記〉，頁390。

〔註4〕參閱安部健夫，〈元史刑法志と「元律」との關係に就いて〉收入氏著《元代史の研究》（東京：創文社，1970），頁253～276。植松正，〈元初法制史一考——與金制的關係〉，收入楊一凡總主編：《中國法制史考證》丙篇，第3卷，《日本學者考證中國法制史重要成果選譯·宋遼西夏元卷》（北京：中國社會科學出版社，2003），頁203～232。

〔註5〕姚大力，〈金《泰和律》徒刑附加決杖考〉收入氏著《蒙元制度與政治文化》（北京：北京大學出版社，2011），頁333～339。文中對〈中統權宜條理〉的介紹，本文相較於以往期刊所載內容有大幅的修改。姚氏修正在〈論元朝刑法體系的形成〉一文中對〈中統權宜條理〉是否有實際頒行的疑問。姚氏後來改採應該有頒行過，但現有資料無法找到直接引用條文的說法，認爲依然有其效力與影響。

如對照元人王元亮《金五刑圖說》所示《金律》徒四年、徒五年贖銅數與流二千、流二千五百里相同，死刑中的絞與流三千里贖銅數相同，可以發覺金代後期法律發展有重刑化的傾向。五刑不同刑等中相鄰的界線模糊可說是被破壞了，徒流、流絞的界線不明。先不論重刑位階模糊的問題，這時推論的問題在對於《金律》理解並不正確，有沒有徒四年半這個刑制位階？

《元典章‧刑部》卷首刑度表對三流的折抵是比徒四年、徒四年半、徒五年三等，但考諸實情金代資料未見有徒四年半之刑：

> 【良人殺驅】至元七年（1270），中都路申：「蘇三五於至元六年（1269）八月初一日，與周仲義驅男王小狗相爭撲肉，將本人用胠膝於不便處踢死。」法司擬：「良人毆傷他人奴婢，減凡人二等，合徒四年。依例於本人名下徵銀五十兩。」部擬：「量決一百七下，徵銀。」呈省：准。〔註6〕

據《元典章》〈刑部‧諸殺‧良人殺驅〉的法律加減例推理，法司所引的例應為金《泰和律》，其原因有二。一，當時時值至元七年離世祖下詔「泰和律令不用，休依著那者」〔註7〕的至元八年尚有一段時間。二，依唐宋律，死罪減兩等，《唐律疏議》〈名例律〉「稱加減條」（總56條）：

> 諸稱「加」者，就重次；稱「減」者，就輕次。惟二死、三流，各同為一減。加者，數滿乃坐，又不得加至於死；本條加入死者，依本條。
>
> 【疏】議曰：假有犯罪合斬，從者減一等，即至流三千里。或有犯流三千里，合例減一等，即處徒三年。故云「二死、三流，各同為一減」。其加役流應減者，亦同三流之法。〔註8〕

由律文疏議可知，若為唐宋律，死刑減兩等為徒三年；若以《金律》的刑制，死減一等當為流，流減一等當為徒五年方是。但此處《元典章》作合徒四年。可知並非有將流作一等考量。徒五年與流二千五百里，徒四年與流二千里贖

〔註6〕不著撰人，《大元聖政國朝典章》（臺北：國立故宮博物院，1976），卷四十二，〈刑部‧諸殺‧良人殺驅〉，頁1484。為節省字數以下書名簡稱為《元典章》。

〔註7〕《元典章》，卷十八，〈戶部‧婚姻‧牧民官娶部民〉，本條中引用至元八年欽奉聖旨節該「泰和律令不用，休依著那者。欽此。」據此可知至元八年後，原則上不可直接用《泰和律》斷案判決，頁652。

〔註8〕（唐）長孫無忌等撰、劉俊文點校《唐律疏議》（北京：中華書局，1983），卷六，〈名例〉「稱加減條」，頁142～143。

銅相同，彼此在五刑中的位階可以爲徒、或爲代流役、或是爲了使五刑體制趨向《唐律》典範中的流刑，它是可流動的存在，這個死刑減兩等的狀況下，更能反映其兩屬的特性。此時若是以流的身分存在，減一等，當還原如唐宋律的徒三年；若是以徒的身分存在，金不用流刑（或是說在刑度設定上停止流刑的執行，該刑度名存而實亡，故言「不用」），死減一等，合徒五年，再減一等，合徒四年。

這可反映當時元人也知無「徒四年半」之刑的存在。若有四年半之刑，依例減半年一等，徒五年減一等當爲「徒四年半」。又《元典章》〈刑部・諸殺・打死定婚夫還活〉中減死兩等亦爲徒四年。〔註9〕

《泰和律》自徒三年以上，以一年爲一等加減，是故正常的律定刑加減，不應有徒四年半的刑度出現。不論是將徒五年、徒四年當作流刑（代流役）或單純的徒刑，均不會出現徒四年半之刑。

故於此處《元典章》舊例中徒四年半的刑度存在有誤，又《元典章》後文〈五刑訓義〉的徒條目下記徒三年後直接跳至徒五年，在流刑方面也只留下比徒四年、徒四年半、徒五年的字樣，而徒刑中無徒四年亦不見杖多少的記載。

約莫可以觀察到有兩派人士對當時轉換的不同意見，《元典章》非官修，來源多爲江西行省的案例，而著有《金五刑圖說》的王元亮，是個精刑名之學的汴梁人，似乎存在地域差異的導致兩說認知的不同。

無論如何，徒與流兩刑在中統二年以後，只用決杖的方式執行，轉換時的徒年刑等是以一個滿年爲限，思考如徒一年、一年半杖六十七，二年、二年半杖七十七，三年杖八十七，四年杖九十七，五年杖一百零七等可確定的轉換結果，其轉換原則爲何？這是一個重要的問題。

第二節　刑度轉換原則的宮崎假說

關於以上所提到刑度轉換的原則，宮崎市定提出一套假說，以推論《元典章》所見元初引用舊例（金泰和律）論罪定刑的方法。〔註10〕先列表如下：

〔註9〕《元典章》，卷四十二，〈刑部・諸殺・打死定婚夫還活〉，1448頁。

〔註10〕葉潛昭著，《金律之研究》（臺北：臺灣商務印書館，1962），葉氏以元初立法多引金制，利用元初法制資料復原金《泰和律》，又日人小林高四郎，〈元代法制史上の旧例について〉一文收入氏著《モンゴル史論考》（東京：雄山閣，

表 1-1：宮崎假說所提出的刑度轉換表

原刑種 / 刑度 \ 典據	《泰和律》	徒杖減半之法	宮崎的轉換法
笞刑	10	10	7
笞刑	20	10	17
笞刑	30	20	17
笞刑	40	20	27
笞刑	50	30	27
杖刑	60	30	37
杖刑	70	40	37
杖刑	80	40	47
杖刑	90	50	47
杖刑	100	50	57
徒刑	一年＝120	60	67
徒刑	一年半＝120	60	67
徒刑	二年＝140	70	77
徒刑	二年半＝140	70	77
徒刑	三年＝160	80	87
代流役	四年＝180	90	97
代流役	五年＝200	100	107

（表中《泰和律》徒刑年數等號後數字爲徒刑代換杖數，即以杖折徒時的決杖數。）

　　如上表，宮崎主張：審判某一個犯人時，首先是對照《泰和律》得出該犯的本刑，其次是運用減半之例折算本刑，再以蒙古折杖法中相應的刑罰頂換該刑。〔註11〕宮崎的說法根據《金史・刑法志》所載「徒杖減半」與元世

1983），頁 215～230。均指出至元八年之前史料所見舊例實爲《泰和律》，《泰和律》大部分律文源自唐律，關於唐金兩律之異同可參葉氏《金律之研究》，第三章，頁 27～201。至元八年以後所見之舊例則來源不一，可能指《金律》、《唐律》或先前頒布的元代法令。

〔註11〕宮崎市定，〈宋元時代的法制與審判機構——《元典章》的時代背景與社會背景〉，收入楊一凡總主編，《中國法制史考證》丙篇，第 3 卷，「日本學者考證中國法制史重要成果選譯・宋遼西夏元卷」（北京：中國社會科學出版社，2003），頁 23。

祖於〈中統權宜條理〉「以七爲斷」兩個原則，將金制笞、杖、徒 17 等刑，其中徒刑轉換成笞杖數，接著將所得笞杖數除以二再作加減，轉換爲元的刑制。

倘若依此原則，爲何會出現徒五年轉換成杖一百零七的刑度？《元史·刑法志》王約上言：「國朝之制，笞杖十減爲七，今之杖一百者，宜止九十七，不當又加十也。」也與《草木子》中「天饒、地饒、朕饒」兩者所主張減三下的說法不合。若修改宮崎的假說，並且結合王約與葉子奇的說法，將除以二後再減三下，徒五年應杖二百；若除以二又減三，當爲九十七，不應該是一百零七。宮崎的說法在徒以上刑度轉換時，較原先的徒杖減半的數字，皆出現多七下的狀況，對此情形宮崎並無說明，只有提出笞五十七下與杖五十七下，一個是杖一百的代換刑，一個是徒一年的代換刑，五十七下與六十七下之間差距跳躍太大的說詞。〔註12〕

很顯然地該假說與《元典章》、《元史·刑法志》、《吏學指南》、《草木子》等元代官私記載之元代刑制不符。再者，宮崎以一個名叫蕭眞的侏儒犯挑造偽鈔的案件爲例：

> 【侏儒挑鈔斷例】延祐二年（1315）十二月，行省准中書省咨：刑部呈：『奉省判：「江西省咨：臨江路備新淦洲申：弓手陳子明於蔣福二手內搜到至元二貫文鈔一張，據稱係艾伏伹討來挑鈔，辨驗得到官鈔一張，元是中統鈔二貫文交鈔，挑作至元二貫寶鈔。問到艾伏伹等指，系於東坊蕭郎中家買到挑鈔。追問到蕭郎中名眞狀指：不合因爲家貧，於延祐元年（1314）四月二十二日，將賣到臙脂中統元寶交鈔二貫文省眞鈔一張，用右手指甲刮除字貫及邊欄墨迹，筆描改作至元通行寶鈔二貫一張，收藏在家。當月二十六日，有警迹人艾伏伹同蔣伏二，將至元五百文昏鈔一張賣與艾伏伹、蔣伏二行使。五月初十日，又將至元鈔三百文一張在家挑改作至元五百文，未成。不期弓手陳子明捉獲艾伏伹等，將眞捉拿到官，招伏是實。艾伏伹、蔣伏二各狀招：不合用鈔買到蕭眞挑鈔行使。情罪相同。議得：蕭眞挑鈔，以眞作偽，亂壞鈔法。例，杖一百七下，徒一年。緣本人年七十一歲，又係侏儒殘疾，不任杖責，依例議罰，罪中統

〔註12〕宮崎市定，〈宋元時代的法制與審判機構──《元典章》的時代背景與社會背景〉，頁 22 中註 1 的內文就討論五十七下是杖刑或是笞刑的問題。

—18—

鈔一百七兩沒官外，據合徒一節，若便發遣，誠恐差池，緣係通例，
咨請照詳。准此。送刑部」議得：蕭眞所犯挑鈔，例杖一百七下，
徒一年。本人年已七十一歲，殘疾。罪已收贖外，據徒一年，例該
六十七下。擬合罰贖中統鈔六十七兩相應。具呈照詳。』得此。議
得：挑鈔人蕭眞，即係違法重事，擬合責斷徒年，既本省將正罪贖
銅了當，依准部擬。今後若有似此人等故犯者，咨稟定奪，勿請依
前贖罪。都省咨請，依上施行。〔註13〕

　　本案犯人年老加上殘疾，無法受杖，亦無法服一年之徒刑。挑鈔罪刑除
徒一年外，另有杖一百七下之刑，這兩種刑罰都用贖刑的方式處理。在公文
記載中，刑部意見有「本省將正罪贖銅了當」一句，宮崎便以此爲據，認爲
杖一百七爲正罪，徒一年爲附罪。該案例中徒刑比杖刑重，形式上「笞杖爲
正刑、徒爲較輕的附加刑的說法。」〔註14〕得到杖輕於徒卻成爲形式上的正
刑；徒雖重於杖反而成爲附加刑的結論，但這個看法顯然有待商榷。

　　此案例存在以下幾點問題：一、鈔法是特殊的經濟犯罪，對元廷而言是
重點打擊對象，因此屢有條例頒布，變動性大。二、本案非通例，犯人的老
弱殘疾因素強烈影響判決。三、本例係元仁宗延祐初年（1314～1315），距世
祖定制時（1260～1294），時間上相差約半個世紀，因此不可以此爲例，主張
徒刑是以附加刑的性質存在。

　　後來都省（中書省）的意見中，本省（江西）已將（正）重罪收贖，就
如部的意見處理，對剩下的徒一年罰贖中統鈔六十七兩處置，而重點在都省
的後文「今後若有似此人等故犯者，咨稟定奪，勿請依前贖罪」，否決這項提
議對日後法例的適用性，屬標準的「下不爲例」型案例。故此條被收入《元
典章》，名爲侏儒挑鈔斷例，目的在留存事例，告訴官員以後若遇老弱殘疾需
咨稟定奪，勿自行決定贖罪之法。基於上述理由，不可以此例的「正罪」一
詞爲證據，認爲元代的笞杖爲正刑，徒流爲附加刑。

　　接下來就以本例推演地方與都省兩方的法律解釋及其歷史緣由。首先，
對於犯罪事實「挑鈔」，雙方沒有歧見，地方政府疑義之處在於挑鈔罪刑依例
須執行杖一百七下，徒一年兩種刑罰。其中「杖一百七下」已經收贖，「徒一

〔註13〕《元典章》，卷二十，〈戶部・鈔法，侏儒挑鈔斷例〉，頁804～805。
〔註14〕宮崎市定，〈宋元時代的法制與審判機構──《元典章》的時代背景與社會背
　　　　景〉，頁24。文中有「徒刑比杖刑重，形式上杖刑是正刑，徒刑倒成了附加刑。」

年」部分，應如何處置？是以報請刑部議決。該罪名事關國家財政利權，依照元初有關財稅犯罪直接繼受《金律》一罪二刑的刑罰設計，江西行省因人犯年七十一歲又係侏儒殘疾，將杖刑部分依照元貞元年〈老疾贖罪鈔數〉所載中統鈔一貫贖笞杖一下的比例，處理笞杖刑的執行。〔註15〕刑部回應為「徒一年，例該六十七下」，此時出現了新問題，為何徒一年會等於六十七下？這個問題與元代笞杖刑的設定來源有關，將於下一節回答。

第三節　杖刑設定來源分析

　　上節已初步討論宮崎假說的一些問題，他以數學公式推演金元刑度轉換，顯與史實不符；對於徒刑和杖刑主從關係的認定，引據史料也有問題，並未仔細就案件性質來論證元代刑制。本節擬由不同案由、不同性質的案例，考訂元代刑制中笞杖刑的設定來源。

　　首先，從元初循用《金律》的方向思考，將依照蒙元初期直接引用「舊例」的立法方式，對於一般社會容易發生的肢體衝突還原其脈絡，以鬥毆罪考察元代笞杖刑的設立。

　　比較《元典章・刑部》的鬥毆舊例罪名與《唐律疏議・鬥訟律》相關罪名：

　　　　【舊例鬥毆罪名】故毆，二十七下；手足故傷、他物故毆，各三十七下；他物故傷、拔髮方寸以上、耳目出血、手足內損吐血，各四十七下；他物內損吐血、兵刃斫體不著，各五十七下；折一指一齒以上、眇一目、毀缺耳鼻、破骨、湯火傷及禿髮鬢，各六十七下；刀傷、他物折肋、眇兩目、墮胎、穢物污人頭面，各七十七下；折跌支體、瞎一目者，各八十七下；損二事以上、因舊患致篤疾、斷舌、毀傷陰陽，各一百七下。〔註16〕

與《唐律》有關毆傷的條文如下：

〔註15〕《元典章》，卷三九，〈刑部・贖刑・老疾贖罪鈔數〉，頁1358。又《至正條格》條格，卷三十三，〈獄官〉「老幼篤廢殘疾」總326條的條文與《元典章》所收內容相近，唯時間記為元貞元年（1295）閏四月，較典章的六月早了一個月。詳參韓國學中央研究院編，《至正條格校註本》（城南：韓國學中央研究院，2007），頁138。

〔註16〕《元典章》，卷四十四，〈刑部・諸毆・舊例鬥毆罪名〉，頁1526。

諸鬥毆人者，笞四十；傷及以他物毆人者，杖六十；傷及拔髮方寸以上，杖八十。若血從耳目出及內損吐血者，各加二等。

諸鬥毆人，折齒，毀缺耳鼻，眇一目及折手足指，若破骨及湯火傷人者，徒一年；折二齒、二指以上及髡髮者，徒一年半。

諸鬥以兵刃斫射人，不著者，杖一百。

諸鬥毆折跌人支體及瞎其一目者，徒三年；辜內平復者，各減二等。即損二事以上，及因舊患令至篤疾，若斷舌及毀敗人陰陽者，流三千里。〔註17〕

將上述條文統整轉為下表：

表 1-2：唐元兩代鬥毆罪刑對照表〔註18〕

罪刑 朝代 犯罪行為	唐	元
徒手毆	笞四十	二十七下
他物傷	杖六十	三十七下
拔髮方寸以上	杖八十	四十七下
耳目出血／內損吐血	杖八十／一百	四十七／五十七下
折傷	徒一年	六十七下
折二齒	徒一年半	
折肋／眇二目	徒二年	七十七下
折支／瞎一目	徒三年	八十七下
斷舌／毀敗陰陽	流三千里	一百七下
死	絞	處死

（元成宗大德九年（1306）前後，才確立五十七以下為笞，六十七乃至一百七為杖的制度，故本表元代刑罰部分只言數目，不列笞杖）〔註19〕

〔註17〕（唐）長孫無忌等撰、劉俊文點校，《唐律疏議》，卷二十一，〈鬥毆〉，頁383～386。

〔註18〕本表據（唐）長孫無忌等撰、劉俊文點校，《唐律疏議》，卷二十一，〈鬥毆〉，頁383～386。與《元典章》，卷四十四，〈刑部・諸毆・舊例鬥毆罪名〉，頁1526。所載鬥毆刑罰內容所製。

〔註19〕可參《元典章》，卷三九，〈刑部・刑制・五刑之制〉，頁1354。《元典章》，卷

　　單純拳腳毆擊不見血的傷勢，唐笞四十、元二十七下，往上依傷勢的嚴重程度增加刑度，但看似單純的加等，卻透漏出一些規律。如以笞杖刑對應原先唐宋律典中的徒流自由刑，倘若不參考元廷之後屢屢頒定的竊賊通例，至元初年的立法已如實呈現其轉換原則。傳統刑律採定罪論刑的法律書寫模式，極容易以某行爲對應某刑度的方式，形成類似數學函數的關係，其中相關的情節，保留一定的量刑空間（如加減一二等），但大體上考究一單純行爲時的律典設定刑度，仍可發現其對應的函數式，筆者故且將其命名爲「立法定刑方程式」。

　　上述鬥毆案件的立法定刑，恰可反映出當時金元轉換時，直接的刑等轉換對應關係，但上述整齊的刑制轉換，卻是十分難得的特例，同時也與元代泰定年間（1324～1328）版《事林廣記》收錄的〈至元雜令‧笞杖則例〉一樣契合。〔註20〕唯此內文之中並無流罪條目，此外徒罪方面也無徒四年半這個錯誤的位階存在，符合前引〈中統權宜條理〉所揭示的原則，〔註21〕可以證明《元典章》中〈刑部‧舊例鬥毆罪名〉中的五刑之制與《至元雜令》系出同源，是當時人對於用《泰和律》論罪定刑轉換的參考，爲中統年間到至元初期刑制轉換的範式。

　　筆者爲何不將《元典章》刑部卷首的〈五刑之制〉當作中統年間轉換的範本？是因爲該圖表中有一個錯誤的位階「徒四年半」存在，此位階並非金代刑制該有的律定刑位階，前文已有對金代徒刑作一說明，又元初循用《金律》是權宜性的應變之法，實無必要轉換出原先舊律不存在的刑名，故〈刑部‧舊例鬥毆罪名〉中的五刑之制與《至元雜令》並無《元典章》〈刑部‧五刑之制〉中出現的刑制錯誤，更能反映中統至元初年的刑制狀況。

　　爲了避免讀者的混淆，對元代案例史料中屢屢出現的笞、杖刑，目前可

四十，〈刑部‧刑具‧諸衙門杖數笞杖等第〉，頁1374。兩相對照可見制度之變遷。
〔註20〕（元）陳元靚編，《新編羣書類要事林廣記》壬集 卷一〈至元雜令‧笞杖則例〉（日本元祿十二年刊本）收入島田正郎主編，《中國法制史料》（臺北：鼎文出版社，1979）第二輯第三冊，頁1557。又黃時鑒輯點，《元代法律資料輯存》（浙江：浙江古籍出版社，1988），頁43～44。亦有收入，其中頁35的點校說明可參看。
〔註21〕即「流罪一條似未可用。除犯死刑者依條處置外，徒年、杖數今擬遞減一等，決杖雖多不過一百七下。」（元）王惲，《秋澗先生大全文集》，卷八二，〈中堂事記〉，頁390。

分為下列四種不同的笞杖、刑。一、唐、宋、《泰和律》中的原始設定刑。二、「以七為斷」之前的元代正刑、聖旨條畫的舊法。三、替代舊律中的徒流刑等轉換之用。四、加徒減杖例後的徒刑附加刑（與徒刑的再建立有關，請參後文徒刑部份）彼此環環相扣，以成一代之刑制。

一、唐、宋、《泰和律》中的原始設定笞杖刑——舊律的刑名轉換繼承

在《泰和律》中原先規定為笞十至杖一百的刑罰，當為元政府繼受《金律》並轉化為元律的變換基礎。如前舉的〈舊例鬥毆罪名〉或案例中屢屢出現舊例中的笞杖刑，此種笞杖刑受到〈中統權宜條理〉與世祖「天饒他一下、地饒他一下、朕饒他一下」的恩惠減輕其杖數，執行數目以七為斷。

此種笞杖刑不存在刑種轉變的狀況，為較單純的刑名轉換繼承，故自元初立法之後少有改動。原則上，依照《至元雜令》的變換表格論刑，成為斷例，或進一步成為通例，保留在《元典章》或《經世大典·憲典》之中，最後成為後來明代人修《元史·刑法志》中所呈現「諸行為如何時處刑如何的條文」。〔註22〕

二、「以七為斷」之前的元代正刑、聖旨條畫的舊法——元代新制的笞杖刑名設定

所謂「以七為斷」之前的元代正刑，就是指經過元政府〈中統權宜條理〉確立了笞杖數目，以七下到一百七的初步轉換規定之前，已頒定行用的諸多法令。在〈中統權宜條理〉之前已頒布的「聖旨條畫」，依舊保持其效力，其中有關私鹽、茶、逃漏稅的經濟犯罪刑度，仍保持以十的倍數決杖數目與附有徒刑的設定規劃，自成一系統，其法理依據來源如下：

【恢辦課程條畫】

中統二年（1261）六月，欽奉皇帝聖旨：「道與各路宣撫司并達魯花赤、管民官、課稅所官：不以是何投下軍民諸色人等，隨路恢辦宣課，已有先朝累降聖旨條畫，禁斷私鹽、酒、醋、麴貨、匿稅，若

〔註22〕相關討論可參安部健夫，〈元史刑法志と「元律」との關係に就いて〉收入氏著《元代史の研究》（東京：創文社，1970），頁253～276。對《元史·刑法志》的史源來源的討論亦可參蘇振申，《元政書經世大典之研究》（臺北：中國文化大學出版部，1984）中關於元史中諸志轉鈔自《經世大典》的討論。

有違犯，嚴行斷罪。今因舊制，再立明條，庶使吾民各知所避。」
欽此。

> 諸犯私鹽者，科徒二年，決杖七十，財産沒官，決訖，發下鹽司帶
> 鐐居役滿日踈放。若有告捕得獲，於沒官物内一半充賞。如獲犯界
> 鹽貨，減犯私鹽罪一等，仍委自州府長官提調，禁治私鹽罪。如禁
> 治不嚴，致有私鹽并犯界鹽貨生發，初犯笞四十，再犯杖八十，三
> 犯已上，開具呈省，聞奏定罪。若獲犯人，依上給賞。如有鹽司監
> 臨官與竈户私賣鹽者，同私鹽法科斷。〔註23〕

如上例所見，對於私鹽的查緝治罪，中統二年之前亦有定制，故於〈恢辦課
程條畫〉重新聲明犯私鹽者的罪刑與相關情事的處置方式。又《元史・刑法
志》亦載：

> 諸犯私鹽者，杖七十，徒二年，財産一半沒官，於沒物内一半付
> 告人充賞。鹽貨犯界者，減私鹽罪一等。提點官禁治不嚴，初犯
> 笞四十，再犯杖八十，本司官與總管府官一同歸斷，三犯聞奏定
> 罪。如監臨官及竈户私賣鹽者，同私鹽法。諸僞造鹽引者斬，家
> 産付告人充賞。失覺察者，鄰佑不首告，杖一百。商賈販鹽，到
> 處不呈引發賣，及鹽引數外夾帶，鹽引不相隨，並同私鹽法。鹽
> 已賣，五日内不赴司縣批納引目，杖六十，徒一年，因而轉用者
> 同賣私鹽法。〔註24〕

兩段資料大略相同可知關於私鹽的議刑定罪，中統年間的聖旨條畫，有草創
規模的指標功效。「考之建元以前，斷獄皆用成數，今匿稅者笞五十，犯私鹽
茶者杖七十，私宰牛馬者杖一百，舊法猶有存者。」〔註25〕元代中後期所編
《經世大典・憲典序》的說法證實經濟犯罪多保有舊制的特點，與之系出同
源的《元史・刑法志》於食貨篇中的條文，卻呈現以十爲斷的杖刑設定，以
七爲斷的設定兩制並存。兩種尾數不一的杖刑同時存在，因爲世祖後諸帝憚

〔註23〕 《元典章》，卷二十二，〈户部・課程・恢辦課程條畫〉，頁803。
〔註24〕 （明）宋濂等撰，《元史》（北京：中華書局，1976），卷一百四，〈刑法三・
　　　　食貨〉，頁2647。
〔註25〕 黃時鑒輯點，《元代法律資料輯存》，頁90。收《經世大典・憲典》總序名例
　　　　篇的序言，本篇與《元史・刑法志》的序屬同源史料。此外（元）陶宗儀撰，
　　　　《南村輟耕錄》（北京：中華書局，1959），卷二，〈五刑〉，頁25。亦有相同
　　　　的記載，疑爲陶氏轉鈔自《經世大典》一書。

於變更，不敢變動「祖宗成憲」或所謂「世祖舊制」所導致的現象。下舉大德四年（1300）十一月的鹽法規定爲例：

【新降鹽法事理】

大德四年十一月，兩淮都轉運鹽使司承奉中書省箚付：欽奉聖旨節該：『中書省奏：「諸處鹽課，兩淮爲重。比年以來，諸人盜賣私鹽，權豪多帶斤重，辦課官吏賄賂交通，軍官民官巡禁不嚴，以致侵襯官課，宜從新設法關防，乞降聖旨」事。准奏。自大德四年爲始，立倉查運，撥袋支發，以革前弊，眞州采石依舊設官批驗，置軍巡捉，江淮海口私鹽出沒去處，添撥車舡，附場閑雜舡隻，不許往來灣泊，軍民捕盜等官，常切用心防禁，母致私鹽生發。欽此。所有立法合行事理，命中書省定立條畫。上江下流諸衙門大小官吏人等，各務遵守奉行。若有裂沮壞之人，照依已降聖旨究治。』欽此。又於大德四年十二月二十日，聞奏過：『兩淮鹽法爲不定体的上頭，合整治的法度，張參政題說來，在海道運糧朱參政也依那言語題說呵，上位奏過，提調整治的，教來（朱）參政、更一個姓郝的漢兒人、省裏行來的張都事等去來。他每到那裏，合行的勾當就便行了，更有幾件合整治的題說有，數內一件：「應有合整治事理行聖旨，怎生？」說有俺商量來，上位奏過，省裏行文書呵，怎生？』奏呵，奉聖旨：「那般者」欽此。都省欽依聖旨事意，通行參考，議立條畫，開坐于後，仰欽依施行。……一，綱舡運到鹽袋，須要入倉排垛收貯。如遇客旅關鹽，添席重包，然後支發，不許就舡兌撥。違者，倉官、監運，各決三十七下，解見任，期年後別行求仕。運官有失關防，罪亦及之。通同縱放者，與同罪。一，裝鹽席索，運司較勘樣，製各於立倉，拘該州縣撥戶織造，務要堅密牢壯。諸倉就管收支，州縣官司添力催辦，仍將席戶籍定姓名，諸人不許私織私賣，違者決杖五十七下。倉官不依元樣，受錢濫收或依樣故行習蹬，因而受財，並同枉法科斷。運官有失關防者，亦行究治。〔註26〕

對於之前未詳的立法漏洞，世祖以後諸帝得以用聖旨條畫的手法進行補充，但其補充立法之時，是用至元以後的新刑制做設計，如此出現對違反新細則

〔註26〕《元典章》，卷二十二，〈戶部‧課程‧新降鹽法事理〉，頁838。

的行爲處三十七、五十七的刑罰，故會出現母法以十爲斷，子法以七爲斷這樣兩制並存的現象。

一般學界認爲「以七爲斷」的杖刑數字爲元制特色，此點固然不錯，但卻以偏概全地忽視了中統之前定制的權威性，與其在法典上獨特的雙軌並存特質。又關於私茶、私酒的刑度設定多在中統之前，是故在侵犯國家歲收利權的犯罪中，此特色得以留存。相關例子甚多請參見《元典章‧戶部‧課程》與《元史‧刑法志》食貨條目。

三、替代舊律中的徒流刑等轉換之用──舊律徒流刑的降階代換

金元刑制轉換的重點，依據〈中統權宜條理〉將原先在《金律》中爲徒、流刑的罪名，改以執行打六十七至一百零七下的笞杖刑取代。據《元典章‧刑部‧五刑之制》可知，在笞、杖刑的轉換方式上，出現類似宋代折杖法的刑度整併，〔註27〕即將相鄰刑度如《宋刑統》律定刑笞二十、笞十併爲一等，改以打臀杖七下執行。元代則是將原先金代笞十、笞二十、笞三十、笞四十、笞五十，改成三等，打七下、一十七下、二十七下以此類推。職是之故，可完成初步定刑的轉換實施，而這樣的轉換與宮崎氏主張減半再有所加減的轉換有所出入。

杖一百轉換成五十七下，徒一年變成六十七下，在徒的轉換上承襲原先《金律》五個整年徒的刑等，是故徒一年與徒一年半視爲同一等，徒二年與徒二年半視爲同一等，徒三年、徒四年、徒五年各爲一等，接者依次排列六十七下、七十七下、八十七下、九十七下、一百零七下。以一般鬥毆罪刑的設定爲例，原先設定的律定刑便無徒四年、徒五年的存在，故轉換之後徒三年──流三千里之間相距三等的差距，於轉換後依舊保存 87～107 的差距，但變成相差二等，這樣的刑制轉換結果馬上造成刑度框架的大縮水。

若轉換之刑原始設定有徒、流刑，此時的轉換就是一個問題了。金代以徒四年、徒五年充作流刑運用，稱之爲「代流役」，對於律定流刑、與律定徒四年、徒五年之刑的行用實施有其差異，但可確定的是這時對於原先金代的附加杖（決杖）之法可說已完全破壞，舊律或舊例中徒刑一罪二刑變爲「徒

〔註27〕 德永洋介，〈金元時代の流刑〉，收入梅原郁主編，《前近代中國の刑罰》（京都：京都大學人文科學研究所，1997）文中稱此爲元代折杖法（元の折杖法），頁286。

年杖」一個的金代舊例遺存；徒年杖爲單純抄錄原先《泰和律》中徒刑附加決杖的規定，在元代引舊例的過程中以「徒年杖」的名稱保留下來。〔註28〕

下面列舉數個有「徒年杖」一詞的案例，分析此時期笞杖刑變成完全取代徒流刑的實際施用情形：

> 【打死姪】中書省判送：『樞密院呈：「米贈打死姪男米公壽。取得米贈狀招：至元四年十二月十二日，因親姪米公壽，於機上剪了紵絲三尺，用拳毆打。爲姪挣扯抵觸，用柳木棍，於公壽左耳後侵腦打傷，不多時身死，罪犯。」』法司擬：『米贈所招，打死姪男米公壽，罪犯，舊例：「即毆兄之子死者，徒三年」其米贈所犯，合徒三年，決徒年杖八十。』部擬：七十七下。省擬：斷一百七下。〔註29〕

本例中，舊例的徒三年爲《泰和律》定刑，徒年杖爲《泰和律》附加杖的遺留，部擬七十七下是對於泰和舊律徒刑轉換對應的元代正刑，但本案爲傳統法中尊長殺卑幼的案件，在原先唐宋律設計中非屬減死一等的重罪，但都省的意見卻以減死一等的一百七下論處。

> 【船邊作戲渰死】濮州備館陶縣申：『歸問到王狗兒狀招：「至元四年七月初八日飯時，與焦大等并身死翟二，於船頭上坐地，有翟二於船東邊上坐地，探身用手於水面上挈取瓢子。狗兒爲常與翟二相戲作耍，狗兒於本人背上，將上截布衫兒扯著，右手於翟二臀片底，往前推了一推，不意脱手，將翟二推在河内渰死罪犯。」』法司擬：『王狗兒所犯，即係戲殺事理。舊例：「戲殺傷人者，減鬥殺傷二等，謂以力共戲而致死傷者，雖和以刃，若乘高、履危，及入水中，以故燒傷者，准減一等。」其王狗兒，合徒五年，決徒年杖一百，仍依例徵銀五十兩，給付苦主充燒埋之賷。』部擬：王狗兒決杖一百七下，徵銀五十兩。〔註30〕

本例亦同時出現徒年杖一百與一百七下二種不同狀態的笞杖刑，同屬原無故殺動機的殺人案，故一併以減死一等的一百七論處，爲依照律定刑判決的案例。

〔註28〕姚大力，〈論元代刑法體系的形成〉，收入柳立言編，《宋元時代的法律思想和社會》（臺北：國立編譯館，2001），頁100～101。此版本有增修部分意見，其中有關徒年杖的說法，首出現於這個版本之中，故特別引用此書。

〔註29〕《元典章》，卷四十一，〈刑部・諸惡・打死姪〉，頁1418。

〔註30〕《元典章》，卷四十二，〈刑部・諸殺・船邊作戲渰死〉，頁1470。

【打死同驅】龍（隆）興路中：『歸問到李舍兒驅口王黃頭招伏：「不
合爲一般驅王宜兒爲黃頭不行逃走，欲將黃頭父子內打死一箇，燒
毀房舍，以此於至元五年正月二十七日夜，先將王宜兒用棒打死，
於場上埋藏罪犯。」』法司擬：「同主奴婢相犯致死，而主求免者，
聽減本罪一等，合徒五年，決徒年杖一百。」部下本路勘當得本主
願求免，擬杖一百七下。呈省，准斷。〔註31〕

本例與上例同，爲奴因主求免得以減罪一等免死的個案，此例可反映金代與
元初對於減死一等的處置均爲律定刑徒五年。

在此針對「徒年杖」對金元刑制轉換的影響，與對前輩學者造成的誤解
提出說明。宮崎市定先生推論《元典章》中所見的刑制，依據《金史‧刑志》
中有行「徒杖減半之法」再加上元世祖的「天饒他一下，地饒他一下，朕饒
他一下」兩點展開。本文之前曾舉列「徒年杖」的案例，宮崎氏認爲如前舉
打死姪的案例中「舊例即毆兄之子死者徒三年，其米賍所犯合徒三年，決徒
年杖八十，部擬七十七下，省擬斷一百七下」的判讀爲舊例徒三年，據《金
史‧刑志》所載金代有「以杖折徒」的特色，故認定徒三年因爲以杖折徒的
緣故變成杖一百六十，又因後來金代有「徒杖減半之法」，於是將 160/2＝80，
合杖八十之刑，加上元代減三下的緣故，部擬才會轉換出 80－3＝77，合杖七
十七之刑。

乍看之下推論過程與結果十分符合，但於王元亮《金五刑圖說》所見金
代的五刑圖表對照，即可發現金代的徒刑近承遼法遠襲隋制，均附有杖刑，
有一罪而具二刑的特色，一個徒刑條目下有加杖若干、決杖若干的記載。且
前文已考證金代徒杖減半減的是附加杖，並非特殊情況下代換徒流刑執行的
換刑杖數，是故以杖折徒的說法不成立，徒杖減半的說法亦不足爲證，因爲
減半的是附加杖而非代換杖。

前輩學者產生誤解的原因爲何？就《元典章》體例特色所見，公文流轉
大致可分爲三階段，一是地方報上去的疑難案件，地方官府負責刑名的「法
司」會依據案情檢索舊例（金《泰和律》），舊例中出現的原《金律》徒刑罪
刑記載多出現「合徒若干年」、「決徒年杖若干下」的記述格式。接著行省或
刑部會針對案情，提出適用的意見或加減刑。最後由（都省）中書省的官員
決定是否採用或修改判決。以上案判文爲例，依斷句不同有四種解法：

〔註31〕《元典章》，卷四十二，〈刑部‧諸殺‧打死同驅〉，頁 1485。

1、合徒三年決徒年杖八十，部擬七十七下，省擬斷一百七下。

2、合徒三年，決徒年，杖八十，部擬七十七下，省擬斷一百七下。

3、合徒三年，決徒，年杖八十，部擬七十七下，省擬斷一百七下。

4、合徒三年，決徒年杖八十。部擬七十七下，省擬斷一百七下。

不同的斷句決定不同的解釋，其中的關鍵就是「徒年杖」一詞。顯然宮崎氏採用的解釋是將「徒年杖」當成轉換行刑的數字，故認為所有的笞杖刑都經過減半之後再減三完成轉換。但仔細觀察因案情差異，有時在轉換後刑部、中書省的判決刑度有減三下之案例，有加七下或有加十七下的判例。下面舉幾個至元初年的案例觀察舊例的轉換：

【闌入禁苑】都堂鈞旨送下監修宮也黑迷兒丁呈：『捉獲跳過太液池圍子禁墻人楚添兒。本人狀招：「於六月二十四日，帶酒見倒訖土墻，望潭內有舡，採打蓮蓬，跳過墻去，被捉到官罪犯。」法司擬：「闌入禁苑，徒一年，杖六十。」』部擬五十七下。省准擬。〔註32〕

這個屬於衛禁的案件法司擬徒一年杖六十，刑部意見為五十七下。這樣的判決得到中書省的認可。

【淹死親女】至元三年七月，眞定路申：『何賽哥狀招：「至元三年五月二十九日，將女定哥抱去，撇放滹沱河內淹死罪犯。」』法司擬：『舊例：「子孫違（教）法令，而祖、父非理毆死者，徒一年。」』部擬決五十七下。呈奉省箚准擬，斷訖。〔註33〕

這是一件淹死自己女兒的案件，法司以子孫違犯父母教令被父祖毆死的條文比附判刑，因相關案情不得而知，故且依照法司的說法瞭解案情，擬徒一年之刑而未言附加杖的內容，刑部意見為決五十七下。

【帶酒殺無罪男】上都路申：『歸問到興州王得祿招伏：「不合帶酒，用刀子扎死男牛兒罪犯。」』法司擬：『舊例：「子孫違犯教令，而祖父母、父母用刀殺者，徒一年半；故殺者，加一等。」其王得祿，合徒二年，決杖七十。』部准擬，決七十七下。省准擬呈，斷訖。

〔註34〕

本例與淹死親女引用的法條相似，唯用刀殺害一點，構成加刑的要件，

〔註32〕　《元典章》，卷四十一，〈刑部‧諸惡‧闌入禁苑〉，頁1449。

〔註33〕　《元典章》，卷四十二，〈刑部‧諸殺‧淹死親女〉，頁1480。

〔註34〕　《元典章》，卷四十二，〈刑部‧諸殺‧帶酒殺無罪男〉，頁1481。

且案情又符合故殺的情形，加刑結果爲徒二年。刑部意見爲決七十七下。該例也成爲日後的立法依據，完整的被保留於《元史‧刑法志》之中，改成「諸父無故以刃殺其子者，杖七十七」〔註35〕的法律條文。

【和奸有夫婦人】冠氏縣申：『歸問到柳二妻蘇小丑狀招：「不合於至元三年九月內，與陳典史就伊家通奸罪犯。」又招：「不合於至元五年十一月十八日，信從安大姐媒合，與在逃蘇七通奸罪犯」。陳典史，名佐。安大姐，姓劉，小名師姑。各招相同。』

奸婦蘇小丑。法司擬：『舊例：「奸有夫婦人，徒二年，決徒年杖七十」，去衣受刑。』部擬：杖八十七下，行下本路斷訖。

奸夫陳佐。法司擬：『舊例：「與奸婦同罪，合徒二年，決杖七十。」卻緣蘇小丑與在逃蘇七通奸，指出陳佐。舊例：「和奸者，奸所捕獲爲理。」今因捉獲蘇七指出，即非奸所捕獲，合行革撥。』部擬：「若准非奸所捕獲勿論，卻緣本縣已取到陳佐明白招伏，若全同捕獲斷決，似爲尤重，量情笞五十七下。」

媒合安主劉師姑。法司擬：「於奸罪上減一等，合徒一年半，決徒年杖六十。」部擬斷五十七下，單衣受刑。〔註36〕

本例爲和奸有夫之婦的案例，原先柳二的妻子蘇小丑與蘇七通奸事發，奸夫蘇七在逃，蘇小丑審訊時不但供出聽從安大姊（劉師姑）的居中牽線與蘇七通奸，又意外供出以前曾與陳佐（典史）在陳家通奸。案情複雜的地方在陳佐的罪刑議處上，因爲陳佐是被蘇小丑片面之詞供出，之後陳到官審問承認犯下通奸罪。但當時通奸罪有「奸所捕獲原則」換成現在的說法即需「捉奸在床」。陳佐的通奸罪名某程度是不成立的。故法司意見「非奸所捕獲，合行革撥」，革撥一詞在元代爲使不算數，把某東西作廢的意思。但刑部的意見卻認爲陳佐已經認罪，不能不算但又不可依一般通奸罪判，故酌情判笞五十七下。蘇小丑，據舊例和奸有夫之婦，處徒二年。刑部意見判決八十七下。安大姊的媒合之罪，減和奸罪一等，合徒一年半，刑部意見判決五十七下。

就前舉四個案例中舊例徒一年的案件，有直接就部擬刑度裁決爲五十七下，又劉師姑的徒一年半刑亦裁決爲五十七下。舊例徒二年的罪刑卻有判七

〔註35〕（明）宋濂等撰，《元史》，卷一百五，〈刑法四‧殺傷〉，頁2676。
〔註36〕《元典章》，卷四十五，〈刑部‧諸姦‧和奸有夫婦人〉，頁1548。

十七下、八十七下兩種。可明確證明「徒年杖數」與元代初期轉換出的笞杖數目無絕對相關性，若有相關性也非《元典章・刑部・五刑之制》作徒一年、徒一年半→杖六十七，這般整齊的轉換，也不是宮崎氏的轉換法。若詳查《元史・刑法志》姦非條目：

> 諸和姦者，杖七十七；有夫者，八十七。誘姦婦逃者，加一等，男女罪同，婦人去衣受刑。其媒合及容止者，各減姦罪三等，止理見發之家，私和者減四等。〔註37〕

可發覺元廷在繼受《金律》的刑名制度時，也在實際司法運作中摸索一套自己的加減例，其方法將成案判例彙編，導引出自己的法律刑名架構。原先應該代換金制徒二年之刑的杖八十七，成為和奸有夫婦的量刑基準，媒合人處置方式依照舊律合奸罪減一等的推理導出五十七下，到了後期卻成為「各減姦罪三等」法律推理下所得出的結果。

《元典章・五刑之制》所提供的一個供「法司」或地方「吏員」辦案查考的對照表，實不具所謂「典章」的強制性質，為舊律轉換的大致對照表而已，其錯誤百出的狀況就不足為怪。案例中徒一年可判五十七下、六十七下，徒一年半可判五十七下。徒二年可判八十七下，正可證明開篇徒四年半之刑的訛誤係編輯者為了將大德以降五刑具有的架構，硬套回金元轉換前的「刑統傳統」所致。

刑統傳統一詞指唐宋金三朝律典，在刑法上律定刑制的原始框架，自宋代頒定刑統，成為律學的主流，宋代有識者傅霖為了讓人易於學習法律知識而有編成韻文的《刑統賦》，之後陸續有人為之作粗解、著疏之類等再書寫、再解釋增註的工作，如元代郗韻為之作釋、王亮為之作註，同時又有《別本刑統賦》的出現，而集大成的當為沈仲緯撰《刑統賦疏》。〔註38〕不可諱言的這些出於民間的法律書籍有助於法律知識的流傳，但在此同時也強化了《唐律》法律推理中「五刑體制」的概念，無論是《故唐律疏議》還是《宋刑統》

〔註37〕（明）宋濂等撰，《元史》，卷一百四，〈刑法志〉，頁2653。

〔註38〕關於《刑統賦》一書的性質及版本考訂可參薛梅卿，〈《刑統賦》及解疏本初考〉一文收入楊一凡總主編，《中國法制史考證》甲篇，第5卷，「歷代法制考・宋遼金元法制考」（北京：中國社會科學出版社，2003），頁1～20。日人瀧川政次郎，〈支那の韻文律書「宋刑統賦」に就いて〉收入氏著，《中國法制史研究》（東京：巖南堂書店，1979），對於《刑統賦》一書有專文介紹可參看，頁221～242。

第一篇，〈名例〉定笞、杖、徒、流、死五刑。《刑統賦》開卷亦有「刑異五等，例分八字」云云。〔註39〕

《元典章》編輯的時代，時值元仁宗朝，距世組建元已歷三任皇帝，但元朝的五刑制度卻尙未完備，許多以單行法的形式頒布的聖旨條畫，都有自成體系的刑法罰則規定，如上述姦非（通姦）案件自《元典章》時期的舊律刑度對應，發展至《元史・刑法志》自成一體系的法律用刑加減裁量。其編輯者面對此一局勢較可行的編排的方式，爲依行政部門之不同編排相關事例，但面對總管普遍刑名的刑部時，不得不採以古附今的手法，用前代之制說明「國（元）朝之制」，並列了武宗大德年間的「加徒減杖例」制表說明五刑體制。此時距離廢《泰和律》的至元八年已多歷年所，對《金律》的刑制可能已不熟悉，故出現徒四年、徒四年半、徒五年之刑與三流刑相比擬這樣不倫不類的書寫。昧於《金律》的體制，出現與王元亮《唐律釋文》附表所見《金律》刑制相異的錯誤，應可歸決於地域上的差異。王元亮爲汴梁之人，汴梁一地爲金朝統有之地區，相較《元典章》出於江西一個久爲南宋統治的新附之地，元人史料有云「南人不識體例」，〔註40〕因之前分隸不同政權，南系與北系兩方不同的法文化在刑制即存在極大差異，史料云：「法之不立，其原在於南不能從北，北不能從南。然則何時而定乎？」造成這般的錯誤應可理解。〔註41〕

四、加徒減杖例後的徒刑附加刑

（一）加徒減杖制度的時間斷限

加徒減杖制的杖刑和之前所述的笞杖刑有幾點不同，第一、與中統之前經濟犯罪定制的數目個位數字爲零不同，呈現尾數以七爲斷的特色。第二、

〔註39〕 「刑異五等，例分八字」一語爲刑統賦中韻文的第八句、第九句。元人沈仲緯在刑異五等後所做的通例與疏文中間的差異，可從中觀察金元制度之變化。（元）沈仲緯撰，《刑統賦疏》收入島田正郎主編，《中國法制史料》（臺北：鼎文出版社，1979）第二輯第二冊，頁 902～903。

〔註40〕 語出（元）程鉅夫，《程雪樓文集》（臺北：國立中央圖書館，1970 元代珍本文集叢刊），卷十，〈奏議存薈〉，頁 390～391。〈吏治五事・通南北之選〉「南方之賢者列姓名於新附，而冒不識體例之譏，故北方州縣並無南方人士，且南方歸附已七八年，是何體例難識如此？」可知南方的人士對北方的法政體系是相對陌生的。

〔註41〕 黃時鑒輯點，《元代法制史料叢刊》，收（元）胡祇遹著，《紫山大全集》，卷二十一，〈論治法〉，頁 166。

此種杖刑不是刑罰主體，需依附一定年限之徒刑、或出軍種田之類的自由刑，其地位爲附屬刑。第三、針對的犯罪類型爲強竊盜這類重大犯罪、或盜賊累犯，可以視爲元代刑罰制度完備後所推出的複式刑制完成品，因此頒布的時間較晚，約於成宗年間現身，大德以後的法律資料中大量出現。

首先，成宗大德年間出現五十七以下爲笞，六十七以上爲杖的規定，劃分笞杖刑並要求以罪刑輕重區分各級地方官府的司法審理權，〔註42〕相較於《至元新格》只以擊打數目爲標準區分，尚未區分笞、杖兩刑差異來的進步，〔註43〕可視爲笞杖刑整備運動的成果。如《成宗紀》所載，成宗三番兩次下令要求何榮祖等「更定律令」，日人考證有所謂《大德典章》的成果，雖然《大德典章》最後沒有頒行成爲大德律令，但其法令整備的成果卻爲後來編撰《元典章》的前身，部分內容被《元典章》保留下來。〔註44〕

元貞、大德年間屢屢制定頒布《盜賊通例》、《再犯做賊例》等新的刑律與刑罰，爲加強打擊犯罪之力道，對原先於亡金舊例檢得之刑度，創制出一個徒刑杖刑流刑兼而有之的複合刑制，開創元代五刑之制。爲此同時也將新舊雜揉的徒刑與杖刑之間的刑等加減，位階上的差距劃分出來，故有「加徒減杖」與笞杖上下位階劃分的刑制整備運動。

在整備之後，一罪二刑的現象又被臣僚要求改善，英宗年間參與編輯刊定《大元通制》的曹伯啓言：「五刑者，刑異五等，今黥、杖、徒役於千里之外，百無一生還者。是一人身被五刑，非五刑各底於一人也，法當改易。」〔註45〕烏古孫良楨也在至治—泰定年間上言「律，徒者不杖，今杖而又徒，

〔註42〕《元典章》，卷四十，〈刑部・刑具・諸衙門杖數笞杖等第〉，頁1374。

〔註43〕黃時鑒輯點，《元代法制史料叢刊》，收（元）何榮祖，《至元新格》察獄「諸杖罪，五十七以下，司、縣斷；八十七以下，散府、州、軍斷；一百七下以下，宣慰司、總管府斷；配流、死罪，依例勘審完備，申關刑部待報，申扎魯火赤者亦同。」，頁32。案與《元典章》，卷三十九，〈刑部・刑制・罪名府縣斷隸〉內容相近，頁1355。

〔註44〕關於這個論點，清人沈家本，《歷代刑法考附寄簃文存》（北京，中華書局，1985），頁1078《歷代律令考》〈律令八〉中有「元典章所錄大德律令甚多」之語。沈氏已注意到大德律令佔《元典章》內容的比重頗多。尚未直接言明兩者有繼承沿襲的關係。日人仁井田陞〈元典章の成立と大德典章〉一文有考證《大德典章》與《元典章》的關係。原載於《史學雜誌》第五十一編九號後收入氏著，《中國法制史研究——法と慣習.法と道德》（東京：東京大學東洋文化研究所，1964），頁182～197。

〔註45〕（明）宋濂等撰，《元史》，卷一百七十六，〈曹伯啓傳〉，頁4100～4101。

非恤刑意，宜加徒減杖。」〔註46〕都不滿當時以複式刑罰處罰的情況。

推演時序，《元典章》成書時間一般學界認爲是英宗至治年間，〔註47〕故而保留了「加徒減杖」這個語詞，出現於刑部卷首〈五刑之制〉圖中，改作「加徒減杖例」，記載了自徒一年乃至徒三年共五等徒的附杖數目。徒一年杖六十七，每半年多杖十，以此類推至徒三年杖一百七。這項制度應該不是英宗時期推行的，與「加徒減杖例」同列的是上段所述大德年間頒定〈諸衙門杖數笞杖等第〉作新例：「五十七以下用笞，六十七以上用杖」。這時我們不得不問，到底是大德之制爲新，還是加徒減杖爲新？按照其他史籍資料，最晚在泰定年間尚有加徒減杖的議論，爲何已經頒行「加徒減杖例」後還有要求「加徒減杖」的聲浪？

要解答上述的問題只需將轉鈔自《經世大典・憲典》的《元史・刑法志》和《元典章》中有關徒刑的案例排比一番，排除國初定制的私有軍器、私鹽、犯姦幾項，即可發覺結果是既沒加徒也沒減杖，只是重新確認徒年與杖數的對應關係。

（二）兩種不同的論刑模組

徒以上的刑罰基本上都附加以六十七起跳的杖刑，與國初爲代換徒刑的杖刑相較之下，呈現不對等的刑罰位階排列。以通姦罪爲例，與無夫之婦通姦處杖七十七；若通姦對象爲有夫之婦，則加一等杖八十七。該罪名《唐律》刑度爲徒一年半、兩年。若以鬥毆傷人爲例，毆打人致折支瞎一目的重傷害罪，《唐律》刑度爲徒三年，元代卻爲八十七下。整體呈現刑種降階，刑度減輕的態勢。

除了《刑法志・大惡》中子醉後毆父母，被父母求可免處死刑，要打一百七加居役百日、奴詈罵主，打一百七，居役二年，〔註48〕與《刑法志・鬥毆》部分特殊情況案件（如豪強非理凌虐，斷一百七，流遠。卑幼因仇刺瞎尊長雙眼案、弟弟夥同兄長仇人刺瞎兄長雙眼這類案例，都判一百七，流遠。）〔註49〕除此類有關長幼主奴名分秩序的衝突案件外，及部分惡性嚴重的重傷

〔註46〕（明）宋濂等撰，《元史》，卷一百八十七，〈烏古孫良楨傳〉，頁4287。
〔註47〕關於《元典章》一書刻本流傳、內容性質成書時間，昌彼得於〈跋元坊刊本大元聖政國朝典章〉一文論之甚詳，可參看故宮景印版《元典章》書末跋文。
〔註48〕（明）宋濂等撰，《元史》，卷一百四，〈刑法志〉，大惡條目，頁2651～2652。
〔註49〕（明）宋濂等撰，《元史》，卷一百五，〈刑法志〉，鬥毆條目，頁2673。

害（如使人雙目失明的案例）之外，原則上一般鬥毆犯姦不存在自由刑的刑罰。

是故可以研判，一般案件罪不入死的狀況下，有自笞七下最高到杖一百七的一種模組。與之相對，如強盜、竊盜，或與強盜、竊盜有引用或比照關係的犯罪，如略賣良人爲奴、爲妻妾這類以徒刑爲主要懲處方式的論刑模組，這兩套模組在元貞、大德時期發生混淆並用的現象，如同〈腹裏犯奸刺配〉〈犯奸再犯〉〔註 50〕兩例所反映的問題，不知徒年期限爲多久？不知罪犯要去哪服勞役？有決杖數字而不知徒年，一罪二刑但不知二刑之間的對應關係，爲此方有「加徒減杖」的出現，來調節此問題，確立了元初一直因爲案例上下波動的徒杖對應關係。如宮崎先生用來立論元代徒刑變成較輕的附加刑所舉〈侏儒挑鈔斷例〉，該例爲延祐年間的案例，其中刑部回應爲「徒一年例該六十七下」的理據當是於元貞元年（1295）頒定的〈侵盜錢糧罪例〉，該例爲成宗時期頒定最早有關徒刑等第較完整的聖旨條畫，文中即載有「應犯徒一年，杖六十七」之語〔註 51〕。

「應犯徒一年，杖六十七」，徒一年與六十七下是折代還是併科的關係？即「加徒減杖」例的問題。排除中統年間有關國家財稅的刑罰設計，一般案件徒刑附加杖數並不穩定，如〈腹裏犯奸刺配〉例所反映的又杖又徒，其杖數明確，徒年不明。這種刑制上的混亂，眞可謂「有例可循，無法可守」。雖在至元年間已頒定私有隱藏軍器罪名，〔註 52〕其中大部分罪刑設計爲一罪二刑，既有徒刑又有杖刑，但已出現固定的配對關係，爲少數針對特殊犯罪臚列罪名的框架式設計，只可惜並不與其他罪名有引用或類比的關係。值得關注的是其對應方式爲徒一年，五十七下、徒二年，七十七下、徒三年，九十七下，已是頗具規模的併科對應關係。我們不免想問何以元貞年間的〈侵盜錢糧例〉所載爲「徒一年，六十七下」？爲何最後是以徒一年，六十七爲訂制？訂制之因爲何？

原先笞七到杖一百七的 11 位階不變，過去古律中徒刑刑度比笞杖高，徒杖之間的轉換關係是否如「舊律」一樣，呈現如《刑部·諸毆·拳手傷》所載的舊例家無兼丁狀況下，徒刑不居作改以決杖執行，徒一年三百六十日合

〔註 50〕《元典章》，卷四十五，〈刑部·諸奸〉，頁 1560～1562。
〔註 51〕《元典章》，卷四十七，〈刑部·諸贓·侵盜錢糧罪例〉，頁 1614～1615。
〔註 52〕《元典章》，卷三十五，〈兵部·軍器·隱藏軍器罪名〉，頁 1249。

杖一百二十，每半年爲一等，一等加杖二十。〔註53〕如此對應爲每半年一等，每一等多杖二十。該例法司所計算得到的結論「照擬笞一十至五十，每一十應役十五日。杖六十至一百，每一十應役二十日。犯人帶鐐居作。」原先是計算家無兼丁或因其他原因無法服勞役時，徒杖之間折換對應關係，但這段文字不只是單純表達徒杖之間折換原則，同時也是解開「徒一年，杖六十七」定制的一把關鍵鑰匙。

（三）加徒減杖的計算方式

爲了方便說明，先將《唐律》、《金律》與元代有關徒杖等第轉換關係製成下表：

表1-3：唐宋金元決杖等第一覽表

刑罰等級	《唐律》徒杖折算表		金《泰和律》		元初		加徒減杖	
	刑度	刑種	刑度	刑種	刑度	刑種	刑度	刑種
第一	笞十	笞	笞十	笞	笞七下	笞	笞七下	笞
第二	笞二十		笞二十		笞十七下		笞十七下	
第三	笞三十		笞三十		笞二十七下		笞二十七下	
第四	笞四十		笞四十		笞三十七下		笞三十七下	
第五	笞五十		笞五十		笞四十七下		笞四十七下	
第六	杖六十	杖	杖六十	杖	笞五十七下		笞五十七下	
第七	杖七十		杖七十		杖六十七下	杖	杖六十七下	杖

〔註53〕 《元典章》，卷四十四，〈刑部・諸毆・拳手傷〉，頁 1527 該例中注徒年若干合杖多少，係與（唐）長孫無忌等撰，《唐律疏議》，卷三，〈名例律〉「犯徒應役家無兼丁」條的律注一模一樣，頁 72。（宋）竇儀著、薛梅卿點校《宋刑統》（北京：法律出版社，1998），卷三，頁 56～57。故該例僅抄錄了唐律疏議的律注，並提出笞十乃至五十下，每十下應役十五日；而杖六十乃至杖一百的杖數，每十下應役二十日。

第八	杖八十		杖八十		杖七十七下		杖七十七下	
第九	杖九十		杖九十		杖八十七下		杖八十七下	
第十	杖一百		杖一百		杖九十七下		杖九十七下	
第十一	徒一年=120〔註54〕		徒一年+60		杖一百七下		杖一百七下	
第十二	徒一年半=140		徒一年半+60		當爲一百二十七下		徒一年+67	
第十三	徒二年=160	徒	徒二年+70	徒	當爲一百四十七下		徒一年半+77	
第十四	徒二年半=180		徒二年半+70		當爲一百六十七下	徒	徒二年+87	徒
第十五	徒三年=200		徒三年+80		當爲一百八十七下		徒二年半+97	
第十六	三流比徒四年	流	徒四年+90（代流役）	流	當爲二百零七下		徒三年+107	
第十七			徒五年+100（代流役）		✕		流遠、出軍+107	流

徒一年的部分按《唐律》「犯徒應役家無兼丁」條原則，當爲杖一百二十下，若依照唐宋律一等加杖20下的模式，元律中原本徒一年刑罰轉換成決杖執行時，應爲杖一百二十七。不過，犯鈔法罪，徒一年，一百七；犯私鹽，徒二年，杖七十，私有軍器這類罪名，都存在一罪二刑的設計，但沒有可以上下排比轉換的等級。

對於一罪二刑的改革意見，曹伯啓希望的是杖歸杖、徒歸徒，採一罪一刑的方式，另外可以用增加杖刑級距、擴張杖刑數目等方式加強刑罰力度，取消複式刑罰結構。烏古孫良楨則採取較折衷的改革方案——「加徒減杖」，此辦法可分爲兩部分，一是加徒，一爲減杖，目的都是爲了維持一罪一刑的

〔註54〕本表所見阿拉伯數字表現的爲徒刑附加杖或代換杖數字，如有「+70」即表示附加杖七十下之意。「=」爲代換杖之意。

用刑原則。雖說是加徒，但其實原先就是「徒刑」的刑罰，所以重點在於第二部分的減杖。「減杖」顧名思義即是減少杖刑數目，那要減少多少？「加徒減杖」既要加徒，又要減杖，徒一年如上表所示，唐宋律都是相當於杖一百二十下的刑罰。按舊律的概念，笞杖罪加等入徒刑位階時，僅執行徒一年之刑，因徒一年之刑已包含笞十乃至於杖一百的刑罰。職是之故，犯罪加入徒刑應減去原先較低刑等的杖一百下，因爲杖一百爲徒一年所吸收，不須執行。

按舊律「家無兼丁」折換，徒一年是杖刑位階的最大值再加二十下，元制笞杖法定上限一百七下加二十下，即一百二十七下。徒一年，法定勞役360日〔註55〕，減去唐宋〈獄官令〉中規定每旬放假1日，臘、寒食各給假2日，共有40日的法定假期，〔註56〕360－40=320，尚餘320日的役期。我們可以自《刑部・諸毆・拳手傷》中得出結論，笞十乃至五十下，每十下應役十五日；杖六十乃至杖一百的杖數，每十下應役二十日的比例來計算加杖數與徒役日期的對應關係，展開加徒減杖的計算。爲了解決一罪二刑的問題，基於一罪一刑的原則將「徒一年位階」約等於的決杖數目減去，因爲徒一年的勞役刑罰中，已經包含之前較低階的笞杖刑，需先減去重複的杖一百二十七下。

日數與杖數單位不一致，爲了計算不得不將決杖數目換算成對應的勞役日數，徒年日數減掉杖一百二十七下可折的日數，雖然元代杖刑尾數爲七，但不影響十下一等加減的級距。將笞杖刑轉寫成徒役日數，一百二十七下可視爲七下加上 12 等的十下，而這 12 等中有 6 等是屬於笞刑的等第，故 6×15=90 日；又尚有 6 等屬於杖刑等級，故 6×20=120 日，統計杖數抵徒役日數得到 90+120=210 日，原先相對位階杖數等於服役 210 天。徒役一年 320 應役天數，減去杖數可抵役期日數 210，320－210=110 天，得出了高於一百

〔註55〕 （唐）長孫無忌等撰，《唐律疏議》，卷六，〈名例〉「稱日年及眾謀條」，頁140～141。（宋）竇儀著，薛梅卿點校，《宋刑統》，卷六，〈名例〉「雜條門」，頁116。內容亦同，諸稱「年」者，以三百六十日。

〔註56〕 中國社會科學院歷史研究所天聖令整理課題組校證，《天一閣藏明鈔本天聖令校證：附唐令復原研究》（北京：中華書局，2006），卷二十七，〈獄官令〉宋16條，330頁。（宋）竇儀著，《宋刑統》，卷三，〈名例〉，頁58，所引《獄官令》與（日）仁井田陞著、栗勁、霍存福等編譯，《唐令拾遺》（吉林：長春出版社，1989）〈獄官令〉復原第十八條，頁707。關於徒囚放假規定大致相同。

二十七下可抵的勞役天數。前面的計算完成了「加徒」，將可以折抵徒一年位階的決杖數目處理完畢，成為徒一年，而尚未被折抵掉的日數要如何處理？

因為徒役一年約等於杖一百二十七下，減去相等的刑度剩下 110 日，這110 日無法加役，倘若加役 110 日則破壞徒一年的徒年年限，所以就只有轉換成笞杖數目，才能維持徒一年的法定役期。「加徒」當刑名等級進位到徒刑位階時，減去原本包含在徒以下的低階身體刑，此時因加入「徒刑」減去笞杖刑的刑罰，而此「減杖」只有減少原先相等於該位階的「決杖數目」，最後剩下的天數再換成杖數，即為附加決杖的數字，它不是被重複計算到的刑罰位階。繼續未完的計算，一年應役日 320 日減去徒一年合杖一百二十七可折算的 210 日，剩下 110 日。照折算杖數等第的方式換算為決杖數 110，可拆解為15 日十下的笞刑六等，加上 20 日十下的杖刑一等，得出合杖六十七下的結論。職是之故，元代刑罰框架中「徒一年」的刑罰位階，正式定制為「徒一年，杖六十七下」，加徒減杖之制正式完成。

在此提供一些前輩學者對「加徒減杖」的觀點，宮崎氏：因為擊打一百零七杖以上太過殘酷，所以對一百零七下以上的刑罰，採用了削減其正刑杖刑的擊打數目而附加以徒刑的做法，這個體系因而被稱為「加徒減杖法」。〔註 57〕

姚、郭兩位先生於〈《泰和律》與元初的刑政〉一文認為「與舊例相比，新定刑律對同樣情節罪行的處罰是科以徒刑而減少杖數。因此《元典章》編者將徒一年附加決杖六十七至徒三年附加決杖一百七的新增刑制稱為『加徒減杖例』。」〔註 58〕

兩位前輩學者皆注意到「加徒減杖」與大德年間頒布〈強竊盜賊通例〉有關，但卻未發現與〈強竊盜賊通例〉有援引對照關係，犯罪類型相近的情況，部分量刑模組幾乎照抄年代更早的元貞〈侵盜錢糧罪例〉，該例早已將加徒減杖的結果表列施行。加徒減杖是對於金元轉換後出現生刑太輕、死刑難犯的結構性刑罰失衡提供的解決之道，是故「加徒減杖例」並非對於擊打一

〔註57〕宮崎市定，〈宋元時代的法制與審判機構──《元典章》的時代背景與社會背景〉，收楊一凡總主編，《中國法制史考證》丙篇，第 3 卷，「日本學者考證中國法制史重要成果選譯・宋遼西夏元卷」，頁 25。

〔註58〕姚大力、郭曉航，〈泰和律與元初的刑政〉收入蕭啟慶主編，《蒙元的歷史與文化：蒙元史學術研討會論文集》（臺北：臺灣學生書局，2001），頁 477。

百零七杖以上太過殘酷所提出的解決方案,唯〈中統權宜條理〉決杖雖多,不過一百零七的世祖成憲,應該不會輕易被繼體嗣位的新大汗破壞。

再者,《元典章》的編者依據現有的法令編輯,不應創制出「加徒減杖」一個英宗至順帝時大臣一再上言的改革意見。這般預言式的書寫不太可能出現在編輯現有法令的書籍之中,當然也不排除坊間俗稱,有可能與後來的大臣有所暗合,但即使如此,其制度的內容與性質也不大可能完全一致,宮崎與姚氏應是落入依資料望文生義,先入爲主的窠臼,並未將其放在時間順序或是犯罪類型上來考察「加徒減杖」,抑或是將其放在調節元代刑罰輕重失衡的結構性問題上,觀察它所帶來的功效。

利用徒役日數與以杖折徒的換算,確立了徒刑中徒一年爲徒一年與杖六十七兩部分,對於遼代以降一直爲人詬病的一罪二刑問題,遼金兩代未能處理完,元代的刑罰設計則完成了定調。繼續維持複式刑制一罪二刑的設計,但設計上不脫《唐律》的設計框架,維持五等徒,一至三年,每半年加一等的古典原則。附加杖數目不似金代採一年一等十下,而改用類《唐律》式的半年一等十下,自六十七累加至一百七,這樣的「加徒減杖」絕不是曹伯啓、烏古孫良楨兩位大臣希望的改革內容。在此同時,爲因應國家征討需要出軍、種田、流遠等多采多姿的新式刑名出現,配合著大朝的特質,輔以五刑之名,開啓富有元代特色的創制。

這一套加徒減杖後出現的刑制,主要以徒刑或流刑的附杖數目存在,在《元典章》中有時有標明附杖數目,有時僅書寫徒年年數,不細寫附杖數目。大德年間的罰則大多只寫徒年不言杖數,爲大德時期法律書寫的特色之一。

元初的私鹽罪徒二年,杖七十;僞鈔罪杖一百七,徒一年,這些事關國計稅收徒刑也採取複式刑制的設計,但不像元貞年間以後發展出的加徒減杖例有上下位階,徒年年限與附加杖數呈現一定的函數關係。這個加徒減杖後的元代新徒刑以強盜、竊盜的罰則出現,成爲元代中後期常見的笞杖刑之一。〔註59〕

〔註59〕宮崎與姚氏的研究都指出〈強竊盜賊通例〉所展現的刑制爲元代新定一較完整的刑罰體系,之後就較少更動,詳參宮崎市定,〈宋元時代的法制與審判機構──《元典章》的時代背景與社會背景〉,收楊一凡總主編,《中國法制史考證》丙篇,第3卷,「日本學者考證中國法制史重要成果選譯・宋遼西夏元卷」,頁24~25。姚大力,〈論元代刑法體系的形成〉收入氏著,《蒙元制度與政治文化》(北京:北京大學出版社,2011),頁306~308。

第四節　結　語

　　本章依循前輩學者的研究路徑，開啓對元代刑罰體系的新認識。首先，宮崎市定所主張的機械式金元刑制轉換並不存在，筆者以爲，應該以各種單行法法規的立法創制，來思考金元之際的轉換。笞杖刑的設定來源，依據所犯案由與立法的創制原因可分爲四種：一、轉換自唐宋律典與《泰和律》中的原始設定笞杖刑。二、「以七爲斷」之前的元代正刑和「聖旨條畫」的舊法。三、替代舊律中的徒流刑等轉換之刑。四、「加徒減杖例」後的徒刑附加刑。

　　第一種與第三種都涉及金元轉換的刑名繼承，差異在於一個不發生刑種的轉換（身體刑轉身體刑），一個涉及徒刑轉換成杖刑（自由刑轉身體刑）的降階轉換，雖然如此，這兩種主要都是以一般刑事犯罪爲對象。與之相對是第二種「以七爲斷」之前的元代正刑和部分「聖旨條畫」舊法，此種笞杖刑不受「以七爲斷」的效力約束，仍保持尾數爲十的舊律傳統，該類笞杖刑多以犯私鹽、私酒、匿稅這種經濟犯罪爲主要打擊對象，明顯與其他笞杖刑不同。第四種是最晚發展出來「加徒減杖例」的附加杖刑。這種刑名，可以將之視爲調和金元刑名轉換後所造成的刑罰輕重失衡，以及元貞和大德年間刑制整備運動的衍生物。「加徒減杖例」與前述三種笞杖刑的差異處，是前者本身並非主刑，是自由刑的附加刑，需要與一定的徒流刑配合，方爲一完整的刑度，此乃「近世新五刑」中自由刑度的重要組成份子之一。

　　元代笞杖刑依舊保持其主刑的地位，在犯人被判爲徒流刑時，便改以附加刑的型態出現。整體而言，刑名運用手段的靈活與新舊制度並存是元代笞杖刑的特色。元代笞杖刑既有單純的繼承轉化，也有自我的改革創新，基於不同案由以及受制於「聖旨條畫」或舊律的效力約束，乍看之下似乎顯得雜亂無章，但仔細深究，卻仍可掌握其立法思維。

　　質言之，這種立法思維不外乎配合大汗們的意志，本文探討的元代笞杖刑正是一個明顯的例子。同樣可見於薛禪汗（元世祖忽必烈的國語稱號）所謂的「天饒他一下，地饒他一下，朕饒他一下」，減三「恩惠」造就的「以七爲斷」杖數特色。同時，〈中堂事記〉記載的〈中統權宜條理〉嘗言，「決杖雖多，不過一百七下」的聖訓，規範了杖數的上限，在在說明法律是主權者的話語，反映統治者的價值取向與統治目的。因此以元代法律發展中所遭遇的困難與元廷提出的解決方案，利用主權者的話語來研究或許應是還原元代刑法的一條究竟道路。

第三章　元代的徒刑

第一節　問題的提出

　　本章討論五刑體制中屬於自由刑的徒流刑。一般徒刑的特色在於離鄉背井、失去一定程度的人身自由、在指定的地方服勞役。元代徒刑特色則是來源混亂、新舊並呈、附加手段多元、均附加杖刑等。

　　唐以後徒刑的演變出現兩種趨勢，在北系的遼、金方面一個是出現了復古（類似）隋代徒刑附有杖刑的設定方式，即梁肅所言「一罪而具二刑」的特色，另一個則是徒年年限的擴張，出現了五年乃至終生的年限。《唐律》的刑罰設計中，在特別情況下（如官當抵罪時）有三流比徒四年的換算規定，《唐律疏議・名例律》「官當」條（總 17 條）：「以官當流者，三流同比徒四年。」〔註1〕但實際上論罪定刑時，徒刑刑等最高刑度為徒三年，因此這個徒四年僅是為了官當折抵時所設的虛階，非實有其刑。順便要說明一下，《唐律》原有因身分特殊不適合服徒刑的人，設有特殊換刑條款。如：《唐律疏議・名例律》「犯徒應役家無兼丁」條（總 27 條）：「諸犯徒應役而家無兼丁者，妻年二十一以上，同兼丁之限。婦女家無男夫兼丁者，亦同。徒一年，加杖一百二十，不居作；一等加二十。流至配所應役者亦如之。若徒年限內無兼丁者，總計應役日及應加杖數，準折決放。盜及傷人者，不用此律。親老疾合侍者，仍從加杖之法。」〔註2〕

〔註1〕（唐）長孫無忌等撰、劉俊文點校，《唐律疏議》（北京：中華書局，1983），卷一，〈名例〉，頁 44～47。

〔註2〕（唐）長孫無忌等撰、劉俊文點校，《唐律疏議》，卷三，〈名例〉，頁 72～74。

　　《唐律疏議・名例律》「工樂雜戶及婦人犯流決杖」條（總 28 條）：「諸工、樂、雜戶及太常音聲人，犯流者，二千里決杖一百，一等加三十，留住，俱役三年；若習業已成，能專其事，及習天文，并給使、散使，各加杖二百。犯徒者，準無兼丁例加杖，還依本色。其婦人犯流者，亦留住，流二千里決杖六十，一等加二十，俱役三年；若夫、子犯流配者，聽隨之至配所，免居作。」〔註3〕

　　《唐律疏議・名例律》「官戶部曲官私奴婢有犯」條（總 47 條）：「諸官戶、部曲、稱部曲者，部曲妻及客女亦同。官私奴婢有犯，本條無正文者，各準良人。若犯流、徒者，加杖，免居作。應徵正贓及贖無財者，準銅二斤各加杖十，決訖，付官、主；若老小及廢疾，不合加杖，無財者放免。即同主奴婢自相殺，主求免者，聽減死一等。親屬自相殺者，依常律。」〔註4〕

　　以上三條文屬於《唐律》中對於身分、性別、職業等諸多因素不便服徒、流刑之特殊規定，原則都以加杖的方式代換原先的流、徒的遷徙或居作的服刑內容，但都僅止於代換刑的方式存在。

　　遼制三等徒一年半、五年、終生分別附有三百、四百、五百下的身體刑。刑法志所載之刑制，實際運作時，卻常出現把刑期爲終生的徒犯，敕令服完五年勞役年限即放還的情形，此處「放還」可當作爲一般有年限的徒刑犯，服刑期滿役畢放回，如遼道宗大安四年（1088）五月丁巳有詔免役徒，終身者五歲免之的紀錄。〔註5〕

　　金代沿襲遼法，並有修改，發展出揉合唐、遼共分七等的徒刑，計有徒一年、徒一年半、徒二年、徒二年半、徒三年，與可以視爲流刑的徒四年、徒五年。其附加決杖的對應關係多有改變，不過以五個滿年爲等劃分則有六十至一百下，五等附加杖與之對應。

　　南系方面，自北宋《宋刑統》於名例篇將宋太祖所創折杖法的敕編排入內，宋代的徒刑執行於法定規範內，可以用一定數量的脊杖代換徒刑的執行，〔註6〕不一定要服勞役，是故《文獻通考》有「流罪得免遠徒，徒罪得免役年，

〔註3〕（唐）長孫無忌等撰、劉俊文點校，《唐律疏議》，卷三，〈名例〉，頁 74～76。

〔註4〕（唐）長孫無忌等撰、劉俊文點校，《唐律疏議》，卷六，〈名例〉，頁 131～132。

〔註5〕（元）脫脫等撰，《遼史》（北京：中華書局，1974），卷二十五，〈道宗紀〉，頁 296～297。

〔註6〕魏殿金，《宋代刑罰制度研究》（濟南：齊魯書社，2009），頁 49～72。

笞杖得減決數」﹝註7﹞之語。但爲了對應日後惡性重大的犯罪設有配流、刺配等刑制補足行折杖法之後減輕的懲治力道。但也導致南北兩系同時出現複式刑罰架構處理原先舊律中的單一犯罪行爲。

　　以上是元以前徒刑的發展，兩方發展方向不一。前者是增加刑等延長年限與附加杖刑；後者是以折打脊杖與另立有刺配、配流外地的刑罰手段恢復原先《唐律》設計時保有強制移動犯人於特定地點勞動的特質。

　　筆者要問的是：元代徒刑的發展爲何？〈中統權宜條理〉的頒布，讓元初的刑事犯罪原則上不存在實際遷移服勞役。爲何日後元廷會恢復徒刑的勞役性質，並且定爲徒一年，杖六十七？這段從無到有的過程，元政府是如何經由司法實務案例或立法條文的累積，發展出自己一套徒刑位階的刑罰？以上都是本章要處理的問題。

　　此外，以往學者大多認爲元代的刑罰體系是於大德年間頒定〈強竊盜賊通例〉之時方爲完備，姚大力先生即持此一看法。﹝註8﹞但筆者認爲元代刑罰中負責處理重大犯罪課罪主體刑度「徒刑」，其制度來源設定始末，姚氏交代不清；另一方面，對於徒刑一罪具二刑的特性也無交代。﹝註9﹞是故此章試著以元代最早的徒刑設定犯罪出發，探討有元一代徒刑的設立與變遷。

第二節　徒刑的恢復原因

　　關於元代五刑之中徒刑的恢復，我們可以將徒刑的適用對象依據案由分爲兩大類，第一類是在笞杖刑部分提過，中統年間頒布的〈恢辦課程條畫〉中違反私鹽、私酒、私茶一類徒二年、杖七十的處刑規定，與其衍生出來彼此有援引適用關係，如私茶比同私鹽此類有害國家榷貨犯罪行爲，﹝註10﹞因

﹝註7﹞　（元）馬端臨，《文獻通考》（北京：中華書局，1986），卷一六八，〈刑考七〉，頁1641。

﹝註8﹞　姚大力，〈論元代刑法體系的形成〉收入氏著《蒙元制度與政治文化》（北京：北京大學出版社，2011），頁306～308。

﹝註9﹞　姚氏將〈侵盜錢糧罪例〉的頒布與日後大德年間〈強竊盜通例〉已將做連結討論，但未處裡元代徒刑定制，徒一年杖六十七的原因爲何？姚氏的說法參姚大力，《蒙元制度與政治文化》，頁302～309。

﹝註10﹞　請參不著撰人，《大元聖政國朝典章》（臺北：國立故宮博物院，1976），卷二十二，〈戶部・課程・私茶同私鹽科斷〉，頁818。爲行文方便以下簡稱本書《元典章》。

爲〈恢辦課程條畫〉的效力，不受〈中統權宜條理〉所規範刑制轉換原則影響，故保留承自《金律》一罪二刑的複式刑罰框架。第二類是非關國家權貨犯罪的一般強盜、偷盜、詐欺等案由所處置的徒刑。這兩類設計的來源不一，一個受金元刑制轉換影響，對於徒年與附加杖數的關係，要到成宗大德年間才發展出大致穩定的徒杖相對關係與位階。

　　本節以第二類的徒刑設立爲討論對象。關於一般犯罪徒刑的恢復可從世祖朝對於盜賊的懲處問題來觀察，下面即以程鉅夫的一則上書談徒刑在一般刑事案件是如何恢復的。程鉅夫《程雪樓文集》卷十〈民間利病〉載：

> 盜之害民，劫盜爲甚，劫盜不已，群盜生焉。故自古立法，劫盜必死。江南比年殺人放火者所在有之，被害之家纔行告發，巡尉吏卒名爲體覆，而被害之家及其鄰右先以騷然。及付有司，則主吏又教以轉攤平民，坐展歲月。幸而成罪，又不過杖一百七，而枝蔓逮捕，平人之死獄中者乃十四五。況劫盜幸免，必圖報復，而告發之家無遺種矣，被賊劫者誰敢告發？盜勢日張，其禍何可勝言！夫諸藏兵器者處死，況以兵器行劫，而罪乃止於杖，此何理也？故盜無所畏，黨日以多。今後強盜持軍器劫人財物，贓證明白，只以藏軍器論罪，郡府以便宜從事，並免待報，庶使凶人警畏平民安帖，其於治勢實非小補。〔註11〕

　　上文是程鉅夫於至元二十四（1287）年上言民間利病的奏議，文中強調針對持械強盜的行爲提出以藏有軍器的條文論罪處死。其中「劫盜杖百單七」的原因已於前文說明過了，指出金元刑制轉換出現的重大缺失，出現死罪難犯，生罪太輕的現象，原先五刑體制中徒流刑不行用，造成刑輕而無法阻奸的副作用，達不到原先雖曰減輕，期於不犯之目的。職是之故，需要一個比杖刑重的刑罰位階存在，因此須將徒刑實刑化回復其強制勞役的性質。

　　仔細推敲程氏主張以私有軍器的重罪處理持有武器搶劫的案件，與至元八（1271）年二月四川行省也速帶兒言：「比因饑饉，盜賊滋多，宜加顯戮。」詔令羣臣議，安童以爲：「強竊盜賊，一皆處死，恐非所宜。罪至死者，仍舊待命。」〔註12〕可知部分大臣與程氏主張相似，想以死刑來處理嚴重的盜賊

〔註11〕 （元）程鉅夫，《程雪樓文集》（元代珍本文集彙刊），卷十，奏議存薰〈民間利病〉，395～396頁。

〔註12〕 （明）宋濂等撰，《元史》（北京：中華書局，1976），卷七，〈世祖紀〉，頁133。

風氣。世祖君臣對於盜賊滋眾不願以一律處死處理，對於遭擒獲的盜賊是否配役來徵討其對社會治安的危害，此時君臣間沒有出現這樣的想法，只有不可輕易處死的共識。但到了至元二十三（1286）年夏中書省臣言：「比奉旨，凡爲盜者毋釋。今竊鈔數貫及佩刀微物，與童幼竊物者，悉令配役。臣等議，一犯者杖釋，再犯依法配役爲宜。」帝曰：「朕以漢人徇私，用《泰和律》處事，致盜賊滋眾，故有是言。人命至重，今後非詳讞者，勿輒殺人。」〔註13〕此時的議論已經出現「悉令配役」的處置方式，但相關細節不明。

關於針對強、竊盜徵倍贓之原則，漢地的唐宋舊律傳統中已有，但北亞系游牧民族的法律傳統對賠償卻有不同程度的重視與思考，一如仁井田陞所言，在社會統制力未發達的階段，以復仇或報復的手段解決爭端，隨著社會日漸發展出現第三者（政治權威）調停兩造爭端，改以一定數量的財貨賠償取代原先的暴力復仇。之後更出現強而有力的政治權威將之前賠償制度劃一化，定額乃至於定率化成爲法律傳統，向加害人要求一定數量的財物以作爲刑罰。如此呈現三階段的演進報復→賠償→賠償法制化。〔註14〕

蒙元朝廷的法律傳統有所謂「和平錢」，〔註15〕是針對罪犯造成的社會秩序危害給予的經濟處罰，犯罪者須支付一定數量的財產當作處罰。部分比例給被害人，部份給政府，即忽必烈汗「凡爲盜者毋釋。今竊鈔數貫及佩刀微物，與童幼竊物者，悉令配役。」有犯罪所得的交出不法所得，無力支付的配役，以役代償，讓原先打屁股了事的強竊盜犯，支付「和平錢」給主權者（政府）達成原先北亞式復仇賠償的刑罰傳統。忽必烈汗對於漢地式的刑罰不滿，提出一種較符合舊俗的處置方式，這種對於犯罪者要求勞役賠償的報復思維，促使徒刑恢復其強迫服役一定年限的賠償性質，從偏向侵犯官錢糧、犯茶鹽的損害

〔註13〕（明）宋濂等撰，《元史》，卷十四，〈世祖紀〉，頁289。
〔註14〕關於游牧民族刑法發展的過程日人研究頗豐，島田正郎於《北方ユーラシア法系の研究》第九章〈刑法〉多有整理介紹可參看。島田正郎，《北方ユーラシア法系の研究》（東京：創文社，1981），頁297～301。文中島田雖對仁井田氏的部分說法多有修正與質疑，透過大量史料考證，不認爲仁井田氏所言蒙古法制發展方式是各民族刑法發展的共通典型，但對於復仇→賠償→賠償法制化的三階段論亦表贊同。
〔註15〕北亞民族對於殺人、賊盜、傷害及姦淫犯罪時，有重視賠償的刑罰傳統以支付和平錢或罰金論處，此點與中國傳統法律重視「實刑主義」不同，相關討論可參見島田正郎，《北亞洲法制史》（臺北：中國文化學院，1963），頁10～14。

賠償轉化爲觸犯刑憲時的科罰實刑，最後成爲針對重刑累犯的量刑手段。下面舉忽必烈針對侵盜官錢犯罪的裁示，觀察他對配役一事的態度。

【侵盜官錢配役】至元二十三年（1286）四月二十三日，中書省：奏過事內一件：「係官的庫裏、倉裏錢物偷了來的、少了來的，拿著底人多有。錢陪不起呵，他底田產、人口、頭疋底，不揀甚麼，准折屬官，（他）地不勾呵，保人根底交陪者，更不勾呵，本人根底交配役，他每工錢算著，那錢數到呵，放呵，怎生？道來。」麼道，奏呵，「交保人每陪底，知它怎生有？然那般依著您底言語者。「偷了錢物來的賊每根底，不合放。」麼道，聖旨有呵，回奏：「爲去年行了來的詔書，聖旨已前偷了官錢的、侵使了來的根底，那般道來。」麼道，奏呵，「索甚麼那般者道有赦放麼道，賊每哏多了也。錢陪不起呵，他每根底交擔著糧食，步行的交種田去者。」麼道，聖旨了也。欽此。〔註16〕

對於官物錢的追討態度，是盡可能地將犯罪者之土地、牲畜、驅口、及本人勞動力乃至保人等都當作賠償的來源。以此觀之，對於大汗，刑罰不是重點，重點在於賠償，而這種賠償的思維與漢地本身的法律傳統無關，犯罪贓值多寡與刑度輕重不作爲是否配役思考因素，僅僅是對於損害的單純報復思考使然，此種報復不唯實際財貨損害，還推廣至抽象的損害國家治安之「和平錢」。與本紀中「今竊鈔數貫及佩刀微物，與童幼竊物者，悉令配役。」皆顯現對於役使犯人服役意願之強烈，故可推斷一般案件徒刑配役的恢復，除客觀上生刑太低死刑難犯，法輕不得止奸之外，尚有世祖嗜利渴求勞動力的統治心態因素，兩因素相互作用之下，元廷恢復金代舊有的複合式刑罰框架，並將其安排至徒流刑等之中。

第三節　腹裏地區的徒刑適用推廣

上一節提到元代徒刑恢復勞役的原因，是因金元刑制轉換造成死刑難犯、生刑太輕，刑罰位階失衡的後遺症。再加上元廷固有北亞式報復賠償的觀念使然。但上一節所舉例子中，至元八年前沒有看到一般刑事案徒刑執行勞役的資料，至元二十三年時臣僚言「偷了錢物來的賊每，根底不合放」是

〔註16〕《元典章》，卷四十七，〈刑部・諸贓・侵盜官錢配役〉，頁 1609～1610。

去年頒行的聖旨，故可研判至元二十二年時已有針對「不合放的賊每」處置之法，該處置之法當為徒流刑這類的自由刑，至元八年到二十三年這時期有關配役、徒役的資料，觀察「不合放的賊每」要如何處理？以下列《元典章》中關於配役人犯行政的記載：

> 【賊人發付窰場配役】至元十二年（1275）十一月，中書兵刑部承奉中書省劄付：據審斷大都路罪囚官，兵刑部即（郎）中（中）呈：「切見大都配役盜賊，在先体例，但有切盜，總管府取訖招伏，估贓，申呈兵刑部，卻關行工部，行下少府監，轉下窰場，纏時配役，委是淹禁。今後但有捉獲切盜，取了招伏，先令總管府發付窰場配役，然後開坐本賊入役月日、所犯情由、估贓價貫，申部定立限次，關發行工部照會，似望不致淹禁。呈乞照詳」事。都省准呈，仰依上施行。〔註17〕

上述記載可推斷，至元十二年之前已有針對竊盜的賊人配役的行政流程。可知最晚在至元十二年時，有一套對應竊賊論刑配役的制度，且事關三個單位，地方的總管府、中央的兵刑部及工部，〔註18〕三者需彼此配合，這個恢復實際勞役性的徒刑方能運作。故有本公文要求直接由總管府將囚徒帶到窰場服刑，減去刑部行文工部發遣罪犯的行政流程，加速行政效率。另一方面也反映將原先打屁股了事的徒刑代換執行方式，回歸到傳統徒刑發配勞役所需付出的行政成本代價不小。於此同時，除了徒刑恢復勞役性質之外，原先《唐律》式的流刑也以附有特殊任務的徒刑出軍、種田的身份恢復。（相關部分於流刑的恢復部分做探討。）

以下舉一個奴隸犯盜配役與否的個案接續討論，該案例內容如下：

> 【奴拐主財不刺配】至元十二年（1275）十一月，中書兵刑部：據大都路申：『逃驅王再興狀招：「不合拐帶本使溫署令錢物罪犯。」蒙審斷罪囚官議得：「王再興所犯偷拐本使錢物，同賊一般，發付窰

〔註17〕《元典章》，卷四十九，〈刑部・諸盜・賊人發付窰場配役〉，頁1696。

〔註18〕元初未有六部分別設立之規劃，先有兵、刑、工部為右三部，兵部、刑部在創制時期有設為兵刑部，中統至元時期兵刑部有二次編制右三部，二度併為兵刑部與二次分設兵、刑部。之後六部分設成為定制。詳情可參《元史》，卷八十五，〈百官一〉，中兵部與刑部的記載，頁2140～2143。關於元代六部詳細討論可參張帆，〈金元六部及相關問題〉收入蕭啟慶主編，《蒙元的歷史與文化：蒙元史學術研討會論文集》（臺北：臺灣學生書局，2001）頁423～461。

場配役。」除將本人權行發下居役外，乞照詳』事。省部議得：王
再興所犯，即係奴拐主財，如主人求免，即聽。難同偷盜他人財物。
擬合量情斷決，分付本主。今有審囚官擬斷配役。爲此，呈奉到都
堂鈞旨：「依准本部所呈。」奉此。〔註19〕

　　本例同爲至元十二年的案例，本重點因素是犯罪者與苦主之間有主奴關
係。按照原先漢地（唐宋金律）的傳統，法律保障主人對於奴婢的役使權，
當發生奴婢相互鬥殺的情況，〈名例〉律中保有若主人請求，奴可免死的規定，
基於該規定，殺同主奴婢免死可處杖二百。〔註20〕舉輕明重、舉重明輕的法
律推理下，奴盜主財不刺配，依舊維持舊律中保障主人役使奴徒的權利。至
於不刺配的代換刑應該也是一頓打屁股的笞杖刑。不過此例明確的點出至元
十二年時已普遍使用刺字配役的方式處理強竊盜案。

　　下舉一事討論此時期的特殊現象，本例自一件江南御史臺上報都省針對
配役勞動施行有所疑義，要求說明的公文來往紀錄說起：

　　【腹裏犯奸刺配】至元二十五年（1288）七月，行御史臺承奉江淮
　　行省箚付：近據浙西道宣慰司呈該：「爲男女犯奸，（奸婦）斷罪撒
　　放，奸夫常川〔註21〕配役，輕重不均。今後，奸夫、奸婦初犯，依
　　在先体例斷放。若是再犯，刺面配役，就令札魯花赤依上分揀斷放
　　事。照得別不見奸夫、奸婦再犯，於面上刺是何字樣、亦不見發付
　　何處、配役年限？即係爲例事理，乞明降。」得此。省府移咨尚書
　　省照驗。去後，今准回咨：「照得前項犯奸罪，刺面配役，即係札魯
　　花赤腹裏路分合行事理。都省咨請照驗，依例施行。」〔註22〕

　　此例反映了一個有趣的現象——不同地方使用不同的刑罰。因爲涉及到
配役年限與刺面字樣的施行問題提出疑問，浙西道宣慰司從通姦案件中，姦
夫要被刺字配役，姦婦卻斷罪撒放，對同罪異罰的現象提出改革意見。初次
犯姦罪用舊法處置，二次犯姦需刺字配役。此意見上報得到尚書省回覆：「犯
姦罪刺面配役，是札魯花赤在腹裏路行用的方法，請其他地區依例施行。」

〔註19〕《元典章》，卷五十，〈刑部・諸盜・奴拐主財不刺配〉，頁 1712。
〔註20〕（唐）長孫無忌等撰、劉俊文點校，《唐律疏議》卷六，〈名例〉，頁 131～
　　　　132。
〔註21〕常川，元代俗語意指時時，通常。關於該詞語詳細的解釋與其他用例可參方
　　　　齡貴校注，《通制條格校注》，頁 109，關於常川一詞的注文。
〔註22〕《元典章》，卷四十五，〈刑部・諸姦・腹裏犯奸刺配〉，頁 1560～1561。

這裡點出一個事實，腹裏路札魯花赤（蒙古制斷事官）的做法在當時得到元廷認可推廣適用，但日後所見犯姦罪的處罰案例多為杖七十七下、六十七下的刑罰。這個犯姦配役的做法，並沒有在日後司法運作中成為定例，如《元史・刑法志》「姦非條」所示：「諸和姦者，杖七十七；有夫者，八十七。誘姦婦逃者，加一等，男女罪同，婦人去衣受刑。〔註23〕」並不見有關配役徒刑的記載，再者「強姦有夫婦人者死，無夫者杖一百七，未成者減一等，婦人不坐。〔註24〕」依照無夫減刑一等的原則，減死一等應入流刑，但卻只有處杖一百七。通篇有關姦罪的處刑加減例，竟呈現如同元初適用〈中統權宜條理〉時，只有笞杖身體刑與死刑的刑度設計。順便一提，該例之後有大德元年〈犯奸再犯〉例，該例結論提出再犯加等二等的處置，對配役一事只言斷放無多著墨。〔註25〕

　　如此正好反映出世祖至元二十五年前後到成宗大德年間，徒刑恢復實行勞役時官員對於刑罰輕重的思考。普遍濫用「刺字配役」的手段，又加上札魯花赤（蒙古制斷事官）應該多由蒙古人擔任，其對舊律、舊例（此處不論是唐宋律或金制）不甚了解，自行設計刑罰框架的混亂現象。故南北異制在當時司法運作中是不可避免的弊病。

　　配役徒流恢復勞役性質的刑罰是以京師（腹裏）大都路為主，元廷直轄地區先行施用後推廣至各行省。以上三例，自至元十二年到二十五年的刺配案出現了一個共通之處，即「腹裏」、「大都路」在地域上同為元廷直轄地區，若與程鉅夫所言江南民間利病一比較，即可發現似乎在至元十二到二十五（1275～1288）年間，元廷直轄地區有將重刑犯處以一定年限徒刑的作法，但江南地區可能要到至元二十年代之後方推行此法，故有「前項犯奸罪刺面配役即係札魯花赤『腹裏路』分合行事理」之語，程氏「兵器行劫，而罪乃止於杖」如此相互衝突的狀況出現。

　　原先自由刑位階的刑罰多以徒年杖，以擊打一定數目的徒年杖執行刑罰，但到了恢復自由刑勞役之時，無論是管理押解罪犯公文往返，人犯刺配與否都成為實際運作上會面臨的疑難雜症。無論如何，經由這一步步的摸索，逐漸將原先徒刑的勞役性質恢復，雖然最後只針對部分的犯罪施用。

〔註23〕《元史》，卷一百四，〈刑法志〉，頁2653。
〔註24〕《元史》，卷一百四，〈刑法志〉，頁2653。
〔註25〕《元典章》，卷四十五，〈刑部・諸姦・犯奸再犯〉，頁1561～1562。

第四節　徒刑規範的成文化

一、元初所見有關刑事案件的徒刑立法

元初所見的徒刑資料，排除一般刑事犯罪因爲援引《泰和律》以笞杖刑代換徒刑不論，多爲經濟犯罪與軍器管制條例的罰則，李璮叛亂之後，元廷開始嚴格管制民間持有武器，故中統三年（1262）三月禁民間私藏軍器。〔註26〕不久，中統四年（1263）二月詔：「諸路置局造軍器，私造者處死；民間所有，不輸官者，與私造同。」〔註27〕出現持有與製造皆處死的重法，到至元五年（1268）隱藏軍器罪自一律處死的重刑轉變爲：

甲：私有全副者，處死；不成副，決杖五十七下，徒一年；令（零）散甲片不堪穿吊禦敵者，笞三十七下。

鎗或刀弩：私有十件者，處死；五件以上，杖九十七下，徒三年；四件以下，杖七十七下，徒二年；不堪使用，杖五十七下。

弓箭：私有十副者，處死；（每副，弓一張，箭三十隻。）五副以上，杖九十七下，徒三年；四副以下，杖七十七下，徒二年；不成副，杖五十七下。〔註28〕

將上述條文整理一下可得出以下兩表：

表2-1：隱藏軍器罪名刑度表1

隱藏軍器狀況		刑度
種類	數量	
甲	全副	處死
	不成副	杖五十七，徒一年
	不堪穿戴	笞三十七
鎗刀弩	十件以上	處死
	五件以上	杖九十七，徒三年
	四件以下	杖七十七，徒二年
	不堪用	杖五十七

〔註26〕（明）宋濂等撰，《元史》，卷五，〈世祖紀〉，頁83。
〔註27〕（明）宋濂等撰，《元史》，卷五，〈世祖紀〉，頁91。
〔註28〕《元典章》，卷三十五，〈兵部・軍器・隱藏軍器罪名〉頁1249。

弓箭	十副以上	處死
	五副以上	杖九十七，徒三年
	四副以下	杖七十七，徒二年
	不成副	杖五十七

表 2-2：隱藏軍器罪名刑度表 2

刑種	刑度	隱藏軍器犯罪情況
死	處死	甲全副、刀、槍、弩、弓十件以上
徒	杖九十七下，徒三年	刀、槍、弩、弓五件以上
	杖七十七下，徒二年	刀、槍、弩、弓四件以下
	杖五十七下，徒一年	不成副甲
杖	杖五十七下	不堪使用槍、刀、弩
笞	笞三十七下	不堪穿戴甲

　　兩表對照即可發現，刑度可分為攻擊性武器十件以上的處死，五件以上的徒三年、四件以下的徒二年、不成副的甲徒一年，其中徒刑的刑度設定級距皆為二等，成等差級距的設計。不堪用武器的杖五十七，不堪用的護甲笞三十七，在不堪使用的兵甲亦呈現差兩等的空間。而徒刑年分與杖刑的對應關係，不類原先金元轉換的圖表，也異於後來的加徒減杖例。本罪可謂元代最早以徒刑作為主要手段的獨立立法，其意圖一樣是針對原先一律處死的震懾立法，做更合情理的刑罰處置，故至元五年時已出現對刑罰輕重失衡的處理，即恢復原有徒刑位階來填補因金元轉換造成減少的刑制位階，讓徒刑服勞役的規定非犯私鹽所獨有。關於隱藏軍器徒犯所需服勞役的規定：

　　　　自結案起解申部月日為始，權令本處帶鐐居作。如無作院，應當處
　　　　官役，修理城隍、公廨，待報下決遣，通理月日，役滿踈放。〔註29〕
勞役上有別於犯私鹽的徒囚不限定在鹽場服勞役，改分送至當地作院、公廨、作修理城隍等雜役。再者，重新設定的徒刑附杖數目係從「國朝」新制以七為斷，唯此時徒年杖數關係尚未出現穩定的配對關係。

二、加徒減杖後的徒刑——複式刑罰的定調

　　有關徒罪的法條中以成宗元貞元年（1295）頒訂的倉庫官吏侵盜錢糧的

〔註29〕《元典章》，卷三十五，〈兵部・軍器・隱藏軍器徒年〉，頁 1250。

罰則最具規模，除延續原先《唐律》中依贓治罪的精神之外，並完整的訂出徒刑五等的刑度，詳細內容如下：

【侵盜錢糧罪例】元貞元年七月，欽奉聖旨條畫：

> 倉庫官吏人等，盜所主守錢糧，一（疑為十）貫以下，決五十七，至十貫，杖六十七。每二十貫加一等，一百二十貫，徒一年。每三十貫加半年，二百四十貫，徒三年。三百貫，處死。計贓以至元鈔為則，諸物依當時估價。應犯徒一年，杖六十七。每半年加杖一十，三年杖一百七。皆決訖居役。諸倉庫官、知庫子、攢典、斗腳人等侵盜移易官物匿不舉發者，與犯人同罪；失覺察者，減犯人罪四等。

> 諸倉庫大小官吏人等，皆得互相覺察。其有侵盜錢糧，即將犯人財產拘檢，見數准折追理。若犯人逃亡，及無可追者，並勒同界官典人等立限均陪。〔註30〕

為了方便討論，將上述有關贓值與刑度的內容稍作整理，並加上計贓級距與刑種的資料製表如下：

表2-3：元貞元年（1295）侵盜錢糧罪例刑度表

贓值	刑罰	刑種	計贓單位級距
未滿十貫	五十七下	笞	十貫一等加減
十貫以上未滿二十貫	六十七下		
二十貫以上未滿四十貫	七十七下	杖	廿貫一等加減
四十貫以上未滿六十貫	八十七下		
六十貫以上未滿八十貫	九十七下		
八十貫以上未滿一百貫二十貫	一百七下		
一百二十貫以上未滿一百五十貫	徒一年，六十七下	徒	卅貫一等加減
一百五十貫以上未滿一百八十貫	徒一年半，七十七下		
一百八十貫以上未滿二百一十貫	徒二年，八十七下		
二百一十貫以上未滿二百四十貫	徒二年半，九十七下		
二百四十貫以上	徒三年，一百七下		
三百貫以上	處死	死	

〔註30〕 《元典章》，卷四十七，〈刑部・諸贓・侵盜錢糧罪例〉，頁 1614～1615。

關於徒刑在居作勞役方面卻是到大德六（1302）年的〈強竊盜賊通例〉中小注規定「應配役人逐有金、銀、銅、鐵同冶、屯田、堤岸橋道一切工役。」〔註31〕方才明確規範徒犯要負擔的勞役內容，此外服刑年限與附加杖的對應關係，正式定爲徒一年，六十七下、徒一年半，七十七下、徒二年，八十七下，二年半，九十七下，徒三年，一百七下。至此脫離原先附著於《泰和律》七等徒刑，另外折換成笞杖執行的一時權宜之法也無存在之必要，新的徒刑或者說是元代的「原生徒刑」方告正式形成。

惟中統二年（1261），〈恢辦課程條畫〉中對於「私鹽徒二年決七十」的徒刑，有其施用的特殊規定。犯私鹽的徒犯被發下鹽司，帶鐐居役並滿日疎放。犯私鹽的徒犯只針對鹽司服製鹽等相關勞役，與一般犯罪之徒刑犯不同。又大德八年（1304），詔書內有一款「詔書到日六十七以上減輕，決免五十七以下，並行釋免私鹽徒役者減一半」的文字，〔註32〕《元史》也有言曰：「大德八年春正月己未，以災異故，詔天下恤民隱，省刑罰。雜犯之罪，當杖者減輕，當笞者並免。私鹽徒役者減一年。」〔註33〕相較於前述大德四年（1300）十一月，關於減免罪刑的詔書只言「徒罪各減一半，杖罪以下釋之。」〔註34〕其減免幅度變小。但徒以上，特別是「私鹽徒」，才在此次成爲減免之列。此事乃針對私鹽徒，而非其他徒役，故元廷在論刑考量上，讓犯私鹽者與一般徒犯有根本上的分別。因此本處討論徒刑的再重建時，中統年間所頒布的〈恢辦課程條畫〉，並不當作元代徒刑設定的開始，因爲此法不呈現與其他犯罪行爲的量刑的對照與引用關係，若有引用，也只針對於私酒、逃稅一類等攸關國計的行爲。而且附加杖的決杖數字，保留成數以十爲斷，是故，在加杖數目、徒役皆有不同的特殊性，設定的來源與始末亦不相同。

三、侵盜錢糧、盜賊通例的對照援引關係

以上討論是中統到元貞年間徒刑的演變與設定的始末，接下來要處理的爲元代中葉以後徒刑施用的主體，以盜賊、強竊盜的罪犯爲對象設計出的另一套徒刑論刑模組，該模組的特色，第一、吸收了加徒減杖制度，故維持一罪二刑的複合刑制，乃至一罪三刑，若犯竊盜，除杖、徒之外附加刺字。第

〔註31〕《元典章》，卷四十九，〈刑部·諸盜·強竊盜賊通例〉，頁1655。

〔註32〕《元典章》，卷三，〈聖政·理冤滯〉，頁98～99。

〔註33〕（明）宋濂等撰《元史》，卷二十一，〈成宗紀〉，頁456～457。

〔註34〕（明）宋濂等撰《元史》，卷二十，〈成宗紀〉，頁433。

二、該模組很罕見的四刑皆備，杖以上、有徒、有流，最重可至死，在之前元廷頒布的法律中尚未出現將單一犯罪依情節差異區分出如此細膩的層級，竊盜罪爲 13 等，強盜共有 7 等。

前所述〈侵盜錢糧罪例〉只是針對侵盜官府錢糧罪刑計贓論罪之聖旨條畫，並不直接對其他罪行發生援引對照之影響，由於舊律中「以贓計罪」的論罪原則，如《唐律疏議》中所謂的六贓，以犯罪所得之多寡，分門別類依照不同的情節事由來論罪。〔註35〕這種依照贓值多寡來議罪論刑的方式，爲元廷所學習運用，如大德七年（1303）頒定「贓罪十二章」〔註36〕即是一例，但這些只是約等於《唐律》中所謂「六贓」的枉法、不枉法贓兩種，關於強盜與竊盜贓較成熟的議處尚未出現。此時元貞元年（1295）頒定的〈侵盜錢糧罪例〉就顯得特別有意義，因其對應之罪刑約相同於《唐律》中監守自盜贓，依據《唐律》的規定爲依竊盜贓加兩等論罪。〔註37〕

此處不得不提元律遇一事立一法的立法特色，《唐律》有關依犯罪所得論刑之立法設計是六贓並立，與其不同，元代最早有關以贓計罪的完整設計卻是〈侵盜錢糧例〉，《唐律》有坐贓、強盜贓、竊盜贓這幾類原始設計，供需要計贓論罪的犯罪引用加減，如監守自盜計算方式是以竊盜加兩等，供司法實務運作；元代的設計受限於統治者對漢式律令傳統的陌生，並未立刻發展出這樣可供運作的量刑議罪模組，直到元貞年間才出現完整類似《唐律》式計贓論罪的模組。這個發展出來的模組可視爲元代強竊盜此類以贓計罪犯罪論刑模組的「祖型」。

了解這個「祖型」在元代刑事立法的地位，是總結多次的司法實務判例推衍出之結果，這個結果不可避免受當時形制設計影響，職是之故，也相當程度反映該時期刑制的實際運作，可以就強竊盜罪處刑觀察元代新生複式徒刑的發展軌跡。

回過頭看這個論刑模組出現之前元廷所提出的針對強竊盜的論刑條文。

〔註35〕關於六贓罪的研究請參吳謹伎，〈六贓罪的效力〉文收高明士主編，《唐律與國家社會研究》（臺北：五南圖書出版公司，1999），頁 161～227。關於以贓計罪原則可參吳謹伎，〈論唐律「計贓定罪量刑」原則——以名例律之規定爲主〉文收高明士主編，《唐代身分法制研究——以唐律名例律爲中心》（臺北：五南圖書出版公司，2003），頁 187～230。

〔註36〕《元典章》，卷四十六，〈刑部・諸贓・贓罪條例〉，頁 1572～1573。

〔註37〕（唐）長孫無忌撰、劉俊文點校，《唐律疏議》，卷十九，〈賊盜〉「監臨主守自盜」條，頁 358～359。

這個不成熟的條文被黃時鑑編輯之《元代法律資料輯存》所收錄，黃氏以為是《大元通制》一書中亡佚的條格部分，是故編入〈大元通制節文・諸條格部分〉，相關內容如下：

諸強盜

持杖傷人得財，皆處死。持杖不傷人得財，一百七下；不得財，一百七下。不持杖傷人者，處死；不傷人，為首者處死，為從一百七下。因盜行姦，同強盜傷人，斷處死。

諸竊盜

盜係官物得財，十貫以下決六十七下，十貫之上決七十七下，四十貫之上決八十七下，六十貫之上九十七下，八十貫之上決一百七下，一百貫之上決一百七下，出軍；為從，十貫決六十七下，四十貫至三百貫者各減一等；及窩主知情分贓，減正犯賊徒一等免刺科斷。各以至元鈔為則。盜常人財，為首得財，十貫以下六十七下，十貫之上決六十七下，四十貫以上決七十七下，六十貫以上決八十七下，八十貫以上決九十七下，一百貫至三百貫決一百七下；為從者，各減一等刺斷。〔註38〕

為方便討論，將上述條文依照官司財物與主、從犯等要素轉作下兩表：

表 2-4：《事林廣記》中所見竊官物刑度表

犯罪所得　　罪刑　　主從	主犯	從犯
十貫以下	六十七下	六十七下
十貫之上	七十七下	
四十貫之上	八十七下	七十七下
六十貫之上	九十七下	八十七下
八十貫之上	一百七下	九十七下
一百貫以上	一百七下，出軍	一百七下

〔註38〕黃時鑑點輯，《元代法律資料輯存》（杭州：浙江古籍出版社，1988）〈大元通制節文・諸條格〉，頁67～68。

表 2-5：《事林廣記》中所見竊常人物刑度表

主從 罪刑 犯罪所得	主犯	從犯
十貫以下	六十七下	五十七下
十貫以上	六十七下	
四十貫以上	七十七下	六十七下
六十貫以上	八十七下	七十七下
八十貫以上	九十七下	八十七下
一百貫至三百貫	一百七下	九十七下

（以上兩表據黃時鑑點輯，《元代法律資料輯存》所輯《事林廣記》中有關竊盜的條文）

按此爲《事林廣記》別集卷三《刑法類》所載，該書爲元至順（1330～1332）年間版本，此書雖爲元順帝時的版本，但內容有至元中統時的制度、與大德時取受贓的資料，新舊雜呈，實非一時一地有系統的抄錄，相關罰則與大德、延祐乃至《元史・刑法志》皆有所異同，而該版特色是沒有徒刑的記錄，呈現笞、杖、流、死四刑並存的情況。然似乎是大德時期的制度，因該書尚有收入大德七年（1303）三月頒布的取受贓資料，可能爲至元末期至大德初期的刑制。

推斷的原因有二，一、該處所列舉的罰則均不見徒刑配役年數，尤其是強盜罪中持杖不傷人，得財杖一百七的規定，與程鉅夫劫盜不過杖一百七的說法相同，〔註 39〕故可視爲至元末期之制。二、在竊盜罪方面，雖有官私物及主犯、從犯的區分，原則上私物減官物一等、從犯減主犯一等。但條文明顯不若日後的大德版竊盜條文簡潔，且贓值間距差異參差不一，僅有六階的差距，實不可與大德、延祐所頒之法相較，呈現單純疏闊的面貌，同時亦反映出此時尚未有完整制度化的徒刑設計，雖已出現計贓罪的論罪特色，但並不完善。其中出軍罪名的運用，實爲因應至元時期與叛王海都作戰、征日、滅宋各種戰爭之人力需求的權宜之法。

在前文已說明以贓計罪原則模組以元貞年間〈侵盜錢糧例〉爲元代計贓量刑的「原型」，這個原型很快被也需要利用計贓來議罪的竊盜罪承襲。承襲

〔註 39〕 （元）程鉅夫，《程雪樓文集》，卷十，奏議存薰〈民間利病〉，頁 395～396。

的結果即是大德六年〈強切（竊）盜賊通例〉的部分內容：

> 〔諸〕切（竊）盜，始謀未行者，四十七。已行而不得財，五十七，十貫以下，六十七，至二十貫，七十七。每二十貫加一等，一百貫，徒一年。每一百貫加一等，罪止徒三年。盜庫藏錢物者，比常盜加一等。贓滿至五百貫已上者，流。〔註40〕

將上述資料依贓值有無多寡、刑種、計贓單位的級距等要素稍作整製表：

表2-6：大德六年〈強竊盜賊通例〉竊盜罪刑表

犯罪行為階段	刑度	刑種	計贓單位級距
始謀未行	四十七	笞	十貫一等加減
不得財	五十七		
未滿十貫	六十七	杖	廿貫一等加減
二十貫以上未滿四十貫	七十七		
四十貫以上未滿六十貫	八十七		
六十貫以上未滿八十貫	九十七		
八十貫以上未滿一百貫	一百七		
一百貫以上未滿二百貫	徒一年	徒	百貫一等加減
二百貫以上未滿三百貫	一年半		
三百貫以上未滿四百貫	二年		
四百貫以上未滿五百貫	二年半		
五百貫	三年		
五百貫以上（盜庫藏錢物）	流	流	✕

　　兩罪計贓在十貫以上未滿二十貫時罪刑相同，皆為杖六十七。〔註41〕惟竊盜罪有針對未遂犯的處刑，謀而未行處笞四十七、下手竊盜不得財笞五十七。贓值未滿一百貫時，兩種贓罪皆為二十貫為單位做刑度的加減，處刑也相同。最大差異點在滿杖一百七，以後的級距竊盜罪是一百貫，徒一年，侵

〔註40〕《元典章》，卷四十九，〈刑部・諸盜・強竊盜賊通例〉，頁1654～1655。

〔註41〕〈強竊盜賊通例〉中規定「未滿十貫，六十七，至二十貫，七十七。」條文似乎讓二十貫以下的得財竊盜都只能判六十七之刑，而非如條文所示未滿十貫方坐六十七下之罪，蓋依據舊律中《名例律》數滿乃坐的原則，未滿十貫與未滿二十貫均可處六十七之刑。《元史・刑法志》關於竊盜的贓值紀錄與典章相同可參（明）宋濂等撰，《元史》，卷一百四，〈刑法志〉，頁2657。

盜錢糧罪是一百二十貫,徒一年,侵盜錢糧贓徒罪以上,以三十貫作爲加減單位,竊盜贓則是以一百貫爲單位作一等加減。竊盜贓超過一百貫罪刑後,遠較同樣贓值的侵盜錢糧罪爲輕。

我們可以明顯地發覺〈侵盜錢糧〉〈大德強竊盜通例〉的計贓論刑框架有強烈的比照關係,在笞罪等級上,竊盜贓處理預備犯與未遂犯。侵盜錢糧罪本質上是處理既遂犯,是故設定之初直接以犯罪所得多寡,向上累積加刑。竊盜罪則是將未遂犯與預備犯二種情形當作起刑,計贓加刑。此外,罪刑書寫方式已經將徒年當作正式刑名,作「徒一年」,不言附加杖數目。蓋「加徒減杖」的複式設計已成爲公式,不須明言附加杖數目,不需如同隱藏軍器罪「決杖五十七下,徒一年」這樣先書寫杖刑數目,後面再加一個徒年年限來表達刑罰,也不須如元貞侵盜錢糧例先寫徒年數,後註明「應犯徒一年,杖六十七。每半年加杖一十。」同時在杖數刑度的書寫也不言「六十七下」,只言「六十七」,在徒年與杖數的表達語序與寫法都有改易。其實前輩學者如宮崎市定先生也關注到「刑罰的書寫」差異,他提出《元典章》時期先言杖數,後標明徒年年限的寫法,到了《元史·刑法志》被改寫爲先徒年,後杖數的書寫方式。宮崎解釋因爲後來的官員已經忘了國初杖刑是正刑,徒刑是附加刑,故將原先較重的附加刑(徒刑)當作是主刑,如同大德強竊盜例一般,以徒刑爲正刑,杖刑爲附加刑的形式改寫元初的法令,故呈現先徒後杖的紀錄方式。宮崎認爲是後來官員產生混淆,才出現同個罪名不同記述的情況。〔註42〕

然而宮崎這種說法植基於他認爲元代的徒刑,最早是以附加刑的方式存在,金代的徒杖減半之法使得元初以擊打徒杖的方式執行徒刑刑罰,爲了加重刑罰力道,故將徒役以附加刑的方式,加在原先執行的徒杖之後,故書寫爲「決杖數+徒年年限」。

這個刑罰書寫的模式正好是分辨新舊制度的重要依據,一如宮崎所指出,在《元史·刑法志》中所見的笞杖數目,數字末不會加上一個「下」字,觀察《元典章》至元到元貞時期,一般案件笞杖多會加上一個「下」字,大德時卻只有笞杖數目,在數字後不會加上「下」字,可以發覺不同的記錄表

〔註42〕 宮崎市定,〈宋元時代的法制與審判機構——《元典章》的時代背景與社會背景〉,收入楊一凡總主編,《中國法制史考證》丙篇,第3卷,「日本學者考證中國法制史重要成果選譯·宋遼西夏元卷」(北京:中國社會科學出版社,2003),頁23。

現出不同時期的刑制設計。〔註43〕

茲將元貞〈侵盜錢糧例〉與大德版竊盜罪刑計贓整理並列，可得下表：

表2-7：元貞侵盜大德竊盜兩罪刑度計贓比較表

犯罪行為階段	罪名		犯罪行為階段
	〈元貞侵盜錢糧例〉	〈大德竊盜通例〉	
無	無	四十七	始謀未行
一貫以下未滿十貫	五十七下	五十七	不得財
十貫以上未滿二十貫	六十七下	六十七	未滿十貫
二十貫以上未滿四十貫	七十七下	七十七	二十貫以上未滿四十貫
四十貫以上未滿六十貫	八十七下	八十七	四十貫以上未滿六十貫
六十貫以上未滿八十貫	九十七下	九十七	六十貫以上未滿八十貫
八十貫以上未滿一百貫二十貫	一百七下	一百七	八十貫以上未滿一百貫
一百二十貫以上未滿一百五十貫	徒一年，六十七下	徒一年	一百貫以上未滿二百貫
一百五十貫以上未滿一百八十貫	徒一年半，七十七下	徒一年半	二百貫以上未滿三百貫
一百八十貫以上未滿二百一十貫	徒二年，八十七下	徒二年	三百貫以上未滿四百貫
二百一十貫以上未滿二百四十貫	徒二年半，九十七下	徒二年半	四百貫以上未滿五百貫
二百四十貫以上	徒三年，一百七下	徒三年	五百貫
三百貫以上	處死	流	（盜庫藏錢物）五百貫以上

兩罪在笞刑等級上處理贓值未滿十貫的罪。十貫至二十貫罪皆為杖六十七，而相對的杖以上犯罪皆以二十貫為一等加減，往上累加杖罪。兩者進入

〔註43〕宮崎市定，〈宋元時代的法制與審判機構——《元典章》的時代背景與社會背景〉，頁21。然宮崎認為尾數加「下」是為了與《泰和律》的刑度有所區別。

徒罪等級的門檻不一樣，竊盜贓以一百貫，侵盜錢糧以一百二十貫爲門檻。徒罪加減的單位也不一，一個是一百貫，一個是三十貫。不可諱言，兩罪皆呈現笞、杖、徒三階段，其中笞與杖所佔七、六階的罪刑與計贓方式幾乎一模一樣。兩罪計贓的引用繼承關係不言而喻，順道一提，元廷在延祐二年（1315）頒佈〈處斷盜賊斷例〉，其中關於竊盜的內容如下：

> 又偷財物賊人，三百貫以上者，斷一百七，出軍。一百貫以上者，斷一百七，徒三年。八十貫以上者，斷九十七，徒二年半；六十貫以上者，斷八十七，徒二年。四十貫以上者，斷七十七，徒一年半；（疑脫二）十貫以上者，斷六十七，徒一年，十貫以上者，六十七，斷放，爲從者，皆減一等，斷配以至元鈔爲則，又已行而不得財者，斷五十七，始謀而未行者，四十七斷放。〔註44〕

將上述內容與大德竊盜罪刑內容轉作下表：

表 2-8：大德延祐竊盜罪刑比較表

犯行階段 \ 罪刑 \ 法條	大德〈強竊盜賊通例〉	延祐〈處斷盜賊斷例〉
始謀未行	四十七	四十七
不得財	五十七	五十七
未滿十貫	六十七	六十七
二十貫以上未滿四十貫	七十七	六十七，徒一年
四十貫以上未滿六十貫	八十七	七十七，徒一年半
六十貫以上未滿八十貫	九十七	八十七，徒二年
八十貫以上未滿一百貫	一百七	九十七，徒二年半
一百貫以上未滿二百貫	徒一年	一百七，徒三年
二百貫以上未滿三百貫	徒一年半	一百七，徒三年
三百貫以上未滿四百貫	徒二年	一百七，出軍
四百貫以上未滿五百貫	徒二年半	一百七，出軍
五百貫	徒三年	一百七，出軍
（盜庫藏錢物）五百貫以上	流	

〔註44〕《元典章》，卷四十九，〈刑部·諸盜·處斷盜賊斷例〉，頁 1664。

　　延祐版與大德版面貌截然不同，保留了複式刑制，卻大幅減少原有的笞杖刑位階，僅不得財、謀而未行與十貫以上三種狀況保持原有情況，自二十貫以上的加等皆進入徒刑位階。大德延祐兩制輕重歧異頗大，大德之制贓值一百貫為徒刑的門檻，延祐之法一百貫卻是滿徒，徒三年，杖一百七。

　　似乎是加徒減杖制度的後遺症，或者是延祐期間對「加徒減杖」有另一種認知，將杖六十七以上的刑罰，改以附加徒刑的方式處理。如上表所示可發現杖六十七以上，直接接徒一年，杖六十七的徒刑位階代替舊有的杖七十七乃至一百七的刑度，呈現六十七下以上的杖刑實施「加徒減杖」，超過杖六十七下的下一階，加入徒年並加杖六十七下，成為「六十七，徒一年」又是一個濫用新制，自行間架式設計造成的輕重失衡。原本十三階變為九階，自原先的笞、杖為主體變成以徒刑為主體的設定，減少了杖七十七乃至杖一百零七這四階在刑制中的位置。

　　書寫方式先書杖刑數目，後寫徒年年限，而格式上杖數不寫決，改作斷，與大德年間一樣數字結尾不加「下」字。值得注意的是《元史‧刑法志》所收錄竊盜罪的罰則是大德版的內容，可判斷最後變成通例留下，元政書《經世大典》〈憲典〉所收的是大德版的竊盜罰則。〔註45〕延祐年間的竊盜規定日後被廢除不行。筆者推斷延祐版罰則被廢止的原因，可能是該刑罰設計上輕重失衡的重大缺陷所導致，以竊三十貫為例，若依大德之制處杖七十七，但延祐之法卻坐杖六十七，徒一年之刑，其中前後輕重相差四等，在贓值數量的設定上面超過一百貫之後只有一百貫與三百貫兩等，級距差異令人無法理解，是故大德罰則成為通例，可說是一種理性選擇的成果。

四、新舊強盜罪的比較研究

　　強盜罪與竊盜罪都屬於以徒流自由刑為刑罰主體的罪名，訂定的時候亦多與竊盜罪一起頒行，議罪時也有「以贓計罪」的特性，如《唐律》「六贓」之一即為「強盜贓」。基於以上特質，元代強盜罪名立法可以反映五刑體制在元代的變化過程。首先，大德年間亦有頒訂強盜的議罪條文如下：

　　　強盜持杖但傷人者，雖不得財皆死；不曾傷人者，不得財，徒二年

〔註45〕關於《元史‧刑法志》與《經世大典》一書的關係，可參蘇振申，《元政書經世大典之研究》，第五章，〈引用大典書考〉，頁51～66。又同書第七章〈經世大典輯佚綜考〉頁145～147均指出〈刑法志〉的內容轉鈔自《經世大典‧憲典》。

半；但得財，徒三年。至二十貫；為首者，死，餘人，流遠；其不
持杖傷人者，惟造意及下手者死；不曾傷人者，不得財，徒一年半；
十貫以下，徒二年，每十貫加一等，至四十貫，為首者，死，全各
徒三年，若因盜而奸亦同傷人之坐，其司行人上依本法，謀而未行
者於不得財罪上，各減一等坐之。〔註46〕

茲將上述條文依造持杖、傷人、與得財多寡，轉做作下表：

表2-9：大德強盜罪刑表

大德六年版強盜通例	犯罪所得	刑度
執杖傷人	不得財	死
	得財	死
執杖未傷人	不得財	徒二年半，九十七
	得財	徒三年，一百七
	二十貫	首，死、其餘，流遠
不持杖未傷	不得財	徒一年半，七十七
	得財未滿十貫	徒二年，八十七
	十貫以上	徒二年半，九十七
	二十貫以上	徒三年，一百七
	四十貫	首，死、其餘，徒三年，一百七

單純觀察大德版強盜部分條文無法發覺其特色，需與延祐版本一同比較方能
顯示出差異，延祐年間強盜相關條文如下：

強盜持杖傷人的：雖不得財，皆死；不曾傷人、不得財，斷一百七，
徒三年；但得財，斷一百七，交出軍；至二十貫，為首的敲，為從
的一百七，教出軍；不持杖，傷人，造意為首、下手的，敲；不曾
傷人、不得財，斷八十七，徒二年；十貫以下，斷九十七，徒二年
半；至二十貫，斷一百七，徒三年；至四十貫，為首的，敲；余人，
斷一百七，出軍；因盜而奸同強盜傷人，敲。余人依例斷罪。兩遍

〔註46〕《元典章》，卷四十九，〈刑部·諸盜·強竊盜通例〉，頁1654。

作賊的，敲。始謀而未行與不曾得財，減等斷罪。〔註47〕

將上述條文整理轉作下表：

表 2-10：延祐強盜罪刑表

延祐元年強盜罪	犯罪所得	刑度
持杖傷人	不得財	死
	得財	死
執杖不傷人	不得財	一百七，徒三年
	得財	一百七，出軍
	二十貫	敲、一百七，出軍
不持杖傷人	不得財/得財	死
不持杖不傷人	不得財	八十七，徒二年
	十貫以下	九十七，徒二年半
	二十貫	一百七，徒三年
	四十貫	敲、一百七，出軍

表 2-11：大德、延祐強盜刑度比較表

犯罪行為 罪刑 法條		大德〈強竊盜賊通例〉		延祐〈處斷盜賊斷例〉	
犯罪行為階段	犯罪所得多寡	刑度	刑種	刑度	刑種
執杖傷人	不得財	死	死	死	死
	得財	死		死	
執杖未傷人	不得財	徒二年半，九十七	徒	一百七，徒三年	徒
	得財	徒三年，一百七		一百七，出軍	流
	二十貫	首，死、其餘，流遠	流、死	首，敲、各，一百七，出軍	流、死

〔註47〕《元典章》，卷四十九，〈刑部・諸盜・處斷盜賊斷例〉，頁 1663。

	不得財	徒一年半，七十七		八十七，徒二年	
不持杖未傷	得財未滿十貫	徒二年，八十七	徒	九十七，徒二年半	徒
	十貫以上	徒二年半，九十七			
	二十貫以上	徒三年，一百七		一百七，徒三年	
	四十貫	首，死、其餘，徒三年，一百七	流、死	敲、一百七，出軍	流、死

　　延祐版的持杖不傷人不得財較大德版徒二年半重一等，改爲徒三年。此外因爲刑度起算基準點加重一等，造成整體結構加重一等，如持杖不傷人得財自大德的徒三年，加爲流刑等級的出軍；不持杖方面，延祐版也是在起算的基準點加重一等，自大德版不持杖不傷人不得財的徒一年半，加爲徒二年，其他情況亦是結構性的加重一等。減少了得財超過十貫但未滿二十貫這個規範，但該贓值對應刑度爲徒二年半，等於擴張徒二年半之刑所能對應的贓值範圍，自有犯罪所得乃至未滿二十貫都處徒二年半。再者，爲了因應結構性加一等的設計，廣泛運用等於流刑位階的「出軍」刑，安置在徒刑以上，死刑以下的空間中。如同竊盜罪，《元史·刑法志》所載強盜罪條文也是以大德年間的條文爲主。其原因可能受竊盜罪的影響，蓋強竊盜的立法皆是一起發布，廢止大概也是一併廢止，因此不行用延祐竊盜之制也同時停止適用延祐強盜之法。

　　我們可以透過以上不同時間頒布的法律比較發現，成宗朝發展出的刑罰系統並非一成不變地被後來的元政府接受，雖有部分的修改，但不脫元貞時期規範的徒杖對應關係。犯罪的刑罰也許加重或減輕，但刑罰體系的框架已經定型，不大會有更動，杖以上的刑罰，原則上緊接徒一年附杖六十七的徒刑，徒以上的刑罰，原則上是以流刑（出軍、種田）或直接處以「死刑」，無論是要絞、斬、或是凌遲、亦或更明快野蠻的敲，刑罰位階已大致底定。以笞、杖、徒三刑作爲構成主體的元代新生刑罰制度，歷經世祖、成宗、武宗、仁宗、英宗五朝，約莫於《大元通制》頒訂的至治年間完成定型，以後雖有微調，亦無法改變日前的發展基礎。有延祐的強竊盜賊例廢止，重用大德年間例這般刑罰輕重的修整，卻沒有創造新刑罰體系的行爲。

第五節　結　語

　　本章討論元代徒刑的設定始末，將元代的徒刑來源分爲兩種，一種是大蒙古國時爲了徵稅，援引金代對於國家權貨相關罰則，如〈恢辦課程條畫〉所規範犯私鹽，杖七十，徒二年，直接保持金代複式刑罰的設計。另一類爲一般刑事犯罪爲對象的徒刑，該種徒刑因金元之際戰亂的客觀環境，導致元初以決「徒年杖」的方式處理，原先須居作服勞役的徒刑，唐宋舊律中原屬自由刑的徒刑，失去自由刑強制移動到一定地點服勞役的特質。後因〈中統權宜條理〉行蒙古折杖法的後遺症，刑罰位階大幅縮減，造成刑罰輕重失衡，刑輕無法止奸的狀況。

　　除此之外，尚有蒙古大汗對於免費勞動力的渴求，這種渴求與中原固有的法律無涉，卻與徒刑無償勞動罪犯有所暗合。徒刑的恢復有主客觀兩種因素，前者爲大汗對勞動力的渴求，後者爲社會對刑罰位階縮水要求加強打擊盜賊的力道，爲此元廷恢復對於賊盜犯徒刑勞役性質。

　　雖然恢復一般刑事犯罪的徒刑施用，但一開始司法實踐中有許多混亂的情形存在，從史料的爬梳中可以發覺，早先徒刑勞役是自元廷中央所直轄的腹裏地區開始推廣施用，各地施行的先後不一，故有程鉅夫持械劫盜罪不過一百七，反應江南弊病的上書出現，同時在腹裏也有對於通奸罪一起施用徒刑這樣奇異的判決意見。

　　最後，有系統的徒刑設計是依據傳統六贓罪這類「以贓計罪」特質案例發展而成，透過元初到成宗元貞年間大量司法判例的累積，元廷推出針對侵盜官家錢糧行爲的立法，該立法因「以贓計罪」特色需安排一定數量的形罰位階來議罪定刑，因此將約於世祖晚年發展出的徒刑放入〈侵盜錢糧例〉之中，而後陸續頒訂的〈強竊盜賊通例〉、〈處分盜賊條例〉繼承了〈侵盜錢糧例〉一罪二刑的複式刑罰結構，正式確立了元代新制徒刑的面貌與等級。這個發展結果爲日後明清律所繼承，徒流刑均附加一定數目的杖刑，因此《唐律》徒一年的單一刑度結構徒刑已不復存在，以後的徒刑設計變爲元代的徒一年，杖六十七，明清律中的徒一年，杖六十，近世新五刑自由刑一罪二刑的設計正式定調。

第四章　元代的流刑與死刑

第一節　問題的提出

　　流刑與死刑是《唐律疏議》名例律所規範的五刑體系刑罰最重的兩個刑等，流刑是減死一等的寬宥之刑，乃是「生刑之最」，死刑則是剝奪受刑人生命的嚴厲刑罰，可謂「極刑」，〔註1〕元代的刑罰體系如同其他各朝，繼承中原舊律中五刑體系的死刑與流刑。回顧歷史，宋、遼、金法律中雖有流刑的刑度，但三朝流刑的運作卻大相逕庭。

　　首先是宋代。宋代流刑的運作乃是折杖法與配流法相配合的產物。本來，因宋太祖所立的折杖法，〔註2〕以致「流罪得免遠徒，徒罪得免役年，笞杖得減決數。」〔註3〕易言之，受折杖法的影響，宋代流刑以擊打脊杖再加上配役

〔註1〕關於五刑體系的內容可參（唐）長孫無忌撰、劉俊文點校《唐律疏議》（北京：中華書局，1983），卷一，〈名例律〉頁 3～5。至於唐代流刑方面的研究可參看辻正博，〈唐代流刑考〉文收梅原郁主編《中國近世の法制と社會》（京都：京都大學人文科學研究所，1993），頁 73～110。

〔註2〕關於宋代折杖法的演變，可參戴建國，〈宋折杖法的再探討〉，收入氏著，《宋代法制初探》（哈爾濱：黑龍江人民出版社，2000），頁 173～195。與魏殿金，《宋代刑罰制度研究》（濟南：齊魯書社，2009），頁 49～72。戴、魏兩位對於折杖法之流變有詳細研究討論。戴氏提出本刑與宣告刑的說法，點出宋代主刑有日漸減輕，原先屬於附加刑（從刑）的強度卻日益加重，與宋代廣泛運用從刑有關。此點與筆者所言「複式刑罰」的形成有異曲同工之妙。均認爲宋代出現主刑加從刑方爲一完整的刑罰的情況。

〔註3〕（元）馬端臨，《文獻通考》（北京：中華書局，1986），卷一六八，〈刑考七〉，頁 1461。

一年爲原則，而免流放遠方。但實際運作上，受刑人被流放的地點與年限，還受到配流法的影響。在配流法下，受刑人可能在本城、本州、鄰州、遠惡軍州甚至沙門島服役，服役的年限也可能超出折杖法配役一年的原則。〔註4〕由於宋代的流刑是折杖法與配流法的組合，因此宋代執行流刑時，乃呈現「一罪三刑」（杖脊、徒役、流放）的情形，亦即在宋代受流刑者，實際上同時兼受傳統五刑中的杖、徒、流三種刑罰，而若是因強竊盜獲罪者，還要再受刺字之刑。〔註5〕

其次是遼朝。遼朝的流刑資料極其有限，除了散落各處的判例，對遼代流刑的理解就只能仰賴《遼史·刑法志》：「流刑量罪輕重，置之邊城部族之地，遠則投諸境外，又遠則罰使絕域」一語。〔註6〕由此語可見，遼代的流刑捨棄用里數區分流刑輕重的辦法，而將流刑分作邊城、境外、絕域三等，並都包含不同形式的強制勞役。就目前的史料來看，邊城、境外兩項或可視爲將犯人流放到國境或前線充當戍卒以免死，而絕域在史料上往往使用「罰使絕域」一語，似乎是專門適用於貴族高官的犯罪，類似於漢地傳統中的貶官外放。〔註7〕

〔註4〕 辻正博，〈杖刑と死刑のあいだ——宋代における追放刑·勞役刑の展開〉收入梅原郁主編，《前近代中國の刑罰》（京都：京都大學人文科學研究所，1996），文中指出宋代最後發展出以沙門島爲頂點的流放刑，依次下來是遠惡軍州，或一般本地的牢城營充當雜役部隊，頁212～216。

〔註5〕 郭東旭，《宋代法制研究》（保定：河北大學出版社，2000），第四章，〈宋代的刑罰制度〉，頁206～253。郭氏將宋代刑制分爲10種，除原先笞、杖、徒、流、死五刑外，又有折杖法、刺配法、編管法、安置法、居住法。而後三種編管法、安置法、居住法爲特殊身分如官員、宗室犯罪時所用的刑罰。適用對象有限故本文在此不論，只討論折杖法、刺配法與五刑的關係。又郭氏認爲刺配法爲主刑，刺配法三要素刺面、脊杖、配役，中的脊杖爲附加刑。似與張方平言：「刺配之條比前代絕重……今刺配者先具杖、徒、流之刑而更黥刺服役終身」的說法（宋）張方平著；鄭涵點校，《張方平集》（鄭州：中州古籍出版社，2000），卷二十四，〈請減刺配刑名〉，頁367～368，有出入，又不同於戴建國與魏殿金兩位將刺配法視爲附加刑，折杖法爲主刑。筆者贊同戴、魏兩人的觀點。

〔註6〕 （元）脫脫等撰，《遼史》（北京：中華書局，1974），卷六十一，〈刑法志〉，頁936。

〔註7〕 德永洋介，〈金元時代の流刑〉收入梅原郁主編，《前近代中國の刑罰》（京都：京都大學人文科學研究所，1996），文中統合整理島田正郎、辻正博等人的研究成果，認爲遼代是受唐制神龍散頒刑部格影響，神龍散頒刑部格確認律外流刑的配所爲遠地折衝府，遼代因此設計出兩等帶有配軍、充軍的流刑，域

　　其三，金代的流刑。金代律文上仍保留流刑，但實際執行上正如《金史‧刑志》：「緣先謂流刑非今所宜」〔註8〕一語所述，原則上不行。律文中適用流刑的罪行，改以延長年限的徒刑（徒四年、徒五年）代替，亦即金人所謂「代流役」。不過，因爲金代的代流役採用徒刑方式決罰，故同徒刑一般附加決杖，因而使金代的流刑在實際執行時，也出現與宋制相似的「一罪二刑」複式刑罰結構。

　　宋遼金三代的流刑各有不同的面貌，那元代作爲宋遼金三代後繼者，又如何從中取捨？爲何在中統年間（1260～1264）的〈中統權宜條理〉中會出現「流刑一條似未可用」〔註9〕的結論？又爲何約在大德年間再度重拾流刑，並發展出軍、種田這種任務性取向的方式？而且最終發展成《元史‧刑法志》所見之流刑不限里程而用南人北移、北人南移的「元代特色」？〔註10〕上述都是本章嘗試回答的問題。

　　死刑，這個刑罰與笞杖刑一樣，本質很單純的刑罰，殺死罪犯奪去犯人的生命，基本上不存在性質轉變這類的問題，產生變化的是行刑的手法。《唐律》定死爲兩等，一個是身首異處，不得全屍的斬；另一個是保留全屍的絞。元代繼承卻不明顯區分絞、斬二刑。部分學者認爲「有絞無斬」，或有主張「有斬無絞」甚或有史料指向出「不行用死刑」的說法，〔註11〕到底元代的死刑是以哪一種方式執行值得深究，此外元代資料還時常以「處死」或「敲」來表達死刑。唐末五代出現的凌遲，在遼代爲律定死刑之一，南北兩宋也有執行

〔註8〕（元）脫脫等撰，《金史》（北京：中華書局，1975），卷四五，〈刑志〉，頁1023。
〔註9〕（元）王惲，《秋澗先生大全文集》（臺北：新文豐出版公司，1985 元人文集珍本叢刊），卷八十二，〈中堂事記〉收〈中統權宜條理〉，頁389～390。
〔註10〕（明）宋濂等撰，《元史》（北京：中華書局，1976），卷一百二，〈刑法志〉，頁2604。
〔註11〕黃時鑑，〈大元通制考辨〉文中指出《元史‧刑法志》五刑制度的記載，只有斬、凌遲。但《經世大典‧憲典序》只有斬，沒有絞、也沒有提到凌遲。〈憲典總序〉主張有斬無絞，《元典章》中五刑之制表在死刑的部分未明言絞、斬，但下一頁〈五刑訓義〉在死刑方面同時說明絞斬兩刑，黃氏在比較其他相關史料，認爲《大元通制》中的死刑規定爲何種目前無法判斷。文收入氏著《元代法律資料輯存》（浙江：浙江古籍出版社，1988），頁253～278。不行用死刑的說法請參（明）葉子奇撰，《草木子》（北京：中華書局，2010），卷之三下，〈雜制篇〉有「天下死囚，審讞已定，亦不加刑，皆老死於囹圄」之語，提供了不執行死刑的證據。頁64。

凌遲的紀錄，但宋代未將凌遲放入正式刑罰設計。元代是第一個正式將凌遲設計成部分特殊罪名的律定刑，將這個殘忍的刑罰納入正式法典之中，給予其死刑最高的位階，故死刑方面將討論凌遲、敲、「不行用死刑」三種行刑手法。

第二節　流刑的制度化

一、蒙古舊有的流刑傳統

流刑若照《唐律疏議》的說法：「【疏】議曰：書云：『流宥五刑。』謂不忍刑殺，宥之于遠也。又曰：『五流有宅，五宅三居。』大罪投之四裔，或流之于海外，次九州之外，次中國之外。蓋始於唐虞。今之三流，即其義也。」〔註12〕除去先秦古典《尚書》說的「流宥五刑」、「五流有宅」、「五宅三居」這些語詞，這段文字主旨在說明因爲不忍刑殺所以寬宥犯人，將其放逐遠方，當作一種減死之刑，這樣的刑罰就是流刑，〔註13〕這是漢地的法律文化對流刑的認知，此種放逐犯人的觀念並非漢人所獨有，蒙古舊俗中亦有相關的概念，如伊兒汗國史家拉施特，在其世界史作品《史集》中記錄成吉思汗的訓言與札撒時有以下記載：

> 我們的兀魯黑若有人違反已確立的札撒，初次違反者，可口頭教訓。
> 第二次違反者，可按必里克處罰，第三次違反者，即將他流放到巴勒眞—古勒朮兒的遙遠地方去。此後，當他到那裡去了一趟回來時，
> 他就覺悟過來了。〔註14〕

上段文字大意爲將兀魯黑（蒙文音，人民、國家之意）中屢勸不聽一直犯法（札撒）的罪人流放，希望犯人在遠離人群或社會後能有所醒悟，文中並沒有寬宥犯人的因素。若要較類似漢人減死寬宥的概念，伊朗志費尼所著《世界征服者史》有以下的記載：

> 按蒙古人的風俗，一個該當死刑的人，如果遇赦活命，那就送他去

〔註12〕 （唐）長孫無忌撰、劉俊文點校，《唐律疏議》，卷一，〈名例律〉，頁5。

〔註13〕 關於唐律流刑的淵源非本文討論重點，可參看陳俊強，〈試論唐代流刑的成立及其意義〉一文對唐律流刑的淵源有詳細的介紹，文收高明士主編，《唐代身分法制研究——以唐律名例律爲中心》（臺北：五南圖書出版公司，2003），頁263～274。

〔註14〕 （波斯）拉施特主編、余大鈞、周建奇譯，《史集》，第一卷 第二分冊，（北京：商務印書館，1983），頁359。

打仗。理由是：若他註定該死，他會死於戰場。否則他們派他不那
麼肯定會送他回來的外國。再不然，他們把他送往氣候惡劣的熱帶
地方。〔註15〕

該段文字是描寫一椿蒙哥汗繼位不久，在中亞發生政變失敗者的下場。因爲
消息事先走漏，政變未行動就失敗，最後涉案者判決死刑，但因蒙哥爲病母
祈福故赦免當日死囚，於是作者紀錄了這段色目人眼中的「蒙古風俗」。雖說
《世界征服者史》成書較早，但記載的是蒙哥汗時期的事蹟，不像《史集》
所記載成吉思汗聖訓直接。然而，《元史》本紀末讚稱蒙哥汗：「性喜畋獵，
自謂遵祖宗之法，不蹈襲他國所爲。」〔註16〕故可視蒙哥爲「蒙古本位派」
的大汗，相較於忽必烈是較偏好蒙古舊俗的統治者，故可以相信志費尼記錄
下的「蒙俗」應少其他因素的影響。〔註17〕如此可以證明在入元之前，蒙古
本身亦有免死與流遠的法律傳統，此與漢地傳統無涉但兩者卻有所暗合。又
蒙古人自己的作品《蒙古秘史》中立鐵木眞爲大汗時的誓詞中有：

厮殺之際，如果違背了你發的號令，叫我們與妻兒家屬分離，把我
們的頭顱拋在地上！和平之時，如果破壞了與你的協議，叫我們與
妻妾屬下分離，把我們丟棄在無人野地。〔註18〕

《蒙古秘史》爲蒙古人用蒙文詩文體，記錄成吉思汗先世到第二任大汗窩闊
臺汗時代的史事，應可相當程度反映該時期蒙古人的社會與文化。此一誓詞
對違背大汗命令的懲處，戰時是死，平時則是流放至無人野地。若以蒙古地
理狀態而言，隻身被放逐無人野地無異是一種不確定的死刑，此點與志費尼
所記頗爲相符。以無論蒙古人、色目人觀點記述下的內容都在說明蒙元本身
有自己流遠、出軍的法律傳統。

〔註15〕（伊朗）志費尼著 何高濟譯、翁獨健校訂，《世界征服者史》（呼和浩特：內
　　　蒙古人民出版社，1980），頁59。
〔註16〕（明）宋濂等撰，《元史》，卷三，〈憲宗紀〉，頁54。
〔註17〕蕭啓慶，《西域人與元初政治》（臺北：國立臺灣大學文學院，1966），頁46
　　　～48，蕭氏在分析蒙哥汗時代西域人與漢人政治勢力消長，指出蒙哥汗的中
　　　央政府裏，重要幹部是以蒙古人爲主，西域人爲輔，漢人除趙壁外便無重要
　　　人物。要言之，在蒙古本位主義瀰漫的蒙哥汗廷中漢人根本沒有過問中樞朝
　　　政的機會。蒙哥受其他文化因素影響較少，故可認定此時西域人眼中的蒙俗
　　　因無漢地因素的影響，當爲蒙古舊俗無誤。
〔註18〕札奇斯欽譯註，《蒙古秘史新譯並註釋》（臺北：聯經出版，1979），卷三，第
　　　一二三節，頁144。

二、元初所見流遠與出軍案例分析

上一段略爲討論蒙元本身對於流放、放逐罪人的傳統概念，有概念不一定會發展出制度化規章或刑罰，上述成吉思汗聖訓或札撒中並未見到制度化的刑罰規範，只有原則性的初犯如何、再犯如何這般概略性的記述。然入主漢地後，一如刑法志所言，基於統治的需要循用《金律》，[註19] 但原先的金《泰和律》本身對於流刑是置而不用，以「代流役」徒五年、徒四年之刑充當流刑運用。[註20] 對於當時繼受《金律》的蒙元汗廷，中原制的流刑實無存在的必要，因此忽必烈於中統二年（1261）所頒布〈中統權宜條理〉中廢止了流刑的施用，在其相關文書記錄：「據五刑之中，流刑一條似未可用，除犯死刑者依條處置外，徒年、杖數，今擬遞減一等，決杖雖多不過一百七下。著爲定律，揭示多方。」[註21] 明白廢止金制流刑的施用，改以七下乃至一百七的笞杖刑與死刑處置犯罪的罪犯，論刑之原則爲依照《金律》定罪，再將《金律》所處之刑轉換爲元制以七爲斷的笞杖刑。不久，至元八年（1271）改國號爲大元的同時廢行《泰和律》，象徵新時代的到來。[註22] 因爲廢行《泰和律》之故，至元八年後元廷就無法直接引用《金律》（舊例）斷案，需引用元朝自己累積的判決來論罪定刑，雖然如此，但死刑、流刑與其他三刑（笞、杖、徒）不同，因爲這二種刑罰原先就不在〈中統權宜條理〉的制約規範之中，故亦不受廢《泰和律》的影響。

如《元史·世祖紀》所載，至元元年（1264）「鳳翔府龍泉寺僧超過等謀亂遇赦，沒其財，羈管京兆僧司；同謀蘇德，責令從軍自效。」[註23]

[註19]　（明）宋濂等撰，《元史》，卷一百二，〈刑法志〉序言「元興，其初未有法守，百司斷理獄訟，循用《律》，頗傷嚴刻。」頁 1306。

[註20]　（元）脫脫等撰，《金史》，卷四五，〈刑志〉，尚書省上言：「在制，名例內徒年之律，無決杖之文便不用杖。緣先謂流刑非今所宜，且代流役四年以上俱決杖，而徒三年以下難復不用」。本段文字明顯的表明「徒年」、「代流役」在年份長短與刑罰位階是不同的。一個屬於原先徒刑的等級，而代流役則是屬於流刑的等級。頁 1023。

[註21]　（元）王惲，《秋澗先生大全文集》，卷八十二，〈中堂事記〉收〈中統權宜條理〉，頁 389～390。

[註22]　不著撰人，《大元聖政國朝典章》（臺北：國立故宮博物院，1976），卷十八，〈戶部·婚姻·牧民官娶部民〉，爲行文方便以後簡稱《元典章》，本條中引用至元八年欽奉聖旨節該「泰和律令不用，休依著那者。欽此。」又（明）宋濂等撰《元史》，卷七，〈世祖紀〉，載「至元八年十一月乙亥，禁行金泰和律。建國號曰大元」，頁 138。

[註23]　（明）宋濂等撰，《元史》，卷五，〈世祖紀〉，頁 99。

因為適逢改元大赦，將謀亂的僧人拘禁，並把同謀的俗家人士蘇德免死出軍。原本舊律犯十惡罪中謀反、謀大逆、謀叛的罪犯因改元而特赦，並將其免死改為出軍，顯然完全迥異於《唐律》或《泰和律》正常情況下的處置。〔註24〕

又如《元典章》所載至元三年（1266）的劉全案：

> 濟南路申：『歸問到劉全為招：「至元三年正月二十一日，使令女婿掃地篩穀。不多時，聽得父劉聚稱：「教我掃的寬者」孫重二罵我：「瞎著眼睛，見甚麼？」以此全用棒并拳腳將孫重二打傷，至後晌身死罪犯。」』法司擬：『即係因鬥殺婿事理。舊例：「緦麻三月，為妻之父母者一同。」又舊例：「若尊長毆卑幼折傷者，緦麻減凡人一等；死者，絞。」其劉全合行處死，仍徵燒埋銀數。』部准擬。呈省斷：「將劉全流去迤北鷹房子田地，仍於家屬徵燒埋銀兩給主。」〔註25〕

這是一件尊長殺卑幼的案子，法司先判斷加害人與被害者服制關係，再按照《金律》找條文判刑，因為兩造親屬關係，犯人判絞，但中書省改判為流去迤北當打捕鷹房戶（昔寶赤）的雜役。〔註26〕日人杉山正明的研究指出，昔寶赤與貴由赤〔註27〕（快行者）都是元代伴隨大汗，於春秋兩季往返大都與大都之間的

〔註24〕關於「十惡」詳細條文可參（唐）長孫無忌等撰、劉俊文點校，《唐律疏議》，卷一，〈名例〉「十惡條」，頁6～16。而劉俊文撰，《唐律疏議箋解》（北京：中華書局，1996），卷一，〈名例〉，頁56～102。對十惡罪名有詳細的介紹可參看。又葉潛昭，《金律之研究》（臺北：臺灣商務印書館，1972），第三章有關《金律》條文復舊的考證與典據可參看，頁30～33。

〔註25〕《元典章》，卷四十二，〈刑部・諸殺・打死婿〉，頁1478。

〔註26〕鷹房，元代怯薛中昔寶赤（鷹人）與管理捕鷹戶的機構。《元史》，卷一百一，〈兵志〉，「元制自御位及諸王，皆有昔寶赤，蓋鷹人也。是故捕獵有戶，使之致鮮食以薦宗廟，供天庖，而齒革羽毛，又皆足以備用，此殆不可闕焉者也。然地有禁，取有時，而違者則罪之。冬春之交，天子或親幸近郊，縱鷹隼搏擊，以為游豫之度，謂之飛放。故鷹房捕獵，皆有司存。而打捕鷹房人戶，多取析居、放良及漏籍孛蘭奚、還俗僧道，與凡曠役無賴者，及招收亡宋舊役等戶為之。」頁2599。又（元）陶宗儀，《南村輟耕錄》（北京：中華書局，2008），卷一，頁19。稱昔寶赤，鷹房之執役者。每歲以所養海東青或頭鵝者，賞黃金壹錠。（元）楊瑀，《山居新語》（北京：中華書局，2006），卷二，頁216。亦有昔寶赤一詞之解說，與《輟耕錄》所載相近。

〔註27〕（元）陶宗儀，《南村輟耕錄》，卷一，頁19。貴由赤者，快行是也。每歲一試之。名曰放走。以腳力便捷者上膺上賞。故監臨之官，齊其名數而約之以

扈從，德永洋介據此認爲所謂「流去迤北鷹房子田地」，就是將犯人流放到北方獵鷹部落民的營帳或駐在地，從事種田等雜役供應打鷹人的所需。〔註28〕

從上述兩個案例可發覺是用《金律》定罪名，但卻是用蒙古式的思考決定罪刑，如上節所言，一個該當死刑的人，如果遇赦活命，就送他去打仗，若他註定該死，他會死於戰場，如蘇德的案例一般；不然就送到偏遠的地方，如劉全的處罰是像「析居、放良及漏籍孛蘭奚（無主、走失的東西）、還俗僧道，與凡曠役無賴者。」這類被元廷放棄的人被送去窮山惡水之地度過餘生是一種不確定的死刑。

這樣的刑罰明顯不是《唐律》式的三流、也不是《金律》式代流役，不是單純剝奪犯人的自由，而是剝奪犯人的身分與未來，成爲政府的附屬民，換言之，即是另一種的「官奴隸」，只是這種奴隸附有一定勞役的任務，無論是上戰場、種田或捕鷹，元代流刑就以這樣的蒙古舊俗思維，配合元廷因應不同時勢面臨的勞役需求逐漸發展而成。

另外也有單純的放逐流遠，如至元五年（1268）三月的田禹妖言案「田禹妖言，敕減死流之遠方」〔註29〕、至元八年（1271）管如仁洩密通宋案「管如仁、費正寅以國機事爲書，謀遣崔繼春、賈靠山、路坤入宋，事覺窮治，正寅、如仁、繼春皆正典刑，靠山、坤並流遠方。」〔註30〕、至元十二年（1275）二月郝進妖言案「洺磁路總管姜毅捕獲農民郝進等四人，造妖言惑眾，敕誅進，餘減死流遠方。」〔註31〕、同年十二月又有趙龍通宋案「西川滄溪知縣趙龍遣間使入宋，敕流遠方，籍其家。」〔註32〕、至元二十二年（1285）正月則有將不服軍令擅自還國將領流遠的紀錄，「流征占城擅還將帥二十三人於遠方。」〔註33〕

繩，使無先後參差之爭，然後去繩放行。在大都，則自河西務起程；若上都，則自泥河兒起程。越三時，走一百八十里，直抵御前，俯伏呼萬歲。先至者賜銀一餅，餘者賜段匹有差。又（元）楊瑀，《山居新語》卷二，頁216。亦有相近的説法。

〔註28〕 可參看德永洋介，〈金元時代の流刑〉收入梅原郁主編，《前近代中國の刑罰》，頁294及頁317有關杉山正明的註釋。
〔註29〕 （明）宋濂等撰，《元史》，卷六，〈世祖紀〉，頁118。
〔註30〕 （明）宋濂等撰，《元史》，卷七，〈世祖紀〉，頁133。
〔註31〕 （明）宋濂等撰，《元史》，卷八，〈世祖紀〉，頁161。
〔註32〕 （明）宋濂等撰，《元史》，卷八，〈世祖紀〉，頁171。
〔註33〕 （明）宋濂等撰，《元史》，卷十三，〈世祖紀〉，頁272。

上述世祖朝流遠案例多為減死一等處置，多是針對從犯的寬宥處斷，正如至元二十年（1283）正月和禮霍孫所上言：「自今應訴事者，必須實書其事，赴省、臺陳告。其敢以匿名書告事，重者處死，輕者流遠方；能發其事者，給犯人妻子，仍以鈔賞之。」〔註34〕這個「重者處死，輕者流遠方」處刑原則是對於妖言、通敵這類重害犯罪的處置準則，然這類的案件多會上報皇帝斷自聖裁，故多能在本紀中發現它們的身影。

另一類免死出軍、發囚徒為軍、死囚充軍自效的案例也多，如至元三年（1266）十一月，千戶散竹帶以嗜酒失所守大良平，罪當死，錄其前功免死，令往東川軍前自效。〔註35〕、至元十年（1273）九月，襄陽生券軍至大都，詔伯顏諭之，釋其械繫，免死罪，聽自立部伍，俾征日本。〔註36〕同年十月，有司斷死罪五十人，詔加審覆，其十三人因鬥毆殺人，免死充軍，餘令再三審覆以聞。〔註37〕至元十一年（1274）五月，敕杖合丹，斥無入宿衛，謫往西川效死軍中。〔註38〕至元十八年（1281）二月，敕以耽羅新造船付洪茶丘出征，詔以刑徒減死者付忻都為軍。〔註39〕至元十九（1282）年十一月聽從中書省臣言，發天下重囚，除謀反大逆，殺祖父母、父母，妻殺夫，奴殺主，因姦殺夫，並正典刑外，餘犯死罪者，令充日本、占城、緬國軍。〔註40〕至元二十年（1283）九月，聽從史弼所陳弭盜之策，為首及同謀者死，餘屯田淮上，賊黨耕種內地，其妻孥送京師以給鷹坊人等。〔註41〕至元二十四年（1287）閏二月札魯忽赤合剌合孫等言：「去歲審囚官所錄囚數，南京、濟南兩路應死者已一百九十人，若總校諸路，為數必多，宜留札魯忽赤數人分道行刑。」帝曰：「囚非羣羊，豈可遽殺耶！宜悉配隸淘金。」〔註42〕

上所舉八例為免死出軍、充軍自效的案例，其中尚有屯田與淘金、鷹房等不同任務的勞役。其中至元十年到十三年是滅宋戰爭的高峰期，蓋至元十年襄陽城破，故有免襄陽生券軍死罪改派征日的安排，滅宋作戰人力孔急，

〔註34〕（明）宋濂等撰，《元史》，卷十二，〈世祖紀〉，頁249～250。
〔註35〕（明）宋濂等撰，《元史》，卷六，〈世祖紀〉，頁112。
〔註36〕（明）宋濂等撰，《元史》，卷八，〈世祖紀〉，頁151。
〔註37〕（明）宋濂等撰，《元史》，卷八，〈世祖紀〉，頁152。
〔註38〕（明）宋濂等撰，《元史》，卷八，〈世祖紀〉，頁155。
〔註39〕（明）宋濂等撰，《元史》，卷十一，〈世祖紀〉，頁230。
〔註40〕（明）宋濂等撰，《元史》，卷十二，〈世祖紀〉，頁248。
〔註41〕（明）宋濂等撰，《元史》，卷十二，〈世祖紀〉，頁257。
〔註42〕（明）宋濂等撰，《元史》，卷十四，〈世祖紀〉，頁297。

故免死囚充軍。待至元十四年（1279）陸秀夫帶趙昺跳海之後，元廷的戰略敵人尚有未稱臣降服的日本、占城、緬國等國，於是又時常出現調動免死刑犯出軍的記載。

從上述本紀所見，出軍流遠案例中所反映出原則上沒有地域、里程、犯罪情重的差異問題，只有大汗的意志與元廷的戰略對象問題，人犯的出軍或流遠繫於大汗的喜惡，如合丹身分是怯薛，犯了帳目不清的錯，被拔去怯薛歹的身分，淪為西川前線的戰卒。而其他一般身分的犯人，也會因中書省臣的意見成為客死異鄉的戰卒，戰場端視元廷的戰略需要，可能是占城、日本或緬國。當前線沒有強烈人力需求時，改以別的任務如屯田、淘金、當鷹房人等雜役，目的不一，目的地也不同，嚴格來說多屬臨時性的人力調遣，缺乏制度性的建立。

三、元代流刑的成文制度化

上一節已經討論至元年間出現的流遠與出軍，這兩個刑罰在減死一等或處置重大犯罪時所扮演的角色，幾乎取代原先唐宋律流刑在刑罰體系中的位置，但是如上節所言，多為臨時性的處置尚未建立制度。

一如前輩學者們所指出大德年間〈強竊盜賊通例〉頒布之後，元代的刑罰體系大致完備，但流刑（出軍、流遠）卻尚未定型完備。〔註43〕首先，是將原先僅適用減死一等重罪的流遠出軍，擴張適用於盜賊累犯、三犯，加強打擊力道，至於犯鈔法的累犯，也一併適用新頒布〈舊賊再犯出軍〉所提出的累犯科刑原則。〔註44〕該原則並非將初犯的刑度加等得出二犯的刑度，而

〔註43〕 宮崎市定、姚大力都認為大德年間的強竊盜賊通例的頒布，象徵元代刑罰體系的建立，詳情請參宮崎市定，〈宋元時代的法制與審判機構——《元典章》的時代背景與社會背景〉，收入楊一凡總主編，《中國法制史考證》丙篇，第3卷，「日本學者考證中國法制史重要成果選譯‧宋遼西夏元卷」（北京：中國社會科學出版社，2003），頁24～25。又姚大力，〈論元朝刑法體系的形成〉收入氏著，《蒙元制度與政治文化》（北京：北京大學出版社，2011），頁302～308。

〔註44〕 《元典章》，卷二十，〈戶部‧鈔法‧住罷銀鈔銅錢使中統鈔〉，至大四年中所載罰則中有「挑剜襯湊寶鈔以真作偽者，初犯杖一百，徒一年。再犯流遠。」，頁734。又《元典章》，卷二十，〈戶部‧鈔法‧禁治偽鈔〉，大德七年「初犯決一百七下，再犯除斷外徒役一年，三犯流遠。」，頁748。〈戶部‧鈔法‧挑鈔再犯流遠屯種〉大德十一年「挑鈔賊人今後再犯為首的杖斷一百七下，流遠。為從的，斷一百七下。先次挑鈔為從再犯為首者俱各流遠。」，頁755～756。數款針對累犯的新刑罰設定。

是以改判徒三年，減死一等的出軍，或直接處以死刑的方式，設計累犯科刑的刑度。

若從此觀點考量，元代的流刑制度化與累犯科刑的制度化是同時發展出來的產物，它處理先前立法未詳的部分，逐漸加以完備。如果將他與前幾章所討論的笞杖刑、徒刑做比較，在創立背景上充滿「草原風味」，罪名實施上不存在類似笞杖刑或徒刑般來源不一的問題，沒有被唐宋金舊律框架限縮，若說有所限縮的要素，應該是附加杖數一百七下，這個繼承金制的複式結構自由刑框架，保持一罪二刑的設計。徒三年是附杖一百七下，照理流比徒重，應該增加決杖數，但受制於決杖雖多不過一百七的「世祖成憲」，流遠與出軍只能附杖一百七。

在執行細節上，要確認罪犯的民族屬性，以用來區分流遠或出軍的位置。漢兒、蠻子人申解遼陽省，色目、高麗人申解湖廣省。〔註45〕據馮修青的研究，遼陽的奴兒干、肇州、湖廣的海南島、迤北的答憨孫、陝西的安西等皆為元代的流放地，但大致上以遼陽，湖廣，迤北三處為大宗。〔註46〕

大德年間頒定的〈舊賊再犯出軍〉〔註47〕、〈流遠出軍地面〉〔註48〕大致定調元代新生流刑的屬性，針對累犯南北互調，又與原先將出軍納入刑罰體系的〈強竊盜賊通例〉相互配合，界定流刑的樣貌「杖一百七，再附加一個前往某流放地的某個任務。」流刑中流放地點取決於犯人的民族要素，至於任務則有輕重之分，輕者可能是去遼陽的肇州屯田、種田，重者可能要推到奴兒干前線充軍。〔註49〕這種區分輕重的作法，有學者認為是元代流刑自蒙古式出軍流遠刑正式轉化為有等級制的流刑，為漢法與蒙古法相互滲透而成的成果。〔註50〕

〔註45〕《元典章》，卷四十九，〈刑部·諸盜·流遠出軍地面〉，頁 1658～1660。
〔註46〕馮修青，〈元朝的流放刑〉，文收《內蒙古大學學報（哲學社會科學版）》，1991第四期。本文對元代流放地點有諸多考證，可參看頁 43～46 部分的流放地考證。
〔註47〕《元典章》，卷四十九，〈刑部·諸盜·舊賊再犯出軍〉，頁 1657。
〔註48〕《元典章》，卷四十九，〈刑部·諸盜·流遠出軍地面〉，頁 1658～1660。
〔註49〕（明）宋濂等撰，《元史》，卷二十六，〈仁宗紀〉，延祐六年七月「命分揀奴兒干流因罪稍輕者，屯田肇州。」頁 590。又《元典章新集至治條例》〈刑部·刑制·發付流因輕重地面〉，中有「今後若有流因，照依所犯分揀，重者發付奴兒干，輕者於肇州。從宜安置屯種自贍似為便」之語，蓋因元廷不勘站赤供應流因所需，故改要求流因種田供應自身所需食糧，頁 2180。
〔註50〕武波，〈元代刑法體系中的出軍制度探析〉文收《山西師大學報（社會科學版）》

　　犯人若是蒙古、色目、高麗人有不刺字的特權〔註51〕，執行時發送至湖廣蠻子地面，通常是海南島，任務不外是屯田與充軍。其中高麗人因為地處東北，所以流南方，雖然他的族屬上算廣義的漢人，而女真人的狀況也與高麗人相近，一如《南村輟耕錄》所載「流，則南之遷者之北，北之遷者之南。」〔註52〕這樣的南方人北流，北方人南流，以南北對調的移動方式離開原本習慣的地域。

　　在累犯論刑方面，對於第二遍做賊、第三遍做賊的流遠處置，首先先確認犯人是否曾經出軍，若是曾被判出軍但遇赦，第二次犯賊盜罪被捕，仍當作初犯處理，蓋應為「須據赦後為坐」的原則判斷是否累犯，原則上「諸盜經斷後仍更為盜，前後三犯，徒者流，流而再犯者死。強盜兩犯亦死。」〔註53〕，與之相近的有《戶部・格後行使偽鈔》條格，該條格針對犯鈔法的累犯一樣採取「赦後為坐」的計算方式，整體而言，對於鈔法累犯論刑較輕。〔註54〕關於流囚的遇赦時如何釋放有〈流囚釋放通例〉〔註55〕，該條格重申至元世祖至元十三年（1276）十一月二十九日聖旨：「在先斷定流遠的人每，遇著赦呵，合放」的原則，並更進一步的區分，已到流所的不赦免、未到的就一律赦免放還，這方面似乎受漢人舊律的觀念影響，以路程遠近和到達配所與否當作決定要素。

四、似流非流的遷徙法

　　元廷在經過成宗大德年間對於出軍地點的確定、盜賊類犯或鈔法累犯的流刑施用、武宗至大年間的流囚釋放通例，與仁宗延祐年間流囚輕重的任務分別，一步一步的將蒙古式的流遠出軍制度化，改披上漢地五刑體制中「流刑」的外衣。〔註56〕在此同時也出現一種類似流刑或的「遷徙」，如陳高華所

第33卷第2期2006.三月，頁79～84。文中認為延祐七年之前，元廷並未區分流遠與出軍的差異，將其視為同一種刑罰，直到延祐七年〈發付流囚輕重地面〉的法令頒布，正式區分，出軍、屯種的輕重。筆者贊同他的看法。

〔註51〕（明）宋濂等撰，《元史》，卷二十一，〈成宗紀〉，大德十一月壬子，詔：「內郡、江南人凡為盜黥三次者，謫戍遼陽；諸色人及高麗三次免黥，謫戍湖廣；盜禁藥馬者，初犯謫戍，再犯者死。」，頁461。

〔註52〕（元）陶宗儀，《南村輟耕錄》，卷二，〈五刑〉，頁25。

〔註53〕《元典章》，卷四十九，〈刑部・諸盜・盜賊出軍處所〉，該條所引大德五年十二月的聖旨節概，頁1667～1668。

〔註54〕《元典章》，卷二十，〈戶部・鈔法・挑鈔再犯流遠屯種〉，頁749～750。

〔註55〕《元典章》，卷四九，〈刑部・諸盜・流囚釋放通例〉，頁1697～1698。

〔註56〕胡小鵬、李翀〈試析元代的流刑〉文收《西北師大學報（社會科學版）》，第

指出這個類似流刑的遷徙刑，針對的是地方上的豪強、惡霸，並適用於一些情節嚴重的重傷害案件。〔註57〕其中多以使人失明的傷害為多，如《元史‧刑法志》中所見：

> 1、諸尊長輒以微罪刺傷弟姪雙目者，與常人同罪，杖一百七，追徵贍養鈔二十錠給苦主，免流，識過于門；無罪者，仍流。

> 2、諸弟雖聽其兄之仇，同謀剜其兄之眼，即以弟為首，各杖一百七，流遠，而弟加遠。

> 3、諸卑幼挾仇，輒刺傷尊長雙目成廢疾者，杖一百七，流遠。

> 4、諸以刃刺破人兩目成篤疾者，杖一百七，流遠，仍徵中統鈔二十錠，充養贍之費，主使者亦如之。〔註58〕

如笞杖刑部分所提到的，原先鬥毆罪是依據《泰和律》的律定刑直接轉換成以七為尾數的元代杖刑，在不打死人的狀況下，原始設定沒有徒以上刑罰，原則上最重只到杖一百七，而轉鈔自《經世大典‧憲典》的《元史‧刑法志》卻有傷人要流遠，且多以使人眼盲的重傷害為主，以上四條除第 2 條在《元典章》目前找不到相應的斷例外，其他條目皆能找到對應的斷例。

第 1 條為至治二年（1322）《戳剜雙睛斷例》〔註59〕所載案例判決所轉寫成的條文，是一件親屬相殺而被害方不願私和，另一方夥同親姪兒將不願私合方的堂姪雙目挖去的案件。第 3 條為延祐七年（1320）《控損兩眼成廢疾》〔註60〕所載案例判決所轉寫成的條文，為姪兒不滿叔父告發販賣私鹽，夥同兄弟一起將叔父打成雙目失明的慘案。第 4 條為延祐元年（1314）《馮崇等剜壞池傑眼睛》案的判決轉寫成的條文，〔註61〕故有主使與下手執行者都要徵

46 卷第六期，2008。頁 57～61。胡文中修正了吳艷紅與馮修青的看法，指出無論流遠與出軍對元廷而言並無分別，都是由蒙古原先出軍的傳統發展而成，同時採納武波所提出流刑等級化的看法，並認為陳高華所指出的遷徙法也是一種流刑，只是適用對象有特殊的針對性，多為江南豪民。

〔註57〕 陳高華，〈元代的流刑和遷移法〉，文收氏著《元史研究新論》（上海：上海社會科學院出版社，2005），頁 171～183。陳氏本篇研究補足前人未加詳考的遷移法，指出遷移法應在元代的流刑制度上扮演一定地位的角色。

〔註58〕 （明）宋濂等撰，《元史》，卷一百五，〈刑法志〉，頁 2673。

〔註59〕 《典章新集至治條例》〈刑部‧諸毆‧戳剜雙睛斷例〉，頁 2232。

〔註60〕 《典章新集至治條例》〈刑部‧諸毆‧控損兩眼成廢疾〉，頁 2229～2231。

〔註61〕 《元典章》，卷四十四，〈刑部‧諸毆‧馮崇等剜壞池傑眼睛〉，頁 1531～1532。

收養贍費中統鈔二十錠，只是《元典章》中是徵中統鈔二錠，可能缺漏個「十」字，其他使人眼盲的案例徵的數目多爲二十錠，可知當時眼盲判決的養贍費公訂價是二十錠。而這時在《元典章》稱其爲「遷徙」或「遷移」，但到了刑法志時被改寫爲「流遠」，大概是因爲遣送的地點相同，後人不察之故將其視爲一樣的刑罰。

以上的討論可以判斷延祐、至治以後，（遷徙）流遠成爲重傷害罪的律定刑，或者說對於元初立法中，罪不至死但原先有設計最高刑度杖一百七的部分罪名，改採取原先杖一百七附加遷徙的處罰方式論處，因爲正式流刑與附加流刑所得的刑度一樣，均爲杖一百七加上流放，只是正式的流刑有任務出軍、種田這類任務之分，而附加的遷徙只稱流遠。這樣的記錄方式反而與國初減死一等的流遠呈現一致，兩者差別在於遷移會明言附加杖一百七，遷徙犯人遇赦是無法還鄉，等於是一種終生的流刑。

再者，此類遷徙並非維持固定的杖數關係，有可能是杖八十七，遷徙，並非出軍流刑的固定附杖一百七，雖說將人打致雙目失明的重傷害遷徙多爲杖一百七，但關於打擊豪強的遷徙如「江西行省胡光弼等結成群黨，起滅詞訟，凌犯官府，欺虐良民，遷徙廣東。熊雲翔騙要民財，風聞公事，濫充貼書，毀罵縣官，杖斷六十七下，遷徙廣東。」〔註 62〕多半不會明言豪強所犯本刑，只會強調遷徙的地點。

如《元史‧刑法志》中關於豪強的相關紀錄：「諸豪右權移官府，威行鄉井，淫暴貪虐，累犯不悛者，徙遠惡之地屯種。諸頻犯過惡，累斷不改者，流遠。」〔註 63〕、「諸豪橫輒誣平人爲盜，捕其夫婦男女，於私家拷訊監禁，非理陵虐者，杖一百七，流遠。」〔註 64〕十分明顯是針對豪強魚肉百姓的特殊處置，也一如《元典章》所顯示只著重在強調流遠、遷徙。然而「諸豪橫輒誣平人爲盜」條文脫胎自《典章新集至治條例》中〈富豪打傷佃戶〉〔註 65〕一例，故保留原先把人打成傷殘杖一百七的刑度，原先案例中遷徙廣東的刑罰，也因爲無法確定日後犯人的居住地或種族，故改寫成流遠。

整體來說，遷徙刑一如〈豪霸兇徒遷徙〉〔註 66〕與〈遷徙會赦不原〉

〔註 62〕 《元典章》，卷三十九，〈刑部‧刑制‧豪霸兇徒遷徙〉，頁 1360～1361。

〔註 63〕 （明）宋濂等撰，《元史》，卷一百五，〈刑法志〉，頁 2688。

〔註 64〕 （明）宋濂等撰，《元史》，卷一百五，〈刑法志〉，頁 2673。

〔註 65〕 《典章新集至治條例》〈刑部‧諸毆‧富豪打傷佃戶〉，頁 2228。

〔註 66〕 《元典章》，卷三十九，〈刑部‧刑制‧豪霸兇徒遷徙〉，頁 1360～1361。

〔註 67〕所示,讓這些地方豪強遠離其家鄉,避免造成日後地方的不安,防範犯罪於未然,是故有「今之遷徙即古移鄉之法,比之流囚事例不同」之語。但此語需換個角度理解,唐代的殺人遇赦移鄉,是要防範受害者家屬親友復讎;元代遷移之法卻是要防止有力的豪強返鄉繼續為惡。兩者立意不同,防範對象不同,輕重狀況也有所歧異,故陳高華提出「到了元代立遷移(徙)法,將前代的「遷」和「移鄉」合而為一」〔註 68〕的說法有待商榷,原先大德年間〈豪霸紅粉壁迤北屯種〉即明言「莫若嚴禁各處行省已下大小官吏,非親戚不得與所部豪霸茶食,安停人等似前違犯取問是實。初犯,於本罪上比常人加二等,斷罷紅土粉壁標示過名。再犯,痛行斷罪移徙邊遠,如此少革侵害細民之弊。」〔註 69〕當初的立意就是要壓抑地方豪強勾結流官為惡故遷移邊遠,實與所謂的「移鄉」無關,應該是當時的漢人引喻失義,用移鄉比擬遷徙導致誤解,也有可能是《元典章》中部份遷徙案例犯人多曾有殺人遇赦的前科紀錄,故陳氏會有此看法。

　　整體而言,元代的流刑自蒙古舊慣中的流遠出軍發展而成,因輕重可分為種田、出軍兩等,此外大約在流刑制度化同時發展出的遷徙法或遷移法,一樣有流放邊遠的傳統流刑要素,但並非當作正刑運用,它是屬於附加刑的地位,雖說豪強惡霸所犯之主刑多為杖一百七之刑,但不是一開始就有規定強制遷徙的處分。因鄭介夫於元貞年間所上《太平策・抑豪霸狀》:

> 今後若有醜惡聞於鄉邑,聲跡播於中外,不必加以刑辟,但限以訾財若干,即遷之他郡,或徙之荒壤,視所犯之重輕以定地之近遠,有訾不及者,則移於附近,以五百里為限。根蒂既搖枝黨自散,使良善咸獲安存,官府亦易振立,彼得以全軀保家,朝廷亦不至於多戮少恩,去豪霸之策,無以加此矣。〔註 70〕

該意見為元廷所接受而創設出來的一種新式刑罰。這種特殊的遷徙不一定只針對豪強,有時也針對親屬間的重傷害案件,採取強制遷移犯人之手法,的

〔註 67〕《元典章》,卷三十九,〈刑部・刑制・遷徙會赦不原〉,頁 1361～1362。
〔註 68〕陳高華,〈元代的流刑和遷移法〉,文收氏著《元史研究新論》,頁 176。
〔註 69〕《元典章》,卷五十七,〈刑部・諸禁・豪霸紅粉壁迤北屯種〉,頁 1933～1934。
〔註 70〕(明)楊士奇等撰,《歷代名臣奏議》(臺北:臺灣商務印書館,1983,景印文淵閣四庫全書),卷六十八,〈治道〉,葉九～十一。或參《全元文》(南京:江蘇古籍出版社,1999),卷一二一九,〈抑豪霸狀〉,頁 81。

確對親屬鬥毆的受害方或被侵凌的一般人民，提供得以安穩度日的環境，對改善當地的治安跟風氣有一定程度的效用。

第三節　死刑的刑罰種類與執行

一、死刑執行的種類與執行落實問題

　　元代的死刑據《元史・刑法志》記載分爲兩等：斬、陵遲處死。又云：「死刑，則有斬而無絞，惡逆之極者，又有陵遲處死之法焉。」〔註71〕但在《元典章》之中所見處死的方式卻不只這兩種，是故曾代偉撰有專文一篇考辨元代的死刑，文中指出除了斬、陵遲處死外尚有敲這種處刑方式。〔註72〕曾氏雖然處理之前有關「有斬無絞」的問題，並點出有判決死刑的死囚可能會在獄中老死並不執行死刑。其理據是《草木子》中的這段紀載：

> 天下死囚，審讞已定，亦不加刑，皆老死於圄圉。自後秦王伯顏出天下囚始一加刑。故七八十年之中，老稚不曾覩斬戮。及見一死人頭，輒相驚駭。可謂勝殘去殺，黎元在海涵春育之中矣。〔註73〕

然而就《元史》中世祖或成宗本紀中年尾往往有「是歲斷死罪若干人」、「是歲斷大辟若干人」的記錄，可知依然有上奏決死囚的制度，但成宗以降諸帝本紀中反而沒有記載決死囚或決大辟的紀錄，故《草木子》所言有一定的可信度，又加上前所述，部份死囚有徵調前線爲兵、或發赴做其他的事務而不處死。至元二十四年（1287）的這段君臣對話或可證明死囚不死的機率頗高。札魯忽赤（斷事官）合剌合孫言：「去歲審囚官所錄囚數，南京、濟南兩路應死者已一百九十人，若總校諸路，爲數必多，宜留札魯忽赤數人分道行刑。」忽必烈曰：「囚非羣羊，豈可遽殺耶！宜悉配隸淘金。」〔註74〕，《元史》記錄至元二十三年斷死刑百一十四人，至元二十四年斷天下死刑百二十一人。兩者比例相較之下，斷死刑而未實際執行死刑者爲數頗多。

　　再者，一如《元典章》所見的案例，有許多重罪犯在被判遷徙、出軍之

〔註71〕（明）宋濂等撰，《元史》，卷一百二，〈刑法志〉，頁 2605。

〔註72〕曾代偉著，《金元法制叢考》（北京：社會科學文獻出版社，2009），〈蒙元刑制考〉，頁 315～341。

〔註73〕（明）葉子奇撰，《草木子》（北京：中華書局，2010），卷之三下，〈雜制篇〉，頁 64。

〔註74〕（明）宋濂等撰，《元史》，卷十四，〈世祖紀〉，頁 297。

前，往往已有殺人的前科紀錄，只因遇赦，所以赦免死罪，日後犯案被捕則時常處以遷徙、出軍之刑。〔註75〕此反應出死刑犯逃出生天後繼續為非作歹造成的社會治安問題，嚴重到要特別設有遷徙刑來處理再犯重案的遇赦殺人犯，死刑執行率恐怕真如葉子奇之語「可謂勝殘去殺」。

　　正常法律制度下的減刑或赦免導致死囚不必決死刑，這點須歸功於元代帝位繼承不穩與皇帝們多半不長壽。整個元代若以 100 年計算（1260 中統建元到 1368 順帝北歸），除去世祖、順帝兩人約 70 年的在位期間剩餘近 30 年，30 年之間有成宗、武宗、仁宗、英宗、泰定帝、天順帝、明宗、文宗、寧宗共九位皇帝，其中除成宗、仁宗在位時間較長外，天順帝、明宗、寧宗三位皇帝在位不到一年，其他諸帝在位多不超過五年。新君即位每每都有大赦，類似「除謀殺祖父母、父母，妻妾殺夫，奴婢殺主，謀故殺人，但犯強盜，印造偽鈔不赦外，其餘罪無輕重，咸赦除之。」這樣的即位詔書出現機率頗高。其中，天曆元年、天曆二年（1328、1329）接連都有大赦，至順三年、至順四年（1332、1333）也有接連大赦，依法大赦詔書內規定的赦免對象都可以獲得特赦。

　　常赦所不原的罪犯也有可合法免除其刑的管道，如「做佛事縱囚」，有皇室成員做佛事屢屢釋放囚犯。「自元貞以來，以作佛事之故，放釋有罪，失於太寬，故有司無所遵守。今請凡內外犯法之人，悉歸有司依法裁決。」〔註76〕其寬鬆的程度導致皇帝需要「敕內庭作佛事，毋釋重囚，以輕囚釋之。」〔註77〕此外「西僧以作佛事之故，累釋重囚。」〔註78〕、「以作佛事，釋大辟囚七人，流以下囚六人」〔註79〕等相似的紀錄屢見於史籍之中。更有甚者，中書左丞相答剌罕曾言：「僧人修佛事畢，必釋重囚。有殺人及妻妾殺夫者，皆指名釋之。」〔註80〕連以往舊律中常赦不原的妻妾殺夫，這種十惡重罪也

〔註75〕如《元典章》卷四十一〈鄭貴謀故殺姪〉、至治條例中〈遷徙遇革不放〉中程震孫打死親兄程六四罪經原免，後再犯他罪被判遷徙。〈富強殘害良善〉中魏疇將江十二等三人打死，也因為遇赦後再犯他罪改判遷徙流遠。〈兇徒遇革依例遷徙〉龔十六挾讎與夏重三等，謀議將兄龔四殺死罪經釋免，最後也是判遷徙。這樣的例子頗多，可見元代之大赦浮濫。

〔註76〕（明）宋濂等撰《元史》，卷二十二，〈武宗紀〉，頁 492。

〔註77〕（明）宋濂等撰《元史》，卷二十二，〈武宗紀〉，頁 493。

〔註78〕（明）宋濂等撰《元史》，卷二十四，〈仁宗紀〉，頁 556。

〔註79〕（明）宋濂等撰《元史》，卷二十六，〈仁宗紀〉，頁 591。

〔註80〕（明）宋濂等撰《元史》，卷二十一，〈成宗紀〉，頁 447。

可被指名免罪，可以想見死刑執行率之低。在時常大赦、作佛事縱囚、改判出軍或其他勞役的狀況下，元代死刑犯被依法處刑的可能性不高。

二、死刑中的極刑凌遲

以上所見元代皇帝恩德不忍刑殺的一面，接下來就要看看皇權的另一面，關於凌（陵）遲〔註81〕這種殘暴的死刑的適用對象。凌遲之刑《元典章》與後來成書的《元史・刑法志》都看的到他的蹤影，但《元史》中用「陵遲」一詞。該詞語普遍分布於十惡（大惡）的罪名之中，如《刑法志》所見陵遲共十條，其中大惡七條、姦非一條、賊盜、殺傷各一條，但疑似重出覆記。

大惡部分有：「諸謀反已有反狀，爲首及同情者，陵遲處死。爲從者，處死。知情不首者，減爲從一等，流遠並沒入其家。其相須連坐者，各以其罪罪之。」〔註82〕本條屬於謀反。「諸子孫弒其祖父母、父母者，陵遲處死，因風狂者，處死。」〔註83〕「諸因姦毆死其夫及其舅姑者，陵遲處死。」〔註84〕、「諸父子同謀殺其兄，欲圖其財而收其嫂者，父子並陵遲處死。」〔註85〕以上三條屬惡逆。「諸奴故殺其主者，陵遲處死。」〔註86〕本條屬不義。「諸以姦盡殺其母黨一家者，陵遲處死。」〔註87〕「諸採生人支解以祭鬼者，陵遲處死，仍沒其家產。」〔註88〕以上二條屬不道。

姦非部分有：「諸婦人爲首，與眾姦夫同謀，親殺其夫者，陵遲處死，姦夫同謀者如常法。」〔註89〕本條編入〈姦非〉之中，但論其妻殺夫之罪合於惡逆，本條也屬惡逆。

盜賊部分有：「諸圖財謀故殺人多者，陵遲處死，仍驗各賊所殺人數，於家屬均徵燒埋銀。」〔註90〕而殺傷部分有：「諸圖財謀故殺人多者，皆陵遲處

〔註81〕 因爲《元典章》用「凌遲」一詞，而《元史》用「陵遲」一詞，本文爲尊重史料的用字，在討論《元典章》相關內容時用「凌遲」，《元史》相關內容時用「陵遲」，一般敘述時兩者混用。

〔註82〕 （明）宋濂等撰《元史》，卷一百四，〈刑法志〉，頁2651。

〔註83〕 （明）宋濂等撰《元史》，卷一百四，〈刑法志〉，頁2651。

〔註84〕 （明）宋濂等撰《元史》，卷一百四，〈刑法志〉，頁2652。

〔註85〕 （明）宋濂等撰《元史》，卷一百四，〈刑法志〉，頁2652。

〔註86〕 （明）宋濂等撰《元史》，卷一百四，〈刑法志〉，頁2652。

〔註87〕 （明）宋濂等撰《元史》，卷一百四，〈刑法志〉，頁2652。

〔註88〕 （明）宋濂等撰《元史》，卷一百四，〈刑法志〉，頁2653。

〔註89〕 （明）宋濂等撰《元史》，卷一百四，〈刑法志〉，頁2656。

〔註90〕 （明）宋濂等撰，《元史》，卷一百四，〈刑法志〉，頁2659。

死，驗各賊所殺人數，於家屬均徵燒埋銀。」〔註91〕這兩條不見於十惡之中，對照《元典章》可發覺上兩條為〈船上圖財謀殺〉條格判例匯整後創制而成的條文。原先在《元典章》中分類為諸殺，但其實是一件船上謀財害命的強盜殺人案，論案由可編入〈賊盜〉論結果可編入〈殺傷〉，可能當時編《經世大典·憲典》時未加精審校正導致一事出二例，與明代倉促成書《元史》列傳一人二傳的現象有異曲同工之妙。

表3-1：《元史·刑法志》所見陵遲條文表

條文及案由	十惡種類	刑法志編目
諸謀反已有反狀，為首及同情者，陵遲處死。	謀反	大惡
諸子孫弒其祖父母、父母者，陵遲處死。	惡逆	大惡
諸因姦毆死其夫及其舅姑者，陵遲處死。	惡逆	大惡
諸父子同謀殺其兄，欲圖其財而收其嫂者，父子並陵遲處死。	惡逆	大惡
諸奴故殺其主者，陵遲處死。	不義	大惡
諸以姦盡殺其母黨一家者，陵遲處死。	不道	大惡
諸採生人支解以祭鬼者，陵遲處死，仍沒其家產。	不道	大惡
諸婦人為首，與眾姦夫同謀，親殺其夫者，陵遲處死。	惡逆	犯姦
諸圖財謀故殺人多者，陵遲處死。	不明	殺傷、賊盜

　　將眼光放在較早期的元代法制史料《元典章》，其中所見凌遲案例僅有二例茲列如下：

　　【採生蠱毒】延祐三年二月，行省准中書省咨：河南省咨：『據荊湖北道宣慰司呈：「峽州路申：總管呂亞中關：為採生蠱毒事。」咨詳（請）照詳。』送刑部：『照得大德八年正月內奉中書省劄付：「御史臺呈：江南行臺咨：湖北廉訪司申：湖廣行省地面常、澧等處，有一等愚民，造畜蠱毒，用人祭鬼名曰採生。云大德八年例。」今承見奉，本部議擬于后。具呈照詳。』都省准呈。開咨，請依上施行。

　　採生析割祭鬼。前件，議得：採生支解人者，鞫問明白，審復無冤，

〔註91〕（明）宋濂等撰，《元史》，卷一百五，〈刑法志〉，頁2679。

擬合凌遲處死，籍沒家產。同居家口，雖不知情，遷徙邊遠；已行
不曾殺人者，比依強盜不曾傷人、不得財例，杖一百七，徒三年。
謀而未行者，九十七，徒二年半。其應捕之人，而自能赴官首告，
或捉獲同罪者，與免本罪。及諸人告捕是實，犯人家產全行給付。
應捕人減半。親臨官司受錢脫放者，決杖一百七下，除名不敍。鄰
佑、主首、社長人等知而不行告首，決杖八十七下。其親民有司并
本處鎮守軍官，時常申明條例，嚴加禁治。如是禁治不嚴，臨時詳
酌，議罪黜降。仍今拘該地面排門粉壁禁約，廉訪司嚴加体察相應。

造畜蠱毒。前件，議得：造合成毒堪以害人，及傳畜若行用而殺人，
用謀教令者，擬合處死，籍沒家產，同居家口雖不知情，遷徙邊遠。
諸人捉獲，犯人家產全行給付。〔註92〕

本案屬於唐宋舊律規範「十惡」中的不道，不道的要件爲殺一家非死罪三人、
支解人，造畜蠱毒與厭魅四種，但卻僅有三種不同輕重的量刑。該案例爲「造
畜蠱毒」的案例，官府卻引用大德年間「支解人」的案例比擬，明顯將不道視
爲一種罪名卻未細分兩行爲罪刑差異，但也有可能因元代流刑並未區分里程
數，流三千里、流二千里都是流遠，並無分別，蓋元代流刑的發展不承舊律「自
我作古」使然。〔註93〕將支解人的採生與造畜蠱毒併爲一條，僅保留主犯死刑
的差異，支解人要凌遲處死，造畜蠱毒者只言處死不需凌遲。這個案例日後轉
寫成「諸採生人支解以祭鬼者，陵遲處死，仍沒其家產。」的條文。

然《元典章》中另一件明言凌遲的案子是一樁十五人的命案，詳情如下：

【船上圖財謀殺】至元十八年正月，行省：准中書省咨：『「臨江路
申：歸問到黃子先等，爲與在禁病死張狗仔，并在逃劉大等五人，
將孫千戶、冷百戶等八名殺死，又撇於河內淬死七名一起公事，勘
責得一干人各各招證詞因。數內犯人身死張狗仔狀招：係瑞州人氏。
不合於至元十四年五月二十六夜三更前後，與梢工黃子先、周子友、
李子富、劉大同謀，各把孫千戶等舡上軍器，覷得孫千戶等睡省，
有周子友用斧於孫千戶頭上研訖一下，眾人一齊下手，將孫千戶、

〔註92〕 《元典章》，卷四十一，〈刑部・諸惡・採生蠱毒〉，頁1447～1448。
〔註93〕 （元）吳澄，《臨川吳文正公集》（臺北：新文豐出版公司，1985元人文集珍
本叢刊），卷十一，〈大元通制條例綱目後序〉，頁232。吳氏以「聖意蓋欲因
時制宜，自我作古也。」一語點出元法不師古律，自我創新的特色，爲《大
元通制》一書和元代法律下一個很好的註腳。

冷百戶、孫大、北軍二名并老小，通殺死八名，推下水淬死七名，卻將舡上人口、財物，各各分張，被捉到官。罪犯是實。外，見禁犯人黃子先、周子友、李子富狀招，各與張狗仔狀招相同。按察司審復無冤，咨請照驗」事。准此。刑部議得：「黃子先等所招殺死孫千戶等一十五人情犯，皆合凌遲處死。外據徵燒埋銀數，驗各賊殺死人數內，於犯人家屬依例均徵，給付苦主。外，在逃劉大，根捉得獲歸勘，依上處斷施行。呈乞照詳。」都省議得：黃子先、周子友、李子富依准部擬處死，燒埋銀數給付苦主。請差官賫元行文卷，前去本路參照，令不干礙獄卒人吏將犯人黃子先、周子友、李子富三人審問已招情犯，委無冤抑，與本路總管府一同將犯人防護至刑所，對眾明示犯由，依上處斷。外據燒埋銀數，驗殺死人數，於犯人家屬處均徵，給付苦主。及根捉在逃劉大得獲歸勘，依上處斷施行。如是稱冤，委有可疑情節，研窮磨問實情咨來。」省府准此。

除外，合下，仰照驗。〔註94〕

本例在《元史・刑法志》轉寫在〈盜賊〉「諸圖財謀故殺人多者，陵遲處死，仍驗各賊所殺人數，於家屬均徵燒埋銀。」與〈殺傷〉「諸圖財謀故殺人多者，皆陵遲處死，驗各賊所殺人數，於家屬均徵燒埋銀。」一事入兩例，明顯是案例整編上出了問題，應是一時不察造成的結果，也可以換個角度看，因判凌遲處死的多爲特例，故編排時於〈殺傷〉與〈賊盜〉皆收入之。

本案例是否符合舊律中十惡中不道殺一家非死罪三人的要件，令人存疑。《元典章》所見「孫千戶、冷百戶、孫大、北軍二名并老小。」其中老小可能是孫千戶、冷百戶或北軍的家眷倘若如此則符合殺一家非死罪三人的要件，但無論是否符合十惡罪名要件，此案件惡性重大，實有將犯人凌遲處死的必要。

就上面所見史料，凌遲處死多針對十惡（大惡）中對國家社會危害較大的犯罪，如反抗國家統治的謀反、破壞人倫長幼尊卑秩序的惡逆、違逆主僕名分的不義及殘忍支解人來祭鬼的不道，但並非符合上述「謀反」、「惡逆」、「不義」、「不道」就會以陵遲處置，如同屬不道行爲，支解祭鬼要陵遲，倘若單純支解食用則不見有要陵遲的紀錄。如《元史・刑法志》所載「諸支解

〔註94〕《元典章》，卷四十二，〈刑部・諸殺・船上圖財謀殺〉，頁 1456～1457。

人，煮以爲食者，以不道論，雖瘐死，仍徵燒埋銀給苦主。」〔註95〕若與子孫弒殺祖父母、父母的惡逆行爲相比，惡逆罪人雖身死獄中，仍需支解其屍以徇，算是有執行陵遲這個動作。〔註96〕把人支解食用的罪犯則只有判死刑雖然死於獄中，其屍體無須作陵遲或支解的動作。

可發覺對於犯罪是否判凌遲，如同流刑或一般死刑有著強烈的隨意性與擅斷性，除了案例記載的判決轉化成法律條文有所依據外，無法判斷其他的狀況與適用的邏輯性，然平心而論元代並沒有濫於使用凌遲這個殘酷的處死方式，反而限縮或提供日後明清繼承的基本格局，規範在十惡重罪之中。

三、一種不確定的死刑代名詞「敲」

本段處理一種便捷且普遍散見《元典章》中的死刑代名詞「敲」。敲這個詞語《元史·刑法志》之中未提及，但卻常見於《元典章》，茲將其出現的場合、時間、適用對象做一整理。《吏學指南》：「敲朴：短杖曰敲，杖擊曰朴。」〔註97〕敲應該是指用杖擊打的行爲，當這個詞語出現在死刑執行之時，我們可以合理的理解或解釋爲用杖殺人即「杖殺」。曾代偉認爲敲是元代一種適用較普遍的法定死刑執行方式。〔註98〕

但敲眞的就是杖殺嗎？還是一種不確定概念的處死？以下分析《元典章》所見「敲」狀況，檢索有關死刑的有 13 條，其中以犯罪類型分可分爲逃兵 2 條、偷頭口 2 條、窩藏隱匿賊犯 2 條、大言語、僞寫佛經 2 條、鹽法 1 條、殺人的 3 條、無頭文書 1 條，而有關於強竊盜賊通例、處斷條例的部分因爲是一般性通例，故在此排除不論。

屬於「鹽法類」一條繫於至元二十九（1292）年，是針對查緝私鹽時拒捕與官兵「相迎著廝殺的，根底敲了〔註99〕」可處死，兩次爲從被捕的要沒其家產，免死遠流。當屬臨時處斷之法，拒捕而與官兵廝殺，當場就地正法也無不可，故可以推斷「敲」一詞於此有方便行事，就地正法，當場擊斃的可能。

在《元典章·兵部》中事關「逃軍」的兩條資料有運用「敲」一詞，第一

〔註95〕　（明）宋濂等撰，《元史》，卷一百四，〈刑法志〉，頁 2653。
〔註96〕　（明）宋濂等撰，《元史》，卷一百四，〈刑法志〉「諸子弒其父母，雖瘐死獄中，仍支解其屍以徇。」頁 2651。
〔註97〕　（元）徐元端，楊訥點校，《吏學指南》（杭州：浙江古籍出版社，1988），〈刑具〉，頁 82。
〔註98〕　曾代偉，〈蒙元刑制考〉，收入氏著《金元法制叢考》，頁 332。
〔註99〕　《元典章》，卷八，〈戶部·課程·立都提舉司辦鹽課〉，頁 833。

條是〈處斷逃軍等例〉〔註100〕中第二款繫於至元二十一、二十四（1284、1287）年的記載。內容為出征的軍人帶頭臨陣脫逃，大汗命令帶頭脫逃者的「敲」，為從脫逃者免死，杖打一百零七下並流遠出軍。另一條疑為大德八年（1304 歲次甲辰）的聖旨，見於〈札撒逃走軍官軍人〉中：「聖旨俺底龍兒年（某個辰年）二月二十九日柳林裏有時分寫來」〔註101〕。該詔文提及先前征討交趾、占城的內容，然元成宗一朝與八百媳婦於大德元年（1297）發生軍事衝突，大德六年（1203）罷征，七年以征八百媳婦喪師，誅劉深，笞合剌帶、鄭祐，罷雲南征緬分省，〔註102〕固可推斷當為大德八年的資料，時間上和內容性質上都相符，當是成宗時期頒布，針對前線不聽號令擅自脫逃軍官、軍人、水手「如今那般推辭趔閃的省官人每，根底沒別里哥逃走回來的人每，根底休疑惑敲了扎撒者。」〔註103〕此話翻成白話文即為「現在藉故推託的省官們對於無令擅自脫逃的人們，無需遲疑一律處死就地正法。」此處「敲」的意義是指特殊狀況下對陣前逃亡或不遵號令者的臨時處斷，這個處置一樣是處死。

　　窩藏隱匿賊犯類型的紀錄有兩條，一條〈禁斷賊人作耗〉〔註104〕為至元二十九、三十年（1292～1293）間窩藏贛州南安一帶的強盜被破獲，針對協助隱匿窩藏賊犯的豪富與為首草賊新創的判例，而該例日後又被整併為〈窩藏賊人罪例〉收於《刑部·諸盜》之中，內文節概如下：「窩藏做賊的，行省行院官人每一同問了，取招是實呵，為首的根底敲了，其餘的那田地裏不交住發將出來。」〔註105〕翻成白話即：窩藏人犯經當地行省、行樞密院的官員聯合審理無冤後，主犯處死，其餘從犯強迫離開原地流遠。該處的敲也當處死解，並無特殊意涵。

　　殺害人命的有三條，大德五年〈胡參政殺弟〉一案被編入〈諸惡〉，因養子殺養父之子違反舊律中十惡的不睦、〔註106〕至元三十年〈打死同驅敲了者〉一案，為驅口打同主的驅口故入〈諸殺〉、〔註107〕至元二十四年〈倚勢抹死縣尹〉一案，為張千戶不滿吳縣尹上報其不法惡事，買凶殺人並偽裝成縣尹自

〔註100〕　《元典章》，卷三十四，〈兵部·軍役·處斷逃軍等例〉，頁 212～1214。
〔註101〕　《元典章》，卷三十四，〈兵部·軍役·札撒逃走軍官軍人〉，頁 1215。
〔註102〕　（明）宋濂等撰，《元史》，卷二十一，〈成宗紀〉，頁 450。
〔註103〕　別里哥，蒙文音譯符驗之義，沒別里哥即沒有號令之意。
〔註104〕　《元典章》，卷四十一，〈刑部·諸惡·禁斷賊人作耗〉，1429～1430。
〔註105〕　《元典章》，卷四十九，〈刑部，諸盜·窩藏賊人罪例〉，頁 1701。
〔註106〕　《元典章》，卷四十一，〈刑部·諸惡·胡參政殺弟〉，頁 1415～1417。
〔註107〕　《元典章》，卷四十二，〈刑部·諸殺·打死同驅敲了者〉，頁 1485。

殺的案件，屬故殺編入〈諸殺〉，〔註108〕三例皆用敲一詞，但並無明顯的特殊意義，均指單純的處死而已。如同「聖旨敲了者，麼道，聖旨了也。」般的公式化回應，與「某人Ａ根底敲了，某人Ｂ根底也敲了，怎生？麼道。奏呵。那般者，麼道。聖旨了也。」這樣的句式皆反應「敲了」在蒙古統治者的用語跟正常漢文中的「處死」無異，並無其他特殊意義。

其餘偷頭口的有兩條，〈達達偷頭口一箇陪九箇〉〔註109〕、〈漢兒人偷頭口一箇也陪九箇〉〔註110〕，兩例所示原則「達達家偷頭口的賊每，根底斷沒九個，重的敲了，輕的斷放。」至於漢人也「依那体例陪了九個，重的敲了，輕的刺斷者。」轉成白話文就是：「偷蒙古人家中大型牲畜牛、羊、馬之類一隻，要賠九隻，情節重大者處死，犯行較輕者打完杖數即放還。」另一則是漢人也依照偷一陪九的例子，情節重大者處死，犯行較輕者刺字打完杖數即放還，此處敲的意思也當處死用。剩下妖言造反的大德元年（1297）〈僞寫國號妖說天兵〉〔註111〕、元貞元年（1295）僞寫佛經的〈僞造佛經〉〔註112〕條、大德七年（1303）重申世祖舊訓禁止無頭文書（即不具名黑函）的〈又禁撇無頭文字〉〔註113〕條，這幾條內容所見的敲字也當死刑解。

綜上列個案，除了鹽法拒捕、逃軍這兩類的「敲」有可能是臨時處斷當場格斃的杖殺，其他狀況所見「敲」字的運用意同於處死，且以硬譯公文體的行文格式，大汗的聖旨回復多半爲「聖旨，敲了者，麼道，聖旨了也。」或「某某根底敲了。」可將敲了當作蒙文硬譯公文時翻譯殺了、或殺死的硬譯漢文。故《元典章》所見的敲，在其他文獻中便改寫成「處死」，如鹽法拒捕的條文收於《至正條格》中，就改寫成「違犯私鹽，捉拏其間拒悍者，流遠。因而傷人者，處死」〔註114〕但在《至正條格》首次出現的〈臨陣先退〉所見內容「與那裏省官、按察司官一同問得，是實呵，敲了者。」〔註115〕，

〔註108〕《元典章》，卷四十二，〈刑部・諸殺・倚勢抹死縣尹〉，頁1458～1460。
〔註109〕《元典章》，卷四十九，〈刑部・諸盜・達達偷頭口一箇陪九箇〉，頁1672。
〔註110〕《元典章》，卷四十九，〈刑部・諸盜・漢兒人偷頭口一箇也陪九箇〉，頁1672～1673。
〔註111〕《元典章》，卷四十一，〈刑部・諸惡・僞寫國號妖説天兵〉，頁1426。
〔註112〕《元典章》，卷五十二，〈刑部・詐僞・僞造佛經〉，頁1762～1763。
〔註113〕《元典章》，卷五十三，〈刑部・訴訟・又禁撇無頭文字〉，頁1813～1814。
〔註114〕韓國學中央研究院編，《至正條格》（校註本）（城南：韓國學中央研究院，2008），卷十一，〈斷例・廄庫・私鹽罪賞〉，頁287，
〔註115〕韓國學中央研究院編，《至正條格》（校註本），卷十三，〈斷例・擅興・臨陣

聖旨內文依然用著「敲」一詞表示處死，故可知「敲」當作處死解釋此點無庸置疑，該詞語爲蒙文硬譯漢文時的用字，當整理成法律條文之時，會改寫爲處死，當若爲聖旨或公文時則以「敲」呈現。不可以將其視爲元代曾普遍適用杖殺的證據。且曾氏的說法有「自至元八年絞刑退出法定死刑後，統治者鑒於斬刑的普遍適用恐涉太重，欲以敲刑作爲緩衝。」〔註116〕此言不知理據爲何，其說法有待商榷。

　　筆者認爲敲在大部分的執行應爲斬刑，蓋如《元史·刑法志》所言，死刑唯有斬、陵遲兩等，依照元代當時的判例記錄《元典章》、後人所編的《元史·刑法志》的用詞分析，《元典章》案例中所見多用敲、凌遲處死兩種死刑，《元史·刑法志》中對於死刑只有處死、陵遲處死兩種，一般死刑執行，有斬無絞是元代官方史料的一貫說法，如據曾氏〈蒙元刑制考〉一文對於元代絞刑的考訂，肯定了斬刑爲一般正常死刑的執行方式。〔註117〕兩相對照之下敲等於處死；處死等於斬刑。

　　然而曾氏統計《元史·刑法志》共列135條死罪，有6條明確寫爲斬刑，9條陵遲，其餘的皆作死或處死。而用死或處死的條文約占九成。〔註118〕筆者認爲如同上段對敲一詞的討論結果，原先在公文或聖旨條畫的蒙文硬譯詞敲，被改寫成漢文文書或法條時變成較中性的死、或處死。至於那6條斬和9條凌遲，很明顯可能在案例的彙編上或公文流傳中，沒有經過漢文→蒙文→漢文的轉換過程，是故保留著原始的刑名，如此即可解釋曾氏對於有斬無絞說的疑惑，同一典籍行文邏輯矛盾，只有斬刑卻同時出現處死、斬兩種處罰規定。蓋元代特殊的統治背景造成這種奇妙又有趣的狀況。

第四節　結　語

　　本章討論元代五刑體制中的流刑與死刑，透過資料考察比較後發現，元代的流刑本質上較接近於遼代的流刑，與唐宋舊律無涉，是自蒙古舊俗中將人犯流放邊地或送到前線出軍的刑罰發展而成，在金元之際「流刑一條似未可用」的狀況下，扮演刑罰體系中罪不至死、特恩免死的重刑角色。可以說

先退〉，頁309。
〔註116〕曾代偉，〈蒙元刑制考〉，收入氏著《金元法制叢考》，頁339。
〔註117〕可參曾代偉，《金元法制叢考》，頁315～330考訂有斬無絞說法的內容。
〔註118〕曾代偉，〈蒙元刑制考〉，收入氏著《金元法制叢考》，頁331。

是蒙古制的流遠、出軍刑侵奪原先漢地傳統五刑設計中流刑的功能，雖然這兩者在刑罰體系中地位一樣，外型相似，實質內容卻大相逕庭。

初期原多出於隨意性或臨時性的國家人力調遣，尚未形成制，但已將蒙古式的出軍、流遠時適用於減死一等的重罪。日後成宗朝頒定〈強竊盜賊通例〉將其正式納入刑罰體系之中，取代舊律流刑地位，也因此繼承了《金律》一罪二刑的複式刑罰框架，如「徒一年，杖六十七」，兩種刑罰方構成完整徒刑徒一年之刑，元代流刑至此定調爲「杖一百七，流遠」或「杖一百七，出軍」這樣的複式刑罰結構。

針對盜賊重犯、累犯判決出軍、流遠。隨著〈舊賊再犯出軍〉、〈流遠出軍地面〉等法令頒布，一步步形塑元代流刑的細部規定，依民族因素決定流放地，主要針對盜賊贓重、累犯、及罪不及死的重刑犯或從犯。關於流刑的輕重方面，延祐七年〈發付流囚輕重地面〉的法令，正式區分出軍、屯種刑的輕重。原先單純的臨時任務性質轉化成制度依罪名輕重分任務，用漢地的法律規章處理蒙古制的刑罰，這種狀況也發生在遇赦放還與否的問題上，放還與否的影響要素與唐宋舊律相似。

後來這樣蒙漢交雜的情況下，發展出另一種似流非流的遷徙（遷移）刑。誠如陳高華所指出的，這個刑罰的設立與鄭介夫上言抑豪強有相關，但遷移刑並非如陳氏所言將前代的「遷」和「移鄉」合而爲一，而是以附加刑的手段強迫豪強、或犯下重傷害親屬的犯人，在本刑之外要求其流遠至一般流刑的流放地，禁止返鄉，故遇赦亦不得放還。這個遷徙刑與一般正常流刑差異爲遷移爲附加刑，流爲正刑，判流刑需決杖一百零七下，後流放到出軍或種田任務的地點；遷徙的豪強或將人毆至失明的罪犯，則是先處理鬥毆的杖刑，再強制流放離開故鄉。兩者乍看之下相似，組成內容和法制設立過程不同。

死刑方面，主要透過前人研究討論葉子奇「天下死囚，審讞已定，亦不加刑。」一語的可能性，死囚不加刑的原因可能有因皇帝意志或前線戰事、免死出軍或轉服其他勞役。或者因有元一代皇帝多不長壽，加以皇位遞嬗快速，即位大赦次數多，改元大赦機率極高，死囚獲得赦免的機率也高。另外尚有元代皇室時常作佛事，作佛事每多以縱囚、釋囚來祈福，而所縱之囚不分輕重，犯行深重者如殺夫的妻妾亦可被釋，眞可謂勝殘去殺，黎元在海涵春育之中。

　　死刑的執行面上，針對元代凌遲處死用在何種類型犯罪，比較並排比《元典章》、《元史・刑法志》所見凌遲的案例皆屬傳統舊律的「十惡」，凌遲處死多針對十惡（大惡）中對國家社會危害較大的犯罪，如反抗國家統治的謀反、破壞人倫長幼尊卑秩序的惡逆、違逆主僕名分的不義及殘忍支解人來祭鬼的不道，但又不是符合上述「謀反」、「惡逆」、「不義」、「不道」就會以凌遲處置，如同屬支解人的支解祭鬼的要判陵遲、支解食用則不見陵遲的紀錄，如同流刑或一般死刑，凌遲有著強烈的隨意性與擅斷性，平心而論並沒有濫用這個殘酷的處死方式。

　　此外透過《元典章》與《至正條格》有關敲的條文，與《元史・刑法志》相對應的條文，駁正曾代偉提出「敲」一詞為杖殺之意，與元代曾普遍適用杖殺的說法。除《元典章》戶部中緝捕私鹽時與官兵廝殺拒捕者可判敲，與兵部部分關於陣前帶頭脫逃，或不聽號令者可判敲，可當作臨時處斷的就地正法，或擊斃罪犯，有可能是杖殺，狀況緊急臨時處置，屬於不確定概念的處死，其他部分無論是刑部的殺人案件、強盜、窩藏犯人、偷頭口、還是妄言、偽寫佛經，諸多案例所見敲字，均當處死解釋，並無特殊意涵。故「敲」一字是蒙古硬譯公文體翻譯「處死」的固定用字如此而已。

　　綜上所述，元代的流刑與死刑都時常出現皇權的擅斷性，常常是生死一線間，但如前面所得的結論，元代在死刑上是採較寬鬆的態度，流刑方面多出於元廷國家戰略需要實際的勞動力需求，也充分反映蒙古征服者的心態，在維持社會穩定下儘可能壓榨勞動力與財富，死囚不死可流遠出軍增加可直接調配的人力資源，但在部分謀反、惡逆、不道、不義的特殊犯罪時，則設有極刑凌遲處死來整治。《元史・刑法志》序言「元之刑法，其得在仁厚，其失在緩弛而不知檢。」這句話用在流死兩刑上可謂中肯，以此作結。

第五章　結　論

　　經過以笞、杖、徒、流、死五種刑罰設立原因與運用對象探討元代五刑體系的建立。一如歷代王朝一樣，元代法制充滿著皇權擅斷的特色，除此之外創設過程中還有三個重要因素—「世祖成憲」、「蒙古舊慣」以及「唐金舊例」交雜而成，換句話說就是在世祖皇帝訂下的規模基礎上部份的「下從臣僕之謀，改就亡國之俗」。

　　其中刑罰框架明顯是受「唐金舊例」制約，五刑之制完全保留唐以後定調的外部框架，然而實質內容上卻大不相同。如笞、杖刑部分受「世祖成憲」天饒他一下，地饒他一下，朕饒他一下的減三下恩惠，加上決杖最多不過一百零七，規範了笞杖刑的架構。因時期的不同有當作替換舊律徒刑的刑罰，充作徒刑附加刑，流刑附加刑等多面貌地運用方式。

　　徒刑方面，國初因「世祖成憲」並不普遍行用徒刑，僅針對犯私鹽、偽鈔這類事關國計的經濟犯罪，而後因世祖基於「蒙古舊慣」要求罪犯付出勞動力作為賠償，故普遍行用在強竊盜賊犯罪上，恢復徒刑一般犯罪的施用，不過刑制受制於金代自由刑一罪二刑複式刑罰結構，依舊延續一罪二刑的架構。直到大德年間完成加徒減杖制度，將遼金兩代為人所詬病的一罪二刑問題作妥協性的處理，利用「唐金舊例」的折杖規定換算徒一年勞役可折擊杖數目，將一年勞役可抵銷的決杖數抵銷掉，得到無法為一年役期抵銷的服役日數，這個無法抵銷的服役日數換成決杖數，構成徒一年，杖六十七的元制新徒刑。雖說這個是元代新制，但運算的過程仍受制於「世祖成憲」、「唐金舊例」兩因素。

　　流刑方面，與其說受制於「唐金舊例」保留流刑位階，不如說「蒙古舊

慣」的流遠、出軍刑，取代中原漢地舊有的流刑，雖然是蒙古式的刑罰但運用時受制「唐金舊例」，依然沿襲金制複式刑罰的面貌，呈現杖一百七，流遠、杖一百七，出軍的外觀，對刑罰輕重、刑罰位階的安排、特赦與否的問題等，明顯參考舊律流刑的要件，即便兩者迥不相侔。這樣如同鑲嵌玻璃馬賽克一樣地將蒙古元素與漢地法律傳統等不同顏色的玻璃，拼湊成以「唐金舊律」規範好外框的圖形。

至於死刑五刑圖中最後一塊拼圖，這一部分並沒有太多「蒙古舊慣」的色彩，僅僅將原先「唐金舊例」的絞和斬兩刑，只留下斬並加上一個凌遲，又因「世祖成憲」的影響，每歲作佛事縱囚、將死囚改判出軍或服其他勞役，眞可謂海涵黎元於春育之中。

「世祖成憲」造成的後遺症，正如明代修元史時說其刑法得在仁厚，其失在緩弛而不知檢，然訂大明律時不免參考元律，造成部分犯罪如犯姦、鬥毆等被迫繼受元律刑制框設計而不自覺，通姦自《唐律》的徒罪降爲杖罪，單純的拳手毆傷自笞四十減至笞二十。因此如果不了解元律的設計，我們就不能理解明律爲何出現輕其所輕，重其所重的特色，其原因之一如同元初立制面臨的狀況一樣，爲刑罰框架的可用位階數目不一導致而成。元代的法律這時也變成鑲嵌明律圖像中的一塊玻璃，原先有如逆滲透般強勢加之於漢地法律制度上的要素，也一樣被鑲嵌進日後的明清律之中。

參考書目

一、傳統文獻

1. 不著撰人,《大元聖政國朝典章》景印元刻本,臺北:國立故宮博物院,1976。

2. 中國社會科學院歷史研究所天聖令整理課題組校證,《天一閣藏明鈔本天聖令校證:附唐令復原研究》,北京:中華書局,2006。

3. 方齡貴校注,《通制條格校注》,北京:中華書局,2001。

4. 王惲,《秋澗先生大全文集》,元人文集珍本叢刊,臺北,新文豐出版公司,1985。

5. 札奇斯欽譯註,《蒙古秘史 新譯並註釋》,臺北:聯經出版,1979。

6. 宇文懋昭著,崔文印校證,《大金國志》,北京:中華書局,1986。

7. 吳澄,《臨川吳文正公集》,元人文集珍本叢刊,臺北:新文豐出版公司,1985。

8. 宋濂等撰,《元史》,北京:中華書局,1976。

9. 志費尼著 何高濟譯、翁獨健校訂,《世界征服者史》,呼和浩特:內蒙古人民出版社,1980。

10. 沈家本,《歷代刑法分考》,臺北:臺灣商務印書館,1976。

11. 沈家本,《歷代刑法考附寄簃文存》,北京:中華書局,1985。

12. 沈家本,《歷代律令》,臺北:臺灣商務印書館,1976。

13. 拉施特主編、余大鈞、周建奇譯,《史集》,第一卷 第二分冊,北京:商務印書館,1983。

14. 長孫無忌等撰、劉俊文點校,《唐律疏議》,北京:中華書局,1983。

15. 夏原吉監修,胡廣等總裁,《明太祖實錄》,臺北:中央研究院歷史語言

研究所，1984，縮景中央研究院歷史語言研究所民國五十一年刊本。

16. 島田正郎主編，《中國法制史料》第二輯第二冊，臺北：鼎文出版社，1979。

17. 島田正郎主編，《中國法制史料》第二輯第三冊，臺北：鼎文出版社，1979。

18. 徐元瑞等撰，楊訥點校，《吏學指南》，杭州：浙江古籍出版社，1988。

19. 馬端臨，《文獻通考》，北京：中華書局，1986。

20. 脫脫等撰，《金史》，北京：中華書局，1975。

21. 脫脫等撰，《遼史》，北京：中華書局，1974。

22. 郭成偉點校，《大元通制條格》，北京：法律出版社，1999。

23. 陳高華等點校，《元典章》天津：天津古籍出版社，北京：中華書局，2011。

24. 陳得芝、邱樹森、何兆吉輯點，《元代奏議集錄》，杭州：浙江古籍出版社，1998。

25. 陶宗儀撰，《南村輟耕錄》，北京：中華書局，1959。

26. 張方平著；鄭涵點校，《張方平集》，鄭州：中州古籍出版社，2000。

27. 程鉅夫，《程雪樓文集》，元代珍本文集彙刊，臺北：國立中央圖書館，1970。

28. 程樹德，《九朝律考》，北京：中華書局，2006。

29. 黃時鑑輯點，《元代法律資料輯存》，杭州：浙江古籍出版社，1988。

30. 黃時鑑點校，《通制條格》，杭州：浙江古籍出版社，1986。

31. 楊士奇等撰，《歷代名臣奏議》，臺北：臺灣商務印書館，1983，景印文淵閣四庫全書。

32. 楊瑀，《山居新語》，北京：中華書局，2006。

33. 葉子奇，《草木子》，北京：中華書局，2010。

34. 薛允升著、懷校鋒・李鳴點校，《唐明律合編》，北京：法律出版社，1999。

35. 韓國學中央研究院編，《至正條格》（校註本），城南：韓國學中央研究院，2008。

36. 懷效峰點校，《大明律》，北京：法律出版社，1999。

37. 竇儀著，薛梅卿點校，《宋刑統》北京：法律出版社，1999。

38. 蘇天爵著，陳高華、孟繁清點校，《滋溪文稿》，北京：中華書局，1997。

39. 蘇天爵編，《國朝文類》，臺北：臺灣商務印書館，1965，四部叢刊本。

二、現代論著

（一）中文部分

1. 仁井田陞著、栗勁、霍存福等編譯，《唐令拾遺》，吉林：長春出版社，1989。

2. 內蒙古典章法學與社會學研究所編，《成吉思汗法典及其原論》，北京：商務印書館，2007。

3. 亦鄰眞，《亦鄰眞蒙古學文集》，呼和浩特：內蒙古人民出版社，2001。

4. 吳海航，《元代法文化研究》，北京：北京師範大學出版社，2000。

5. 吳海航，《元代條畫與斷例》，北京：知識產權出版社，2009。

6. 吳謹伎，〈六臟罪的效力〉文收高明士主編，《唐律與國家社會研究》（臺北：五南圖書出版公司，1999），頁 161～227。

7. 吳謹伎，〈論唐律「計臟定罪量刑」原則——以名例律之規定爲主〉文收高明士主編，《唐代身分法制研究——以唐律名例律爲中心》（臺北：五南圖書出版公司，2003），頁 187～230。

8. 李崇興、祖生利、丁勇著，《元代漢語語法研究》，上海：上海教育出版社，2009。

9. 李崇興、祖生利著，《《元典章·刑部》語法研究》，開封：河南大學出版社，2010。

10. 孟祥沛，《中國傳統行刑文化研究》，北京：法律出版社，2009。

11. 林茂松，《中國法制史探索》，臺北：正典出版文化有限公司，2005。

12. 武波，〈元代刑法體系中的出軍制度探析〉文收《山西師大學報（社會科學版）》第 33 卷第 2 期 2006，頁 79～84。

13. 姚大力，〈論元代刑法體系的形成〉，收入柳立言編，《宋元時代的法律思想和社會》（臺北：國立編譯館，2001），頁 83～128。

14. 姚大力，《蒙元制度與政治文化》，北京：北京大學出版社，2011。

15. 姚大力、郭曉航，〈泰和律與元初的刑政〉收入蕭啓慶主編，《蒙元的歷史與文化：蒙元史學術研討會論文集》（臺北：臺灣學生書局，2001），頁 423～480。

16. 柏清韻（Bettine Birge），〈遼金元法律及其對中國法律傳統的影響〉，收於柳立言編，《中國史新論》（法律史分冊）（臺北：聯經出版公司，2008），頁 141～191。

17. 柳立言編，《宋元時代的法律思想與社會》，臺北：國立編譯館，2001。

18. 胡小鵬、李翀〈試析元代的流刑〉文收《西北師大學報（社會科學版）》，第 46 卷第六期，2008。頁 57～61。

19. 胡興東，《中國古代判例法運作機制研究》，北京：北京大學出版社，2010。

20. 宮崎市定，〈宋元時代的法制與審判機構——《元典章》的時代背景與社會背景〉，收入楊一凡總主編，《中國法制史考證》丙篇，第 3 卷，「日本學者考證中國法制史重要成果選譯·宋遼西夏元卷」（北京：中國社會科學出版社，2003），頁 1～121。

21. 島田正郎，《北亞洲法制史》，臺北：中國文化學院，1964。

22. 島田正郎撰、葉潛昭譯，《東洋法史——中國法史篇》，臺北：鼎文書局，1979。

23. 徐道鄰，《中國法制史論略》，臺北：正中書局，1953。

24. 祖生利、李崇興點校，《大元聖政國朝典章‧刑部》，太原：山西古籍出版社，2004。

25. 高明士主編，《唐代身分法制研究——以唐律名例律爲中心》，臺北：五南圖書出版公司，2003。

26. 高明士主編，《唐律與國家社會研究》，臺北：五南圖書出版公司，1999。

27. 張帆，〈金元六部及相關問題〉收入蕭啓慶主編，《蒙元的歷史與文化：蒙元史學術研討會論文集》（臺北：臺灣學生書局，2001）頁 423～461。

28. 張晉藩主編，《中國法制史研究綜述（1949～1989）》，北京：中國人民公安大學出版社，1990。

29. 張斐怡，〈蒙元統治下親屬殺傷罪的處理及其意義〉收入於黃寬重主編，《基調與變奏：七至二十世紀的中國》，臺北，政大歷史系等出版，2008。

30. 郭東旭，《宋代法制研究》，保定：河北大學出版社，2000。

31. 郭曉航、姚大力，〈金《泰和律》徒刑附加決杖考〉收入楊一凡總主編：《中國法制史考證》甲篇，第 5 卷，《歷代法制考‧宋遼金元法制考》（北京：中國社會科學出版社，2003），頁 469～484。

32. 陳俊強，〈試論唐代流刑的成立及其意義〉，文收高明士主編，《唐代身分法制研究——以唐律名例律爲中心》（臺北：五南圖書出版公司，2003），頁 263～274。

33. 陳昭揚，〈金代的杖刑、杖具與用杖規範〉收入於臺師大歷史系，中國法制史學會，唐律研讀會主編《新史料、新觀點、新視角天聖令論集》（臺北：元照出版社，2011），頁 73～93。

34. 陳高華，〈元史研究新論〉，上海：上海社會科學院出版社，2005。

35. 陳顧遠，《中國法制史概要》，臺北：三民書局，1965。

36. 曾代偉，《金律之研究》，臺北：五南圖書出版公司，1995。

37. 曾代偉著，《金元法制叢考》，北京：社會科學文獻出版社，2009。

38. 植松正，〈元初法制史一考——與金制的關係〉，收入楊一凡總主編：《中國法制史考證》丙篇，第 3 卷，《日本學者考證中國法制史重要成果選譯‧宋遼西夏元卷》（北京：中國社會科學出版社，2003），頁 203～232。

39. 馮修青，〈元朝的流放刑〉，文收《內蒙古大學學報（哲學社會科學版）》，1991 第四期。43～49 頁。

40. 黃時鑑，〈《大元通制》考辨〉，收入柳立言編《宋元時代的法律思想與社

　　會》（臺北：國立編譯館，2001），頁16～37。

41. 楊鴻烈，《中國法律發展史》，上海：上海書局，1990。

42. 葉潛昭，《金律之研究》，臺北：臺灣商務印書館，1972。

43. 蒙思明，《元代社會階級制度》，上海：上海人民出版社，2006。

44. 劉俊文，《唐律疏議箋解》，北京：中華書局，1996。

45. 箭内亙著，陳捷、陳清泉譯，《元朝怯薛及斡耳朵考》，臺北：臺灣商務印書館，1963。

46. 蕭啓慶，《西域人與元初政治》，臺北：國立臺灣大學文學院，1966。

47. 蕭啓慶主編，《蒙元的歷史與文化：蒙元史學術研討會論文集》，臺北：臺灣學生書局，2001。

48. 戴建國，《宋代刑法史研究》，上海：上海人民出版社，2007。

49. 戴建國，《宋代法制初探》，哈爾濱：黑龍江人民出版社，2000。

50. 薛梅卿，〈《刑統賦》及解疏本初考〉一文收入楊一凡總主編，《中國法制史考證》甲篇，第5卷，「歷代法制考‧宋遼金元法制考」（北京：中國社會科學出版社，2003。）頁1～20。

51. 魏殿金，《宋代刑罰制度研究》，濟南：齊魯書社，2009。

52. 蘇振申，《元政書經世大典之研究》，臺北：中國文化大學出版部，1984。

（二）日文部分

1. 安部健夫，《元代史の研究》，東京：創文社，1970。

2. 小林高四郎，《モンゴル史論考》，東京：雄山閣，1983。

3. 仁井田陞，《中国法制史研究——刑法》，東京：東京大學東洋文化研究所，1959。

4. 仁井田陞，《中国法制史研究——法と慣習、法と道德》，東京：東京大學東洋文化研究所，1964。

5. 大島立子，〈新出『至正條格』の紹介——『通制條格』との比較から〉收入大島立子主編，《前近代中國の法と社會——成果と課題》，東京，東洋文庫，2009。

6. 瀧川政次郎，《中国法制史研究》，東京：巖南堂書店，1979。

7. 辻正博，〈杖刑と死刑のあいだ——宋代における追放刑‧勞役刑の展開〉收入梅原郁主編，《前近代中國の刑罰》（京都：京都大學人文科學研究所，1996），頁212～216。

8. 辻正博，〈唐代流刑考〉文收梅原郁主編《中國近世の法制と社會》（京都：京都大學人文科學研究所，1993），頁73～110。

9. 辻正博，《唐宋時代刑罰制度の研究》，京都：京都大學學術出版會，2010。

10. 島田正郎，《北方ユーラシア法系の研究》，東京：創文社，1981。

11. 德永洋介，〈金元時代の流刑〉，收入梅原郁主編，《前近代中国の刑罰》，（京都：京都大學人文科學研究所，1997），頁 285～322。

12. 梅原郁主編，《前近代中國の刑罰》，京都：京都大學人文科學研究所，1996。

13. 梅原郁主編，《中國近世の法制と社會》，京都：京都大學人文科學研究所，1993。

14. 梅原郁主編，《訳註中国近世刑法志》，東京：創文社，2002。

15. 淺井虎夫，《支那ニ於法典ケル編纂ノ沿革》，東京：京都法學會，1911。